EXCEL 2000
POUR
LES NULS

EXCEL 2000 POUR LES NULS

Greg Harvey

EXCEL 2000 pour les Nuls

Publié par

IDG Books Worldwide, Inc.

Une société de International Data Group

919E. Hillsdale Blvd., Suite 400

Forster City, CA 94404

Copyright © 1999 par IDG Books Worldwide, Inc.

Pour les Nuls est une marque déposée de International Data Group

For Dummies est une marque déposée de International Data Group

Collection dirigée par Jean-Pierre Cano

Traduction : Spectrobyte

Edition française publiée en accord avec IDG Books Worldwide, Inc.

© 2000 par Éditions First Interactive

33, avenue de la République

75011 Paris - France

Tél. 01 40 21 46 46

Fax 01 40 21 46 20

Minitel : 3615 AC3* F1RST

E-mail : firstinfo@efirst.com

Web : www.efirst.com

ISBN : 2-84427-237-1

Dépôt légal : 4ème trimestre 2000

Sommaire

QUATRIEME PARTIE : IL Y A UNE VIE AU-DELA DE LA FEUILLE DE CALCUL 223

X

Introduction

Bienvenue dans *Excel 2000 pour Windows pour les Nuls*, l'ouvrage incontournable pour les utilisateurs d'Excel sous Windows dont l'ambition n'est pas de devenir des gourous de la feuille de calcul. Dans ce livre, vous trouverez toutes les informations nécessaires à une utilisation quotidienne d'Excel en toute sérénité. Son but est d'aborder les choses simplement, sans vous gaver de détails techniques inutiles pour accomplir une tâche particulière.

Excel 2000 pour Windows pour les Nuls vous initie aux techniques fondamentales pour créer, éditer, formater et imprimer vos propres feuilles de calcul. Il vous expose, en plus, les principes de création d'une base de données ainsi que ceux liés à la représentation graphique. Gardez cependant à l'esprit que l'objectif ultime de ce livre est de vous permettre de concevoir des feuilles de calcul, tâche essentielle des utilisateurs d'Excel.

A propos de ce livre

Ce livre n'a pas été conçu pour être lu d'un bout à l'autre. Cependant ses chapitres ont été organisés dans un ordre logique (progressant au rythme de votre apprentissage d'Excel), chaque sujet étant traité dans un chapitre qui lui est propre.

Dans Excel, comme dans la plupart des programmes sophistiqués, il existe plusieurs façons d'exécuter une tâche. Soucieux de protéger votre santé mentale, j'ai délibérément limité les choix et privilégié les méthodes les plus efficaces pour y parvenir. Cependant, rien ne vous empêche, dans l'avenir, d'expérimenter d'autres méthodes pour exécuter le même travail. Pour le moment, limitez-vous aux méthodes qui vous sont proposées.

Tout a été fait pour que vous n'ayez rien à apprendre par coeur. Vous trouverez parfois des renvois à d'autres sections ou chapitres de ce livre. Ces renvois sont là pour compléter vos connaissances sur un sujet particulier. Il n'est pas nécessaire de vous y attarder si vous ne rencontrez aucun problème.

Comment aborder cet ouvrage

Ce livre se présente comme un manuel de référence que vous consultez sur un sujet à propos duquel vous avez besoin d'informations. Le sommaire et l'index vous aideront à trouver directement la section qui traite du sujet qui vous intéresse. La majeure partie des problèmes sont expliqués de manière très pédagogique. Cependant, des étapes à suivre à la lettre vous seront régulièrement imposées pour accomplir des tâches particulières.

Ce que vous pouvez ignorer sans danger

Lorsque vous entamez l'étude d'une section qui décrit pas à pas ce que vous devez faire pour obtenir le résultat désiré, vous pouvez ignorer sans danger tout ce qui n'apparaît pas en gras. Notamment si vous n'avez ni le temps ni l'envie de vous diluer dans les détails.

Chaque fois que cela a été possible, j'ai tenté de séparer les informations essentielles de celles de moindre importance. Ces dernières sont repérées grâce à des icônes en marge renseignant sur le type d'informations rencontrées. Vous pourrez sans problème passer outre les paragraphes marqués de telles icônes.

Consultez plus loin la section "Les icônes spéciales" pour des informations plus précises sur leur aspect et leur signification.

Hypothèse absurde

J'imagine que vous avez accès à un ordinateur PC sur lequel Windows et Excel sont installés (et je suppose qu'il reste de la place sur votre disque dur pour d'autres applications !). Cela étant, je suppose que vous ne lancerez jamais Excel 2000 sans intention d'y travailler.

Si vous n'avez pas procédé à la mise à jour d'Excel 97 pour Windows (soit parce que vous êtes trop avare, soit parce qu'il ne vous reste pas suffisamment d'espace libre sur votre disque dur), vous pouvez poursuivre la lecture de ce livre, sous réserve de faire attention à l'icône ci-contre. Chaque fois que vous la rencontrerez, cela signifiera qu'il est fait référence à des fonctions et caractéristiques propres à Excel 2000 (donc qui ne figurent pas dans votre ancienne version d'Excel).

Comment ce livre est-il organisé ?

Ce livre est organisé en six parties. Chaque partie contient au moins deux chapitres. Chaque chapitre est lui-même divisé en sections qui traitent des bases du sujet qu'elles abordent. Il n'est pas obligatoire de suivre la structure de ce livre ; dans l'absolu, vous pouvez très bien apprendre comment éditer une feuille de calcul avant d'apprendre à la formater, ou encore apprendre à imprimer avant d'apprendre à éditer. En fait, la chose la plus importante est que vous sachiez trouver l'information - et que vous la compreniez - quand vous devez accomplir une tâche particulière.

Voici un résumé de ce que vous trouverez dans chaque partie.

Première partie : Etre immédiatement opérationnel

Comme son nom l'indique, la première partie couvre des notions fondamentales telles que l'apprentissage du démarrage du programme, l'identification des différentes parties de l'écran, la façon d'entrer des informations dans la feuille de calcul, la manière de sauver un document, etc. Si vous commencez votre étude en n'ayant aucune connaissance de l'utilisation des feuilles de calcul, lisez le Chapitre 1 pour savoir ce que recouvre Excel. Ensuite, au Chapitre 2, vous apprendrez à créer des feuilles de calcul.

Deuxième partie : Éditer sans craquer

La deuxième partie vous apprend à éditer des feuilles de calcul présentables et à y effectuer des modifications majeures sans courir au désastre. Référez-vous au Chapitre 3 lorsque vous avez besoin d'informations sur la manière de formater des données afin d'améliorer leur présentation dans la feuille de calcul. Le Chapitre 4 vous en apprendra davantage sur la manière d'arranger, effacer ou insérer de nouvelles données. Enfin, le Chapitre 5 vous indiquera comment imprimer votre travail une fois terminé.

Troisième partie : Savoir s'organiser

La troisième partie vous donne toutes sortes d'informations sur la manière de garder un contrôle total sur les données que vous venez d'entrer dans vos feuilles de calcul. Le Chapitre 6 recèle de bonnes idées pour la gestion et l'organisation des données dans une seule feuille de calcul. Le Chapitre 7 vous apprend à jongler avec les entrées et les sorties de données se trouvant dans différentes feuilles de calcul d'un même classeur. Ce chapitre vous apprend aussi à transférer des données entre les feuilles de classeurs différents.

Quatrième partie : Il y a une vie au-delà de la feuille de calcul

La quatrième partie explore d'autres aspects d'Excel au-delà de la feuille de calcul. Dans le Chapitre 8, vous verrez comme il est ridiculement simple de créer une représentation graphique des données figurant dans une feuille de calcul. Dans le Chapitre 9, vous verrez combien les possibilités de gestion de base de données d'Excel peuvent être pratiques lorsque vous devez assurer le suivi et l'organisation d'une grande quantité d'informations. Au Chapitre 10, vous apprendrez comment ajouter des hyperliens pour sauter directement à d'autres endroits de la même feuille de calcul, vers d'autres documents, ou encore vers des pages Web. Vous découvrirez également comment convertir des données de feuille de calcul en pages Web (interactives) statiques ou dynamiques afin de les publier sur le(s) site(s) Web de votre entreprise.

Cinquième partie : Effectuer un travail personnalisé

La cinquième partie vous donne des idées sur la manière de personnaliser votre travail avec Excel. Dans le Chapitre 11, vous modifierez les options d'affichage d'Excel, et dans le Chapitre 12 enregistrerez et utiliserez des macros afin d'automatiser certaines tâches.

Sixième partie : Les dix commandements

Comme c'est la tradition dans la collection *Pour les Nuls*, la dernière partie contient les dix trucs et astuces les plus utiles.

Conventions utilisées dans cet ouvrage

Il s'agit ici de savoir comment interpréter la présentation de certains éléments du livre.

Le clavier et la souris

De par sa sophistication, Excel 2000 recèle un nombre important de boîtes, barres et menus, à propos desquels vous apprendrez tout dans le Chapitre 1.

Pour vous déplacer dans une feuille de calcul Excel, vous utiliserez la souris ou les raccourcis clavier. Mais comme il vous sera demandé de saisir au clavier des données spécifiques dans des cellules déterminées de la feuille de calcul, vous devrez respecter la signification de certaines règles typographiques. Ainsi, lorsque je vous demanderai d'entrer une fonction particulière, ce que vous devrez taper sera écrit en **gras**. Par exemple, **=SOMME(A2:B2)** signifie que vous devez taper exactement ce qui est écrit sans rien omettre. Vous validerez ensuite ce qui a été saisi en pressant la touche Entrée de votre clavier.

Quand Excel s'adresse à vous, il affiche un message dans la barre d'état située en bas de l'écran. Dans ce livre, ces messages apparaissent ainsi :

```
=SOMME(A2:B2)
```

Lorsque vous devez utiliser une combinaison de touches pour accomplir une tâche, la convention d'écriture est la suivante : Ctrl+S. Cela signifie que vous devez maintenir appuyées les touches Ctrl et S en même temps, quitte à faire souffrir les doigts des novices qui deviendront très rapidement des pros de ce style d'exercice !

Vous devrez parfois parcourir un ou plusieurs menus et sous-menus pour accéder à la commande dont vous avez besoin. Dans ce cas, la convention d'écriture pour atteindre, par exemple, la commande Ouvrir du menu Fichier, sera : Fichier/Ouvrir.

Dans l'exemple ci-dessus, vous avez remarqué que la première lettre de chaque mot était soulignée. Cela correspond à un accès rapide que vous activez en pressant la touche Alt, puis la lettre soulignée. En pressant la touche Alt, puis successivement les touches F et O, vous activez la commande Ouvrir du menu Fichier.

Les icônes spéciales

Les icônes suivantes sont placées dans la marge gauche. Il n'est pas obligatoire de lire le texte qu'elles illustrent.

 Cette icône vous avertit de la présence d'informations techniques superflues. Inutile de vous y attarder.

 Cette icône indique en général un truc, une astuce, pour une plus grande efficacité du programme.

 Cette icône vous demande de mémoriser l'information qu'elle renferme.

 Cette icône indique qu'il faut être prudent avec l'information présentée si vous ne voulez pas courir au désastre.

 Cette icône fait référence aux caractéristiques propres à Excel 2000.

Que faire à partir de maintenant ?

Tout dépend de votre familiarité avec un tableur. Si vous n'y connaissez absolument rien, consultez le Chapitre 1. Si vous êtes quelque peu familiarisé avec un autre tableur, le Chapitre 2 vous permettra d'entrer des données et des formules dans Excel. Si vous avez assez d'expérience avec Excel mais désirez obtenir une information particulière, consultez le sommaire et/ou l'index qui vous indiqueront la section à étudier.

Première partie
Etre immédiatement opérationnel

"Je pense que le pointeur ne bouge pas, Monsieur, parce que vous déplacez la brosse pour le tableau au lieu de la souris."

Dans cette partie...

L'écran d'Excel 2000 regorge de boîtes, boutons et onglets qui dérouteront plus d'un utilisateur. Le Chapitre 1 est conçu pour démythifier les différentes parties de cet écran qui vous imposera sa présence quotidienne.

Une simple description de l'écran ne saurait suffire. Pour cette raison, dans le Chapitre 2, vous apprendrez à utiliser les boutons et les boîtes pour saisir des données, éléments indispensables à la conception d'une feuille de calcul. Partons maintenant à la découverte de l'écran principal d'Excel.

Chapitre 1

Qu'est-ce que c'est que ça ?

Dans ce chapitre :

Décider du contexte d'utilisation d'Excel.

Jeter un oeil sur les cellules.

Lancer Excel de différentes manières.

Comprendre l'écran d'Excel.

Se déplacer dans un classeur Excel.

Sélectionner des commandes dans les menus déroulants.

Sélectionner des commandes dans les menus contextuels.

Résoudre vos problèmes grâce à l'aide en ligne.

Quitter Excel.

Le fait que l'utilisation d'un tableur comme Excel 2000 soit devenue aussi quotidienne que celle d'un traitement de texte ne veut pas dire que les tableurs soient aussi simples à comprendre et à manipuler que les traitements de texte.

Aujourd'hui, Microsoft Office 2000 semble être la suite logicielle la plus répandue (sans doute parce qu'elle monopolise un espace disque tellement important qu'il ne reste plus de place pour d'autres programmes). Si vous êtes de ceux qui possèdent Office sans rien connaître d'une feuille de calcul, il est temps de remédier à cette lacune.

Que puis-je faire avec Excel ?

Excel permet de gérer tous types de données numériques, textuelles, etc. Du fait que ce programme dispose de capacités de calcul intégrées, son utilisation la plus courante est la création de feuilles de calcul financières. Elles sont généralement remplies de formules qui calculent une masse importante de chiffres tels que le produit des ventes, les pertes et les profits, les pourcentages de croissance, et bien d'autres choses encore.

A côté de cela, la simplicité d'utilisation des capacités graphiques d'Excel permet une visualisation imagée, tout en couleurs, des chiffres qui figurent dans vos classeurs comptables. Vous pouvez ainsi améliorer vos rapports écrits avec Word 2000 avec des graphiques variés, ou incorporer ces derniers dans des présentations commerciales (comme celles que vous pouvez créer avec Microsoft PowerPoint 2000).

Cependant, si vous n'êtes pas comptable, il reste de nombreux domaines professionnels où Excel se révélera indispensable, notamment si vous devez conserver des listes d'informations ou même fusionner ensemble plusieurs tableaux d'informations. Vous voyez que dès qu'il s'agit de gérer des données, Excel répond toujours présent.

Petites boîtes, petites boîtes...

Que voyez-vous lorsque vous regardez une feuille de calcul vierge d'Excel (voir Figure 1.1) ? Des boîtes, rien que des petites boîtes. Ces petites boîtes (qui se comptent par millions dans chaque feuille de calcul) s'appellent des *cellules*. En y entrant vos informations (des noms, des adresses, même l'anniversaire de votre femme), vous bâtissez votre classeur.

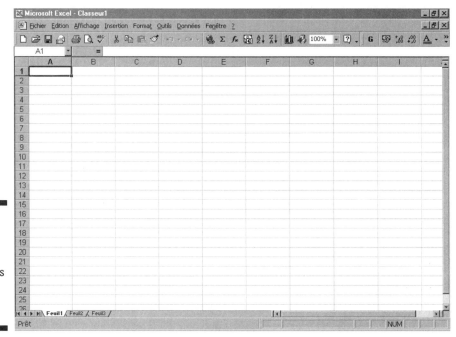

Figure 1.1
Petites boîtes, petites boîtes, vous êtes bien toutes les mêmes !

Face à Excel, si vous raisonnez en termes de traitement de texte, considérez qu'une feuille de calcul n'est autre que l'*équivalent* d'un tableau créé dans Word.

Donnez-lui l'adresse de ma cellule

La Figure 1.1 vous montre qu'une feuille de calcul Excel est constituée de colonnes identifiées par une lettre de l'alphabet, et de lignes repérées par un numéro (la Figure 1.1 ne vous montre qu'une petite partie de la feuille de calcul). Les colonnes et les lignes permettent de vous repérer, exactement comme le permet le plan quadrillé d'une ville.

Pourquoi les tableurs ne produisent-ils que des feuilles de calcul ?

Les tableurs tels qu'Excel pour Windows considèrent leurs feuilles électroniques comme des feuilles de programmation plutôt que comme des feuilles de calcul. Malgré cela, on emploie à l'égard d'Excel le terme de tableur. Par conséquent, vous pouvez considérer qu'Excel est un tableur qui génère des feuilles de programmation, et non un tableur qui produit des feuilles de calcul.

Excel indique votre position dans la feuille de calcul de deux façons (Figure 1.2) :

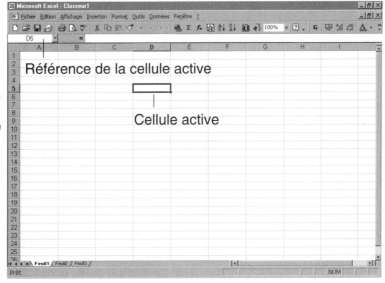

Figure 1.2
Excel affiche votre position actuelle avec le pointeur de cellule et la boîte d'affichage de la cellule active.

Cellules : cases prédéfinies de toute feuille de calcul

Les cellules sont formées à l'intersection d'une colonne et d'une ligne qu'on appelle rangée. Une rangée permet la gestion des différentes informations qu'elle contient en se référant à leur position dans une colonne et sur une ligne. Ainsi, pour afficher les données que vous avez entrées, Excel lit simplement leur position dans la colonne et sur la ligne (par exemple C2 : l'information se trouve colonne C ligne 2).

Vous venez de vider la zone d'affichage.

- A gauche de la barre de formule, Excel affiche la position de la cellule active par référence à sa colonne et à sa ligne. D5 correspond à l'intersection de la colonne D et de la ligne 5.

- Dans la feuille de calcul, le *curseur cellule,* formé d'un épais cadre noir, indique la cellule active.

- Sur le pourtour de la feuille, la lettre de la colonne et le chiffre de la rangée de la cellule active sont affichés en gras et en relief.

Vous devez vous demander : "Pourquoi Excel prend-il tant de précautions pour m'indiquer ma position dans la feuille de calcul ?" La réponse est importante :

Vous ne pouvez entrer ou éditer des informations que dans la cellule active.

Ignorer quelle est la cellule active pourrait vous conduire à écraser des informations déjà saisies, ou vous empêcher d'éditer les données d'une cellule spécifique.

Combien existe-t-il de cellules par classeur ?

Il en existe des millions. Comme chaque feuille de calcul d'un classeur est constituée de 256 colonnes (dont vous ne voyez pour l'instant que les premières) et de 65 536 lignes, vous obtenez un total de 16 777 216 cellules vides prêtes à l'emploi.

Et si cela s'avérait insuffisant, chaque nouveau classeur que vous démarrez comprend 3 feuilles de calcul ayant chacune 16 777 216 cellules vierges. Excel met donc à votre disposition 50 331 648 cellules par fichier. Vous trouvez que ce n'est pas assez ? Soit ! Ajoutez autant de feuilles de calcul que vous le souhaitez à votre classeur.

Cellule A1 alias cellule L1C1

Nous faisons ici référence à un système d'identification de cellules appelé A1 de VisiCalc (l'ancêtre des tableurs). Excel le supporte et supporte un système encore plus ancien appelé *L1C1*. Dans ce dernier, colonnes et lignes de la feuille de calcul sont numérotées, et le numéro de la ligne précède toujours celui de la colonne. Pour ce système, la cellule A1 est identifiée par L1C1 (ligne 1, colonne 1) ; la cellule A2 est L2C1 (ligne 2, colonne 1) ; la cellule B1 est L1C2 (ligne 1, colonne2).

Identifier 256 colonnes avec seulement 26 lettres

Dans une feuille de calcul, il y a plus de colonnes que de lettres dans notre alphabet. Afin de pallier ce manque, Excel double les lettres. Ainsi, une fois la colonne Z atteinte, la colonne suivante sera identifiée par AA, et ainsi de suite jusqu'à AZ. Cette dernière sera suivie par les colonnes BA, BB, BC, etc. Par cette méthode, la 256e colonne de la feuille de calcul sera IV. La toute dernière cellule d'une feuille de calcul portera l'identification IV65536.

Ce que vous devriez désormais savoir

- Chaque fichier Excel est un *classeur*.

- Chaque nouveau classeur contient 3 feuilles de calcul vierges.

- Chaque feuille de calcul comporte plus de 16 millions de cellules.

- Chaque feuille de calcul est composée de colonnes identifiées par une lettre et de lignes identifiées par un chiffre. Les colonnes situées après la colonne Z sont identifiées par deux lettres comme AA, AB, et ainsi de suite.

Précision sans importance sur la taille d'une feuille de calcul

Pour imprimer la totalité d'une feuille de calcul, il faudrait une page d'environ 6,40 mètres de large sur 103 mètres de long ! Un moniteur de 14 pouces affichera entre 10 et 12 colonnes (soit

3,5 % de la largeur de la feuille de calcul) et entre 20 et 25 lignes (soit 0,1 % de sa longueur). Vous constatez que la partie visible à l'écran est infime comparée à la taille réelle de la feuille de calcul.

- Chaque information est stockée dans une cellule de la feuille de calcul.

- Excel indique la position de la cellule active dans la barre de formule et directement sur la feuille de calcul avec le pointeur de cellule (voir Figure 1.2).

- Le système d'identification de cellules A1 combine la lettre d'une colonne avec le numéro d'une ligne.

Ce qu'il vous reste à savoir à propos d'Excel

Fort de ce que vous venez de lire, vous constatez qu'un tableur comme Excel est plus étrange qu'un traitement de texte. Ici, vous êtes obligé de saisir vos données dans d'étroites cellules sans pouvoir profiter d'une page entière.

La grande différence entre les pages d'un traitement de texte et la cellule d'une feuille de calcul est que cette dernière offre une puissance de calcul alliée à l'édition et au formatage de texte. La puissance de calcul réside en des formules créées dans diverses cellules de la feuille de calcul.

Alors qu'un calcul fait sur une feuille de papier ne présente qu'un résultat, une feuille de calcul électronique est capable de stocker en même temps les formules et les valeurs que celles-ci ont calculées. Mieux encore, vous pouvez modifier les valeurs de n'importe quelle cellule de la feuille de calcul : Excel assure la mise à jour de l'ensemble des valeurs calculées.

De par ses possibilités, Excel permet de générer tout type de document qui utilise des entrées textuelles et numériques conduisant à des calculs de valeurs.

Les différentes manières de lancer Excel

Il suffit que vous ayez Windows 95/98 installé sur votre ordinateur et que ce dernier soit allumé pour profiter des diverses méthodes de démarrage d'Excel.

Lancer Excel à partir du gestionnaire Microsoft Office

C'est la méthode la plus simple pour accéder au programme. Le seul problème est que le gestionnaire Office doit être ouvert. Si cette condition est remplie, il suffit de cliquer sur le bouton Microsoft Excel pour lancer le programme.

Pour afficher ce gestionnaire :

1. **Cliquez sur le bouton Démarrer de la barre des tâches de Windows.**

   Le menu Démarrer se déroule.

2. **Cliquez sur Programmes.**

   Le sous-menu Programmes se déroule.

3. **Cliquez sur Outils Office.**

4. **Sélectionnez Microsoft Office Shortcut Bar (Gestionnaire Office).**

Pour lancer Excel depuis ce gestionnaire, cliquez si nécessaire sur l'onglet Bureau, puis cliquez sur l'icône Microsoft Excel (Figure 1.3).

Figure 1.3
Lancez Excel
depuis le
gestionnaire
Office.

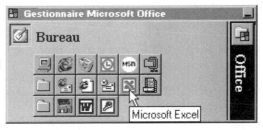

Lancer Excel à partir du menu Démarrer de Windows 95/98

Pour démarrer Excel depuis le menu Démarrer, suivez les étapes ci-dessous :

1. **Cliquez sur le bouton Démarrer de la barre des tâches de Windows 95/98.**

2. **Sélectionnez Programmes en haut du menu Démarrer.**

3.   **Sélectionnez Microsoft Excel dans la liste des programmes.**

A l'étape 3, Windows ouvre Excel. Pendant le chargement du programme, vous voyez l'écran de présentation Microsoft Excel 2000. Ensuite, vous êtes face à l'écran Excel (Figures 1.1 et 1.2), avec un nouveau classeur prêt à l'emploi.

Lancer Excel à partir de l'Explorateur Windows

Voici une troisième méthode. Elle permet de lancer Excel en ouvrant un de ses fichiers (on parle de *classeurs*).

Tout d'abord, démarrons Excel sans ouvrir un classeur existant, mais en créant un nouveau classeur vide :

1.   **Ouvrez l'Explorateur Windows 95/98.**

     Cliquez sur le bouton Démarrer de la barre des tâches de Windows, Sélectionnez Programmes et cliquez ensuite sur Explorateur Windows.

2.   **Cliquez sur l'icône Program files de la liste Dossiers afin d'en afficher le contenu dans le volet droit.**

3.   **Dans ce volet, localisez le dossier Microsoft Office, puis cliquez deux fois sur son nom.**

4.   **Dans ce volet toujours, localisez le dossier Office, puis cliquez deux fois sur son nom.**

5.   **Dans ce volet encore, localisez le programme Microsoft Excel, puis cliquez deux fois sur son nom.**

Comme nous l'avons évoqué, il est possible, via l'Explorateur Windows, de lancer le programme en ouvrant un fichier Excel sur lequel vous souhaitez travailler. Pour cela, repérez le fichier classeur Excel dans la fenêtre d'exploration, puis cliquez deux fois sur son icône.

Créer un raccourci pour Excel

Si vous n'appréciez pas le gestionnaire Office, je vous encourage à créer un raccourci pour Excel que vous placerez sur le bureau. Il vous suffira de cliquer deux fois sur son icône pour lancer le programme.

Veuillez suivre les étapes ci-dessous pour créer le raccourci :

1. **Cliquez sur le bouton Démarrer de la barre des tâches.**

2. **Sélectionnez le menu Rechercher et cliquez sur l'option Fichiers ou dossiers.**

3. **Tapez excel.exe dans la boîte Nommé de l'onglet Nom et emplacement, cochez la case Inclure les sous-dossiers, puis pressez Entrée ou cliquez sur le bouton Recherchez maintenant.**

   Excel.exe est le nom de fichier du programme Excel 2000.

4. **Lorsque la recherche est terminée, le nom EXCEL.EXE ou EXCEL apparaît dans la fenêtre (il se peut que l'extension .EXE ne soit pas affichée).**

5. **Avec le bouton droit de la souris, cliquez sur l'icône du fichier EXCEL.EXE.**

   Son menu contextuel s'affiche.

6. **Dans ce menu, cliquez sur Créer un raccourci.**

   A cet instant, Windows 95/98 vous demande si vous désirez placer le raccourci sur le bureau.

7. **Pressez Entrée ou cliquez sur le bouton Oui.**

8. **Cliquez sur le bouton de fermeture de la boîte de dialogue.**

   Dès lors, une nouvelle icône nommée "Raccourci vers Excel.exe" a pris place sur le bureau. Vous pourrez renommer cette icône en Excel selon la méthode décrite à l'étape 9.

9. **Avec le bouton droit de la souris, cliquez sur l'icône du raccourci vers Excel. Dans le menu contextuel, choisissez l'option Renommer.**

   Tapez un nouveau nom, puis pressez la touche Entrée pour le valider.

Pour ouvrir Excel dans les mêmes conditions que le gestionnaire de Microsoft Office ou le menu Démarrer de Windows 95/98, cliquez deux fois sur le raccourci vers Excel.

Lancer Excel lors de chaque mise en marche de l'ordinateur

Cette dernière méthode n'intéresse que ceux dont le travail avec Excel est une priorité dès la mise sous tension de leur ordinateur.

Pour que Windows 95/98 lance Excel dès la mise en route de votre ordinateur, vous devez placer une copie du raccourci vers Microsoft Excel dans le dossier Démarrage du menu Programme, de la manière suivante :

1. **Cliquez sur le bouton Démarrer de la barres de tâches. Dans la liste, positionnez-vous sur Paramètres et choisissez l'option Barre de tâches...**

2. **Dans la boîte de dialogue, sélectionnez l'onglet Programmes du menu Démarrer.**

3. **Cliquez sur le bouton Avancé. L'Explorateur Windows s'affiche à l'écran.**

4. **Cliquez sur l'icône Programmes, puis sur le signe (+) à gauche de cette icône.**

5. **Dans la partie droite de la fenêtre, repérez Microsoft Excel.**

6. **Dans la partie gauche, repérez l'icône du dossier Démarrage (utilisez éventuellement la barre de défilement vertical).**

7. **Tout en gardant la touche Ctrl enfoncée, cliquez et faites glisser l'icône Microsoft Excel pour la déposer dans le dossier Démarrage.**

   Relâchez le bouton de la souris avant la touche Ctrl seulement lorsque le nom du dossier Démarrage se trouve en surbrillance.

8. **Ouvrez le dossier Démarrage pour voir si le raccourci vers Microsoft Excel a bien été copié.**

   Si l'icône du raccourci n'apparaît pas dans le dossier Démarrage, vous devez refaire les étapes 6 à 8 avant de passer à l'étape 9.

9. **Cliquez sur le bouton de fermeture (X) de la fenêtre de l'Explorateur.**

10. **Afin de fermer la boîte de dialogue des Propriétés pour la Barre de tâches, cliquez sur OK.**

Vous pouvez redémarrer Windows pour constater qu'Excel s'ouvre automatiquement.

Si dans l'avenir vous ne souhaitez plus un démarrage automatique d'Excel, retirez le raccourci vers Microsoft Excel du dossier Démarrage de la façon suivante :

5. **Cliquez sur l'icône du dossier Démarrage.**

6. Cliquez sur l'icône de Microsoft Excel.

7. Pressez la touche Suppr (Suppression).

8. Cliquez le bouton Oui ou pressez Entrée pour confirmer la suppression.

9. Cliquez sur le bouton de fermeture (X) de la fenêtre de l'Explorateur.

10. Afin de fermer la boîte de dialogue des Propriétés pour la Barre de tâches, cliquez sur OK.

La souris

Même si la plupart des fonctions d'Excel sont accessibles via le clavier, dans certains cas la souris se révélera plus efficace. Vous allez donc apprendre à dompter ce programme éléphantesque à l'aide d'une souris !

Ce que peut faire votre souris

Voici rappelées les techniques d'utilisation d'une souris dans Windows et dans tout autre programme s'y rapportant :

*   **Cliquer sur un objet :** se positionner dessus, puis appuyer et relâcher immédiatement le bouton principal de la souris (droit ou gauche selon que vous êtes droitier ou gaucher).

*   **Cliquer deux fois sur un objet :** se positionner dessus, puis presser rapidement deux fois le bouton principal de la souris.

*   **Faire glisser un objet :** se positionner dessus, puis, tout en gardant le bouton principal de la souris enfoncé, faire glisser l'objet jusqu'à la position désirée et relâcher le bouton.

Avant de cliquer sur un objet pour le sélectionner et afin d'éviter toute fausse manoeuvre, assurez-vous que vous avez votre souris bien en main.

Ce qu'indique la forme de votre souris

Lorsque vous travaillez dans Excel, la forme de votre souris change selon sa position sur l'écran. A chaque forme correspond une fonction particulière (voir le Tableau 1.1).

Tableau 1.1
La forme de votre souris dans Excel.

Pointeur	Fonction
✚	Le pointeur de la souris apparaît sous cette forme lorsque vous vous déplacez sur les cellules de la feuille de calcul. Il permet de sélectionner les cellules de travail.
▱	Le pointeur prend cette forme si vous êtes sur la barre d'outils, la barre de menu d'Excel, ou sur un des bords de la cellule active. Vous pouvez choisir des commandes Excel, déplacer ou copier une cellule sélectionnée par la technique du glisser-déposer.
I	Le pointeur prend cette forme quand vous cliquez une fois dans la barre de formule ou deux fois dans une cellule, ou encore en pressant la touche F2 du clavier. Il permet d'éditer le contenu d'une cellule.
+	Le pointeur prend cette forme quand vous le positionnez sur le coin inférieur droit du pointeur de cellule. Il permet de créer une suite d'entrées séquentielles dans un bloc de sélection ou de copier une entrée ou une formule dans un bloc de sélection de cellules.
▱?	Le pointeur prend cette forme quand vous cliquez l'outil Aide de la barre d'outils Standard ou enfoncez les touches Maj+F1. Il permet d'obtenir une aide textuelle sur une commande ou un outil.
⟺	Ce pointeur permet d'agrandir ou de rétrécir une colonne, une ligne ou une boîte de texte.
╫	Le pointeur prend cette forme quand vous le positionnez sur un curseur de fractionnement. Il permet de diviser la fenêtre du classeur en plusieurs sous-fenêtres ou de modifier la taille de la barre de défilement horizontal.
✥	Le pointeur prend cette forme quand vous pressez la combinaison de touches Ctrl + F7. Il permet de glisser la fenêtre du classeur à une position située entre la barre de formule et la barre d'état.

Ne confondez pas le pointeur de cellule avec le pointeur de la souris. Seul le pointeur de la souris change de forme. Par contre, avec le pointeur de la souris, vous pouvez positionner le pointeur de cellule dans la feuille de calcul. Il vous suffit de cliquer avec le bouton droit de la souris sur la cellule que vous souhaitez sélectionner.

Quand un simple clic vaut un double

Sous Windows 95/98, vous avez la possibilité de modifier la manière dont vous ouvrez les icônes du bureau. Si vous activez l'option Afficher comme une page Web ou certains autres options accessibles dans le sous-menu Personnaliser le bureau (que vous déroulez en opérant un clic droit sur le bureau et en choisissant Active Desktop), vous pourrez ouvrir vos programmes (Excel 2000 notamment) par simple clic.

A quoi servent tous ces boutons ?

La Figure 1.4 identifie les différentes parties de la fenêtre du programme Excel. Ne soyez pas traumatisé par ce foisonnement d'éléments.

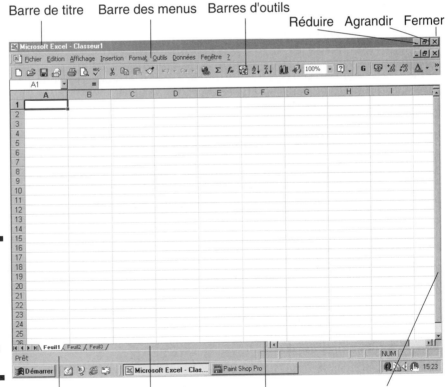

Figure 1.4
La fenêtre d'Excel contient autant de boutons qu'un costume de général.

La barre de titre

Dans une approche verticale de la fenêtre d'Excel, la première chose que vous voyez s'appelle la *barre de titre*. Y figurent le nom du programme (Microsoft Excel) et celui du classeur actif.

```
Microsoft Excel - Classeur1
```

Si vous cliquez sur l'icône à l'extrême gauche de la barre de titre, un menu s'ouvre où vous pouvez décider de redimensionner et/ou déplacer la fenêtre d'Excel et même, avec la commande Fermeture (ou la combinaison Alt+F4), de quitter Excel et de revenir dans le bureau.

A l'extrême droite de la barre de titre, se trouvent trois boutons. Le premier, en partant de la gauche, ferme momentanément la fenêtre d'Excel en la plaçant sur la barre des tâches de Windows. Le deuxième réduit la taille de la fenêtre d'Excel et change d'aspect pour signaler qu'en cliquant dessus vous restaurerez la fenêtre dans sa taille originale. Le dernier bouton (X) permet de quitter Excel.

La barre de menus

La *barre de menus* se situe juste en dessous de la barre de titre. Elle contient l'ensemble des menus déroulants d'Excel, de Fichier à ? (Aide), dans lesquels vous sélectionnez les commandes utiles à votre travail (pour plus d'informations sur la sélection des commandes, consultez la section "Sélection des commandes via les menus").

La barre de menus dispose d'icônes aux effets analogues à ceux de la barre de titre. L'icône de gauche permet de redimensionner, déplacer ou fermer la fenêtre du classeur. Les trois boutons à droite fonctionnent de la même manière que ceux de la barre de titre de la fenêtre d'Excel. La différence est qu'ils n'influent que sur la fenêtre du classeur. Ici, vous ne quittez jamais Excel.

Excel 2000 ajoute un bouton dans la barre des tâches de Windows pour chaque classeur que vous ouvrez. Passer d'un classeur à un autre devient donc un jeu d'enfant. Lorsque vous réduisez la fenêtre du programme via le bouton Réduire, un bouton supplémentaire apparaît dans la barre d'état ; il affiche le nom du classeur courant.

Les barres d'outils Standard et Mise en forme

Sous la barre de titre et celle de menus viennent les deux barres les plus exploitées d'Excel, Standard et Mise en forme. Ces barres comportent des boutons (également appelés *outils*) qui accomplissent une tâche spécifique lorsque vous cliquez dessus. La première barre assume principalement des tâches de gestion de fichiers (création, enregistrement, ouverture, impression…). La seconde se charge plutôt d'opérations de mise en forme (changement de police de caractères, attribut gras, attribut italique…).

Pour identifier la fonction d'un bouton, contentez-vous de placer votre pointeur dessus ; une *info-bulle* s'affiche, commentant brièvement le bouton en question. Pour qu'Excel exécute la commande correspondante, cliquez sur le bouton.

Ces barres comportent tellement de boutons que tous ne sont pas forcément visibles. C'est la raison pour laquelle ces barres proposent, à leur extrémité droite, un petit dérouleur intitulé Autres boutons, qui assure l'accès à des boutons supplémentaires.

Lorsque vous cliquez sur ce dérouleur, Excel affiche une commande Ajouter/Supprimer des boutons ; cliquez sur cette commande et une liste vous propose une série d'outils qui ne trouvent pas leur place dans la barre. Ceux cochés sont logés dans la barre correspondante ; ceux non cochés n'y sont pas.

Sélectionnez le ou les boutons à ajouter ; faites de même pour ceux à masquer. (La personnalisation des barres d'outils est décrite au Chapitre 12.)

Superposez vos barres

Pour avoir directement accès à *tous* les boutons des barres Standard et Mise en forme, placez les deux barres l'une en dessous de l'autre plutôt que côte à côte (position par défaut au premier démarrage du programme). Pour opérer le changement, réalisez un clic droit dans une de ces deux barres et choisissez Personnaliser dans le menu contextuel correspondant. Vous accédez ainsi à la fenêtre Personnaliser. Activez l'onglet Options, puis désactivez l'option Afficher les barres d'outils Standard et Mise en forme sur la même ligne.

Le Tableau 1.2 décrit la fonction des icônes de la barre d'outils Standard. Le Tableau 1.3 fait de même pour celles de la barre d'outils Mise en forme.

Tableau 1.2
Les outils de la barre d'outils Standard.

Icône	Nom	Fonction
	Nouveau	Ouvre un nouveau classeur comportant trois feuilles de calcul vierges.
	Ouvrir	Ouvre un classeur existant.
	Enregistrer	Enregistre les modifications du classeur actif.
	Message électronique	Expédie le contenu de la feuille courante en tant que courrier électronique.
	Imprimer	Imprime le classeur actif.
	Aperçu avant impression	Donne un aperçu de l'aspect qu'aura la feuille de calcul une fois imprimée.
	Orthographe	Procède à la vérification orthographique du texte de votre feuille de calcul.
	Couper	Coupe la sélection et l'envoie vers le Presse-papiers.
	Copier	Copie la sélection et l'envoie vers le Presse-papiers.
	Coller	Colle le contenu du Presse-papiers dans la feuille de calcul active.
	Reproduire la mise en forme	Applique la mise en forme de la cellule active à la cellule de votre choix.
	Annuler	Annule les effets de la dernière modification.

	Répéter	Répète les effets de la dernière modification.
	Insérer un lien hypertexte	Sert à insérer un lien hypertexte vers un autre fichier, une URL Internet ou un emplacement bien précis dans un autre document (voir le Chapitre 10).
	Somme automatique	Additionne automatiquement des nombres à l'aide de la fonction SOMME.
	Coller une fonction	Permet d'utiliser une des fonctions intégrées d'Excel (voir le Chapitre 2 pour plus de détails).
	Euro Conversion	Permet d'utiliser une des fonctions intégrées d'Excel (voir le Chapitre 2 pour plus de détails).
	Tri croissant	Opère un tri alphabétique et/ou numérique des données d'une ou de plusieurs cellules sélectionnées.
	Tri décroissant	Opère un tri alphabétique et/ou numérique inverse des données d'une ou de plusieurs cellules sélectionnées.
	Assistant Graphique	Vous guide pas à pas dans la création d'un graphique à incorporer dans la feuille de calcul active (voir le Chapitre 8 pour plus de détails).
	Dessin	Affiche la barre d'outils de dessin pour créer diverses formes graphiques (voir le Chapitre 8 pour plus de détails).
100%	Zoom	Permet d'agrandir ou de réduire le format d'affichage d'une feuille de calcul.
	Aide sur Microsoft Excel	Active le Compagnon Office qui vous aide à exploiter efficacement Excel 2000.

Tableau 1.3
Les outils de la barre d'outils Mise en forme.

Icône	Nom	Fonction
Arial ▾	Police	Change la police d'affichage des entrées de la cellule active.
10 ▾	Taille de la police	Détermine la taille d'affichage de la police.
G	Gras	Applique la mise en forme gras au texte de la cellule active.
I	Italique	Applique la mise en forme italique au texte de la cellule active.
S	Souligné	Souligne les entrées de la cellule active ou remet en style normal les entrées sélectionnées déjà soulignées.
≡	Aligné à gauche	Aligne vers la gauche les entrées de la cellule active.
≡	Centré	Centre les entrées de la cellule active.
≡	Aligné à droite	Aligne vers la droite les entrées de la cellule active.
⊞a⊞	Fusionner et centrer	Centre l'entrée de la cellule active sur les colonnes sélectionnées.
💲	Monétaire	Applique un format monétaire aux chiffres de la cellule active dont l'affichage, dans la barre d'état, dépend du paramétrage de Windows.
€	Euro	Applique le format euro aux chiffres de la cellule active.

%	Style de pourcentage	Applique un format de pourcentage aux chiffres de la cellule active ; les valeurs sont multipliées par 100 et le signe % est affiché dans la barre d'état.
000	Style milliers	Applique le format millier aux chiffres de la cellule active. L'affichage, dans la barre d'état, dépend du paramétrage de Windows.
	Ajouter une décimale	Ajoute une décimale supplémentaire au chiffre de la cellule active, chaque fois que vous cliquez ce bouton. Pour effectuer l'opération inverse, maintenez la touche Maj enfoncée et cliquez à nouveau ce bouton.
	Réduire les décimales	Enlève une décimale supplémentaire au chiffre de la cellule active chaque fois que vous cliquez ce bouton. En maintenant la touche Maj enfoncée tout en cliquant ce bouton, vous inversez l'opération.
	Diminuer le retrait	Réduit le retrait du contenu de la cellule d'une largeur de caractère de la police standard.
	Augmenter le retrait	Augmente le retrait du contenu de la cellule d'une largeur de caractère de la police standard.
	Bordures	Ajoute une bordure prédéfinie à la cellule active.
	Couleur de remplissage	Permet de choisir une nouvelle couleur de fond pour la cellule active.
A	Couleur de caractères	Permet de changer la couleur du texte de la cellule active.

Barres d'outils musicales !

Ne vous habituez pas trop à la disposition des boutons des barres d'outils Standard et Mise en forme. Excel exploite en effet une nouvelle fonctionnalité IntelliSense qui fait que, lorsque certains boutons masqués sont utilisés, ces boutons sont déplacés vers la partie visible de la barre, au détriment d'un bouton non utilisé qui disparaît. Vous n'êtes donc jamais certain, avec ce principe des barres musicales, de retrouver tel bouton à tel endroit.

Par malheur, le programme ne propose aucune option vous permettant de fixer une fois pour toutes la positions des boutons en barres d'outils. La seule possibilité qu'il vous offre, c'est de réinitialiser une barre, c'est-à-dire la restaurer dans son état d'origine. Pour ce faire, opérez un clic droit sur la barre à traiter, puis choisissez Personnaliser ; cette action ouvre la fenêtre Personnaliser ; activez-y l'onglet Barres d'outils ; sélectionnez la barre à rétablir, puis cliquez sur Rétablir. Fermez la boîte de dialogue.

La barre de formule

La barre de formule affiche l'adresse et le contenu des cellules actives. Les trois parties qui la composent prennent vie dès que vous tapez une entrée ou concevez une formule. La première partie, baptisée Zone Nom, contient l'adresse de la cellule active. La seconde zone, celle du milieu, ne comporte pour l'instant qu'un simple signe égal : c'est le bouton Zone de formule.

A l'instant même où vous pressez une touche du clavier, les boutons Annuler et Entrer apparaissent dans cette seconde zone (Figure 1.5).

La troisième partie de cette barre affiche exactement ce que vous saisissez dans une cellule de la feuille de calcul. Après avoir validé votre entrée en cliquant soit sur le bouton Entrer de la barre de formule, soit sur la touche Entrée de votre clavier, les trois boutons disparaissent et Excel affiche, dans la barre de formule, la totalité de votre entrée ou de votre formule. Le contenu de toute cellule active apparaît toujours dans la barre de formule.

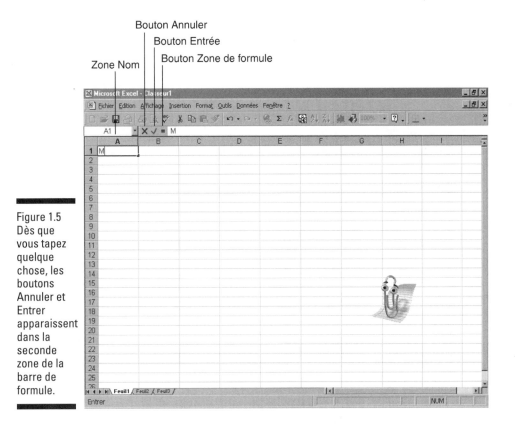

Zone Nom

Bouton Annuler

Bouton Entrée

Bouton Zone de formule

Figure 1.5
Dès que
vous tapez
quelque
chose, les
boutons
Annuler et
Entrer
apparaissent
dans la
seconde
zone de la
barre de
formule.

Frayez-vous un chemin dans la fenêtre du classeur

Lorsque vous démarrez le programme, un classeur Excel vierge apparaît sous la barre de formule. Chaque classeur dans son affichage le plus courant possède un menu de contrôle (accessible par un clic sur l'icône XL du fichier), des bordures de dimensionnement, une barre de titre qui indique le nom du fichier classeur (nommé *Classeur1* jusqu'à ce que vous lui attribuiez un autre nom lors de la première sauvegarde) (Figure 1.6).

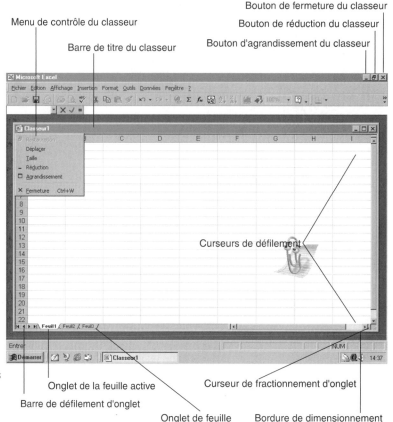

Menu de contrôle du classeur

Barre de titre du classeur

Bouton de fermeture du classeur

Bouton de réduction du classeur

Bouton d'agrandissement du classeur

Curseurs de défilement

Figure 1.6
Chaque
classeur
possède un
menu de
contrôle et
des bordures
de dimen-
sionnement.

Onglet de la feuille active

Barre de défilement d'onglet

Onglet de feuille

Curseur de fractionnement d'onglet

Bordure de dimensionnement

Dans la partie inférieure de la fenêtre du classeur, vous trouvez des onglets pour afficher les feuilles disponibles, ainsi que des barres de défilement pour accéder à celles qui ne sont pas visibles à l'écran (rappelez-vous qu'au démarrage vous disposez de trois feuilles de calcul). A droite de la fenêtre, une barre de défilement vertical vous permet de rendre visibles de nouvelles lignes (n'oubliez pas que votre écran ne permet de voir qu'une infime partie de l'ensemble des colonnes et rangées contenues dans une feuille de calcul). Dans le coin inférieur droit, se trouve la bordure de dimensionnement qui permet de modifier manuellement la taille et la forme de la fenêtre du classeur.

Lorsque vous lancez Excel, vous pouvez créer une feuille de calcul dans la Feuil(le) 1 du Classeur1. En cliquant sur le bouton d'agrandissement de la fenêtre du classeur, vous en ferez disparaître la barre de titre mais disposerez d'une feuille de calcul un peu plus importante. Pour rendre au classeur son aspect initial, il vous suffit d'activer la commande Restauration du menu de contrôle de l'icône située à gauche dans la barre de menus (la Figure 1.6 montre un classeur une fois ouverte).

Manipulation manuelle de la fenêtre du classeur

Lorsque vous travaillez dans un classeur dont la taille n'est pas maximale, vous pouvez redimensionner et déplacer manuellement sa fenêtre. Pour cela, placez le pointeur de la souris sur la bordure de dimensionnement. Dès que le pointeur prend la forme d'une double flèche, ajustez à votre convenance la taille de la fenêtre.

- Si vous faites glisser le pointeur depuis le bord inférieur de la fenêtre vers le bord supérieur, le classeur devient trop petit. Si vous le faites glisser vers le bas, le classeur devient trop long.

- Si vous faites glisser le pointeur depuis le bord droit de la fenêtre vers la gauche, le classeur devient trop étroit. Si vous le faites glisser vers la droite, le classeur devient trop large.

- Si vous faites glisser le pointeur depuis le coin inférieur droit de la fenêtre diagonalement vers le coin supérieur gauche, le classeur devient à la fois trop court et trop étroit. Si vous le faites glisser dans le sens inverse, il devient trop long et trop large.

Lorsque les contours de la fenêtre du classeur vous semblent être à la bonne taille, relâchez le bouton de la souris.

 Chaque changement de taille ou de forme ne peut s'annuler que manuellement. Il n'existe pas de commande miracle de restauration qui, sur un simple clic, remette la fenêtre du classeur dans l'état qui était le sien avant toute manipulation.

Vous avez aussi la possibilité de déplacer la fenêtre du classeur à l'intérieur d'une zone comprise entre la barre de formule et la barre d'état.

Voici la démarche à suivre :

1. **Saisissez, avec le pointeur de la souris, la barre de titre de la fenêtre.**

2. **Ensuite, faites-la glisser jusqu'à la position désirée et relâchez le bouton droit de la souris.**

Si vous rencontrez des difficultés avec cette technique, voici un autre moyen de déplacer la fenêtre d'un classeur :

1. **Cliquez sur l'icône XL du fichier située à gauche dans la barre de titre de la fenêtre du classeur. Vous ouvrez ainsi le menu de contrôle dans lequel vous sélectionnez la commande Déplacement ou pressez Ctrl+F7.**

Le pointeur prend la forme d'une croix à quatre flèches.

2. **Faites glisser la fenêtre à l'aide de ce pointeur ou des touches de direction (←, ↑, → ou ↓) et vous apprécierez avec quelle facilité vous pouvez déplacer la fenêtre du classeur jusqu'à la position désirée.**

3. **Pressez Entrée pour fixer la fenêtre à sa nouvelle position.**

   Le pointeur de la souris prend à nouveau la forme d'une épaisse croix blanche.

Sauter de feuille en feuille

Tout en bas de la fenêtre du classeur Excel, se trouve une barre de défilement horizontal précédée des onglets des feuilles de calcul. L'onglet de la feuille de calcul active est de couleur blanche. Pour activer une nouvelle feuille de calcul, il suffit de cliquer sur son onglet.

Si vous ajoutez de nouvelles feuilles à votre classeur (pour des détails sur cette opération, voir le Chapitre 7) et que la feuille de calcul que vous souhaitez utiliser n'est pas visible à l'écran, cliquez sur un des boutons triangulaires pour avancer d'une feuille de calcul soit vers la droite, soit vers la gauche. Les boutons triangulaires suivis d'une petite barre verticale vous permettent d'atteindre immédiatement la première ou la dernière feuille de calcul disponible dans votre classeur.

La barre d'état

La *barre d'état* est la dernière zone de la fenêtre d'Excel. Vous y trouverez toutes les informations concernant l'état courant du programme. La partie gauche de la barre d'état vous indique l'opération que vous êtes en train d'effectuer, ou la commande sélectionnée dans la barre de menus d'Excel. Au démarrage, la barre d'état indique Prêt (comme le montre la Figure 1.7) à la saisie de nouvelles entrées ou commandes.

La partie droite de la barre d'état comporte plusieurs petites boîtes qui indiquent une situation particulière d'Excel. Par exemple, au démarrage du programme, l'indicateur de calcul automatique affiche SOMME=0 et NUM vous signifie le verrouillage du pavé numérique.

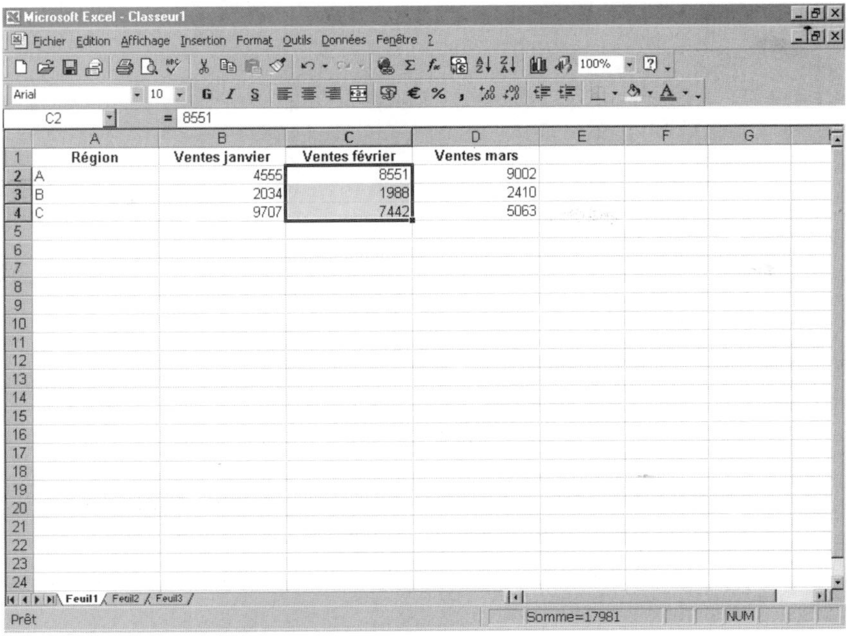

Figure 1.7
L'indicateur
de calcul
automatique
affiche le
total des
valeurs des
cellules
sélection-
nées et NUM
signale le
verrouillage
du pavé
numérique.

	A	B	C	D	E	F	G
1	Région	Ventes janvier	Ventes février	Ventes mars			
2	A	4555	8551	9002			
3	B	2034	1988	2410			
4	C	9707	7442	5063			

C2 = 8551

Microsoft Excel - Classeur1

Fichier Edition Affichage Insertion Format Outils Données Fenêtre ?

Arial · 10 ·

Feuil1 / Feuil2 / Feuil3 /

Prêt · Somme=17981 · NUM

Tu calcules automatiquement mes totaux !

SOMME=0 signifie qu'aucune cellule contenant des valeurs n'a été sélectionnée. Si vous sélectionnez des cellules contenant des chiffres ou des valeurs
préalablement calculées par une formule, l'indicateur de calcul automatique
affiche leur total.

La case la plus longue dans la barre d'état contient l'indicateur de calcul
automatique qui affiche le total de n'importe quel ensemble de valeurs (voir
le début du Chapitre 3 pour apprendre à sélectionner un groupe de cellules
dans une feuille de calcul). La Figure 1.7 est l'exemple type d'une feuille de
calcul après sélection de plusieurs cellules. Le total des valeurs qu'elles
contiennent est affiché dans l'indicateur SOMME de la barre d'état.

L'indicateur de calcul automatique peut également réalisé un calcul complet
ou une moyenne des valeurs sélectionnées. Pour obtenir la somme de toutes
les cellules contenant des valeurs numériques, cliquez sur l'indicateur de
calcul automatique avec le bouton droit de la souris. Dans le menu contextuel
ainsi ouvert, choisissez Somme. Pour obtenir une moyenne, choisissez
Moyenne. Pour remettre l'indicateur dans sa fonction de calcul normal,
ouvrez son menu contextuel et choisissez Somme.

Verrouillage du pavé numérique

Dans la barre d'état, NUM indique que le pavé numérique de votre clavier est verrouillé. Par son biais, vous pouvez entrer des valeurs dans votre feuille de calcul. En pressant la touche Verr Num du clavier, vous libérez le pavé numérique et NUM disparaît de la barre d'état. Vous pouvez désormais utiliser le pavé numérique comme instrument de déplacement du curseur. Par exemple, la touche 6 déplacera le pointeur de cellule vers la droite au lieu d'inscrire la valeur 6 dans la barre de formule !

Veux-tu sortir de cette cellule !

Excel fournit un nombre considérable de méthodes de déplacement dans un classeur. La manière la plus facile pour travailler dans une feuille spécifique est de cliquer sur son onglet, puis d'utiliser les barres de défilement pour atteindre la partie de la feuille qui vous intéresse. Mais ce type de déplacement peut s'effectuer à l'aide d'une série de manipulations de touches proposée par Excel.

Les secrets du défilement

Imaginez que vous ayez entre les mains un immense rouleau de papier. Pour voir ce qui est écrit à droite, vous devez dérouler le papier vers la droite, et vers la gauche pour voir ce qui est écrit à gauche. Ce principe du papyrus est le même pour Excel.

Accéder à des colonnes masquées grâce à la barre de défilement horizontal

Cette *barre de défilement horizontal* vous permet d'accéder à toutes les colonnes d'une feuille de calcul. En fonction de la position de la colonne masquée, vous cliquerez soit sur le bouton de défilement horizontal vers la droite, soit sur celui vers la gauche.

Pour vous déplacer plus rapidement, *maintenez appuyé* le bouton gauche de la souris sur le bouton de défilement horizontal approprié. Plus votre déplacement se prolonge, plus la barre de défilement se réduit. Lorsque vous revenez en arrière, la barre de défilement s'agrandit jusqu'à ce que la première colonne (A) soit à nouveau visible.

Utilisez la barre de défilement horizontal pour faire de grands sauts d'une colonne à une autre. Il suffit pour cela de faire glisser la barre de défilement elle-même. Durant cette opération, une *bulle* vous indique la lettre de la colonne visible se trouvant la plus à gauche. Vous pouvez ainsi, à l'apparition de la lettre appropriée, stopper votre déplacement en relâchant le bouton de la souris.

Accéder à des lignes masquées grâce à la barre de défilement vertical

Cette *barre de défilement vertical* vous permet d'accéder à toutes les lignes d'une feuille de calcul. En fonction de la position de la ligne masquée, vous cliquerez soit sur le bouton de défilement vertical vers le bas, soit sur celui vers le haut.

Pour vous déplacer plus rapidement, *maintenez appuyé* le bouton gauche de la souris sur le bouton de défilement vertical approprié. Plus votre déplacement se prolonge, plus la barre de défilement se réduit. Lorsque vous revenez en arrière, la barre de défilement s'agrandit jusqu'à ce que la première ligne (1) soit à nouveau visible.

Utilisez la barre de défilement vertical pour passer rapidement d'une ligne donnée à une ligne très éloignée. Il suffit pour cela de faire glisser la barre de défilement elle-même. Durant cette opération, une *bulle* vous indique le chiffre de la ligne visible se trouvant la plus en haut. Vous pouvez ainsi, à l'apparition du numéro approprié, stopper votre déplacement en relâchant le bouton de la souris.

Passer d'une portion de la feuille de calcul à une autre

L'utilisation conjointe des zones gris clair des deux barres de défilement vous permet d'accéder très rapidement à une nouvelle partie de la feuille de calcul. Il vous suffit de cliquer une fois dans la zone gris clair de la barre de défilement horizontal, puis dans celle de la barre de défilement vertical. Ces zones, contiguës aux barres de défilement elles-mêmes, sont repérables sans difficulté.

La souris IntelliMouse

La souris, baptisé IntelliMouse, conçu spécialement pour le déplacement dans les documents Office et dans Windows 95/98. Sur la souris IntelliMouse, entre les deux boutons classiques, se trouve une roulette.

Dans Excel, pour vous déplacer vers un autre endroit de votre feuille de calcul, vous pouvez employer cette roulette à la place des barres de défilement. Voici comment procéder :

- Tournez la roulette d'un cran vers l'avant ou l'arrière pour vous déplacer vers le haut ou le bas dans les rangées de cellules, à raison de trois rangées de cellules à la fois. Lorsque vous pivotez la roulette vers l'avant, vous vous déplacez vers le haut de la feuille de calcul. Lorsque vous tournez la roulette vers l'arrière, vous vous déplacez vers le bas de la feuille de calcul.

- Lorsque vous maintenez enfoncé le bouton roulette, le pointeur change de forme. Il devient une quadruple flèche. Vous pouvez alors opérer un défilement dans n'importe quelle direction en bougeant la souris (ne cliquez sur aucun autre bouton de la souris) dans la direction que vous désirez (vers le haut, le bas, la gauche ou la droite). Lorsque la portion de feuille de calcul comportant les cellules qui vous intéressent apparaît, cliquez dans une des cellules de cette zone pour arrêter le défilement. Le pointeur de la souris reprend sa forme classique (une flèche simple).

Si vous désirez modifier l'ampleur du défilement opéré par la roulette, procédez ainsi :

1. **Ouvrez le Panneau de configuration en cliquant sur le bouton Démarrer dans la barre des tâches de Windows, puis en actionnant Paramètres/Panneau de configuration.**

2. **Ouvrez la fenêtre Propriétés de souris en double-cliquant sur l'icône Souris dans la fenêtre Panneau de configuration.**

3. **Dans la fenêtre Propriétés de souris, cliquez sur l'onglet Roulette.**

4. **Pour modifier le nombre de rangées dont défile le document à chaque fois que vous tournez la roulette d'un cran, ouvrez la fenêtre Paramètres de la roulette en cliquant sur le bouton Paramètres dans la section Roulette de l'onglet Roulette de la fenêtre Propriétés de souris. Remplacez la valeur de défilement 3 par une valeur qui vous convient mieux. Cliquez ensuite sur le bouton OK ou appuyez sur la touche Entrée.**

   La fenêtre Paramètres de la roulette se ferme. Vous retrouvez la fenêtre Propriétés de souris.

5. **Pour modifier la vitesse de défilement lorsque vous déplacez la souris en maintenant enfoncé le bouton roulette, ouvrez la fenêtre Paramètres du bouton roulette en cliquant sur le bouton Paramètres dans la section Bouton roulette de l'onglet Roulette de la fenêtre Propriétés de souris. Faites glisser le curseur pour ajuster la vitesse. Cliquez ensuite sur le bouton OK ou appuyez sur la touche Entrée.**

   La fenêtre Paramètres du bouton roulette se ferme. Vous retrouvez la fenêtre Propriétés de souris.

6. **Cliquez sur le bouton OK dans la fenêtre Propriétés de souris.**

7. **Pour fermer le Panneau de configuration, cliquez sur son bouton de fermeture.**

Les touches de déplacement du pointeur de cellule

Les méthodes décrites ci-dessus ne permettent pas de déplacer le pointeur de cellule, ce qui présente un gros désavantage. Aussi, pour effectuer des entrées dans une nouvelle partie de la feuille de calcul, n'oubliez pas de sélectionner une cellule (en cliquant dessus) ou un groupe de cellules (en faisant glisser le pointeur de la souris autour d'elles).

Excel offre un large éventail de touches pour déplacer le pointeur de cellule vers une nouvelle cellule. Par cette méthode, le programme fait défiler automatiquement la feuille de calcul jusqu'à la position de la cellule choisie. Le Tableau 1.4 présente les différentes touches et combinaisons de touches qui permettent de vous déplacer plus au moins loin par rapport à votre position de départ.

 Si vous souhaitez utiliser les touches de direction du pavé numérique, n'oubliez pas de déverrouiller ce dernier, sinon vous inscrirez un numéro dans la cellule active au lieu de déplacer le pointeur de cellule. Tant que NUM est visible dans la barre d'état, le pavé numérique est verrouillé.

Tableau 1.4
Touches de déplacement du pointeur de cellule.

Touche	Effet sur le déplacement du curseur
→ ou Tabulation	Vers la cellule immédiatement à droite.
← ou Maj+Tabulation	Vers la cellule immédiatement à gauche.
↑	Vers la cellule immédiatement au-dessus.
↓	Vers la cellule immédiatement en dessous.
Début	Vers la cellule A de la ligne active.
Ctrl+Début	Vers la première cellule (A1) de la feuille de calcul.
Ctrl+Fin ou Fin,Début	A l'intersection de la dernière colonne et de la dernière ligne possédant des données (la dernière cellule de ce qu'on appelle la *zone active* de la feuille de calcul).
PgUp	Vers la cellule de l'écran précédent dans la même colonne.

Touche	Effet sur le déplacement du curseur
PgDn	Vers la cellule de l'écran suivant dans la même colonne.
Ctrl+→ ou Fin,→	Sur la même ligne à droite vers la première cellule occupée, qui est précédée ou suivie d'une cellule vierge.
Ctrl+← ou Fin,←	Sur la même ligne à gauche vers la première cellule occupée, qui est précédée ou suivie d'une cellule vierge.
Ctrl+↑ ou Fin,↑	Dans la même colonne au-dessus vers la première cellule occupée, qui est précédée ou suivie d'une cellule vierge.
Ctrl+↓ ou Fin,↓	Dans la même colonne en dessous vers la première cellule occupée, qui est précédée ou suivie d'une cellule vierge.
Ctrl+PgDn	Vers la première cellule de la feuille de calcul suivante.
Ctrl+PgUp	Vers la première cellule de la feuille de calcul précédente.

Déplacements vers des blocs de sélection de cellules

Les combinaisons de touches décrites dans le Tableau 1.4 constituent une méthode de déplacement rapide et utile, pour aller d'un bord à l'autre d'un même tableau ou pour passer d'un tableau à un autre dans une feuille de calcul contenant plusieurs blocs de sélection de cellules.

- Si le pointeur de cellule se trouve dans une cellule vide, quelque part à gauche d'un tableau masqué, presser Ctrl+→ déplace le pointeur de cellule vers la première cellule située au bord le plus à gauche du tableau (sur la même ligne bien entendu) qui deviendra alors visible.

- Lorsque par la suite vous presserez une seconde fois Ctrl+→, le pointeur de cellule se déplacera jusqu'à la cellule située sur le bord extrême droit (vous assurant qu'il n'y a aucune cellule vide sur cette ligne du tableau).

- Un changement de direction via Ctrl+↓ déplace le pointeur de cellule jusqu'en bas du tableau (vous assurant là aussi qu'il n'existe aucune cellule vide dans cette colonne du tableau).

- Une fois le pointeur de cellule en bas du tableau, si vous pressez de nouveau Ctrl+↓, Excel déplace le curseur jusqu'à la première entrée du tableau suivant (vous assurant que la colonne de ce tableau ne contient aucune autre entrée au-dessus d'elle).

Si, dans la direction où vous souhaitez vous déplacer, il n'y a aucune cellule occupée, Excel envoie le curseur jusqu'à l'extrémité de la feuille de calcul selon la direction choisie.

- Ainsi, si le curseur se trouve cellule C15 et que la ligne 15 n'a aucune autre cellule occupée, presser Ctrl+→ placera le curseur dans la cellule IV (à l'extrême droite) de la feuille de calcul.

- Même hypothèse que ci-dessus, mais cette fois vous souhaitez descendre en appuyant sur Ctrl+↓. Si la colonne C n'a aucune autre cellule occupée, Excel placera le curseur dans la cellule C65536, tout en bas de la feuille de calcul.

La touche Ctrl associée à une touche de direction suppose que vous mainteniez enfoncée la touche Ctrl quand vous pressez la touche de direction.

Par contre, la touche Fin associée à une touche de direction suppose que vous relâchiez la touche Fin *avant* de presser la touche de direction (d'où la virgule entre les deux). Quand Fin apparaît dans la barre d'état, vous pouvez presser la touche de direction.

A l'usage, vous remarquerez que les combinaisons Ctrl + touche de direction permettent un déplacement plus souple et plus rapide dans la feuille de calcul.

Vous allez dans cette cellule oui ou non !

Excel met à votre disposition une méthode ultra-rapide pour vous permettre de vous rendre dans une cellule très éloignée de votre position actuelle. Il vous suffit d'utiliser la commande Atteindre du menu déroulant Édition ou bien le raccourci clavier Ctrl+t. S'affiche alors une boîte de dialogue. Dans la boîte de texte Référence, vous tapez l'adresse exacte de la cellule à atteindre. Sélectionnez OK ou pressez Entrée et le tour est joué !

Quand vous utilisez cette méthode, Excel mémorise les quatre dernières cellules que vous avez visitées. Leurs références apparaissent dans la boîte Atteindre. Il est donc possible de revenir à votre ancienne adresse simplement en pressant la touche F5, puis Entrée.

Se balader mais verrouiller

La touche Arrêt défil de votre clavier vous permet de "geler" la position du pointeur de cellule dans la feuille de calcul. Ainsi, vous pouvez aller où bon vous semble sans jamais perdre la position d'origine du curseur.

Par ce procédé, lorsque vous atteignez une partie de la feuille de calcul jusqu'alors masquée, Excel n'opère aucune sélection de cellule. Pour "libérer" le pointeur de cellule, il vous suffit d'appuyer une nouvelle fois sur la touche Arrêt défil de votre clavier.

Sélection des commandes via les menus

Vous utiliserez cette possibilité lorsque les barres d'outils Standard et Format ne vous permettront pas d'accéder à une commande. Excel propose deux types de menus : d'une part, les traditionnels menus déroulants ; d'autre part, les *menus contextuels*.

Les menus contextuels sont ainsi nommés car ils limitent leurs commandes au contexte particulier d'un objet. Ils regroupent en un seul menu des commandes dispersées dans plusieurs menus déroulants de la barre de menus.

Le monde merveilleux des menus déroulants

Vous pouvez ouvrir un menu déroulant de deux manières : soit avec la souris, par un simple clic sur le nom du menu, soit via le clavier en appuyant sur la touche Alt, puis sur la lettre soulignée du menu. Par exemple, si vous pressez Alt, puis E, Excel déroule le menu Édition.

Vous pouvez tout aussi bien utiliser la touche Alt que la touche de fonction F10 pour activer la barre de menus. Ensuite, soit vous pressez la lettre soulignée correspondant au menu, soit vous vous déplacez à l'aide des touches de direction.

Une fois le menu déroulant ouvert, vous sélectionnez votre commande soit en cliquant dessus, soit en pressant la lettre soulignée de son nom, soit en vous déplaçant avec la touche ↓ et en validant votre choix par une pression sur la touche Entrée.

Vous pouvez combiner ouverture d'un menu et sélection d'une commande. Avec la souris, vous cliquez sur le menu et vous descendez jusqu'à la commande désirée. Lorsque vous connaîtrez mieux les lettres soulignées des différentes commandes, la méthode utilisant la touche Alt vous permettra d'aller très vite. Par exemple, pour fermer le classeur actif, il faut choisir la commande Fermer du menu Fichier. Appuyez sur Alt, puis tapez **FF** et le tour sera joué en moins de temps qu'il n'en faut pour l'écrire.

Certaines commandes possèdent des raccourcis clavier qui évitent d'avoir à ouvrir des menus pour les exécuter. Par exemple, pour enregistrer les modifications apportées à votre classeur, vous pouvez utiliser le raccourci clavier Ctrl+S au lieu d'ouvrir le menu Fichier et d'y sélectionner Enregistrer.

Nombre de commandes ouvrent une boîte de dialogue qui comporte des commandes et des options plus avancées (voir dans ce chapitre "Disséquons ces boîtes de dialogue"). Seule la pratique vous permettra de savoir quelles commandes amènent l'ouverture d'une boîte de dialogue. Si vous êtes un peu familiarisé avec la philosophie des logiciels sur PC, vous savez que la commande Enregistrer sous... du menu Fichier ouvre systématiquement une boîte de dialogue pour nommer le fichier que vous voulez enregistrer.

Notez que certaines commandes ne sont pas disponibles. Elles apparaissent alors en "grisé" dans le menu. Pour qu'une telle commande devienne active, il faut la réunion de certaines conditions qui découlent des opérations que vous effectuez dans Excel. Par exemple, la commande Coller du menu Édition restera indisponible tant que le Presse-papiers n'aura pas été rempli par une opération de Couper ou Copier du menu Édition.

Des menus fantasques

Les menus d'Excel varient ! En raison de la technologie IntelliSense développée par Microsoft, ces menus ne proposent, au départ, que les commandes les plus courantes, les autres étant masquées. D'ailleurs, un petit dérouleur situé dans la partie inférieure en témoigne.

Si vous déroulez un menu, puis patientez gentiment quelques secondes, celui-ci se déroule entièrement, révélant tout son contenu. Si vous êtes du genre impatient, cliquez sur le dérouleur ; vous parviendrez au même résultat plus rapidement.

Lorsque le menu se déroule, les commandes habituellement masquées apparaissent sur fond grisé. Notez qu'il en va des menus comme des barres d'outils : lorsque vous activez une commande habituellement masquée, celle-ci est promue et s'affiche alors spontanément.

Pour désactiver cet affichage masqué/non masqué :

1. **Opérez un clic droit dans la barre de menus ou dans la barre d'outils Standard ou Mise en forme.**

2. **Sélectionnez Personnaliser afin d'accéder à la fenêtre du même nom.**

3. **Activez l'onglet Options.**

4. **Désactivez l'option Afficher en haut des menus les dernières commandes utilisées.**

5. **Cliquez dans la case de fermeture de la fenêtre.**

Je conseille aux débutants de désactiver cette option ; ils retrouveront ainsi toujours les menus dans la présentation à laquelle ils se seront habitués.

L'option Afficher les menus entiers après un court délai vous dispense de cliquer sur le dérouleur du menu pour en découvrir l'intégralité. Cette option n'est accessible que lorsque la précédente est validée.

Lorsque vous paramétrez les menus et barres d'outils dans cette fenêtre de dialogue, vous agissez, en fait, au niveau de tous les programmes de la suite logicielle Office 2000.

Appréhender les menus contextuels

A la différence des menus déroulants, les menus contextuels ne peuvent s'ouvrir qu'en appuyant sur le bouton *droit* (secondaire) de la souris.

La Figure 1.8 vous présente le menu contextuel d'une barre d'outils. Pour ouvrir ce menu, il suffit de positionner le pointeur de la souris sur la barre d'outils et d'appuyer sur le bouton droit de la souris. Attention ! Si, par mégarde, vous cliquez sur le bouton gauche de la souris, vous activeriez l'outil sur lequel vous êtes positionné.

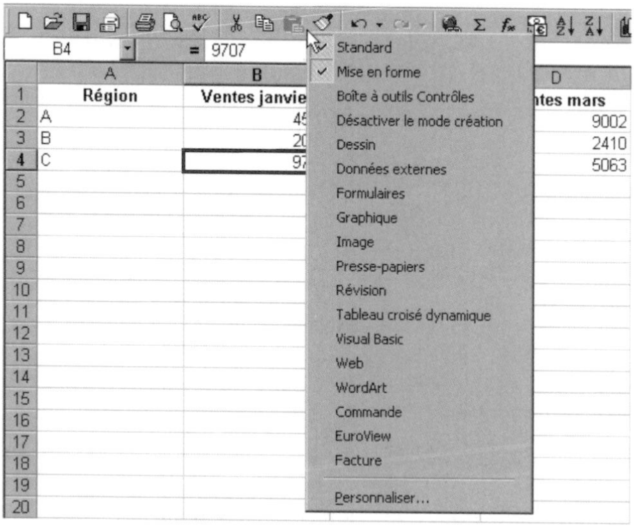

Figure 1.8
Menu contextuel d'une barre d'outils.

Une fois ouvert le menu contextuel de la barre d'outils, vous pouvez utiliser ses commandes pour afficher ou masquer les barres prédéfinies d'Excel, ou encore pour les personnaliser (voir le Chapitre 12 pour plus de détails).

La Figure 1.9 vous présente le menu contextuel d'une cellule de la feuille de calcul. Pour ouvrir ce menu, positionnez le pointeur de la souris sur la cellule et pressez le bouton droit. Notez que vous pouvez appliquer les commandes d'un tel menu à un groupe de cellules sélectionnées. (Au Chapitre 3, vous apprendrez à sélectionner plusieurs cellules.)

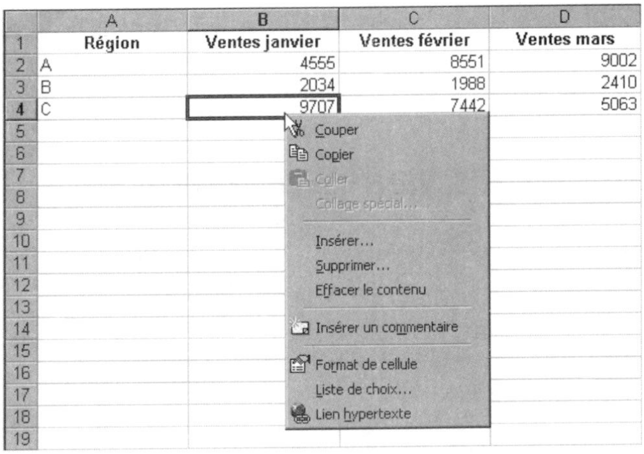

	A	B	C	D
1	Région	Ventes janvier	Ventes février	Ventes mars
2	A	4555	8551	9002
3	B	2034	1988	2410
4	C	9707	7442	5063
5		Couper		
6		Copier		
7		Coller		
8		Collage spécial...		
9				
10		Insérer...		
11		Supprimer...		
12		Effacer le contenu		
13				
14		Insérer un commentaire		
15				
16		Format de cellule...		
17		Liste de choix...		
18		Lien hypertexte		
19				

Figure 1.9
Menu
contextuel
d'une cellule.

Les commandes des menus contextuels ne possèdent pas de lettres souli-gnées. Pour exécuter une commande, faites glisser le pointeur jusqu'à elle, puis cliquez sur le bouton droit ou gauche de la souris afin de valider votre sélection. Vous pouvez également vous déplacer dans un menu contextuel en utilisant les touches ↓ ou ↑, puis en validant votre sélection avec la touche Entrée.

Le seul menu contextuel que vous puissiez ouvrir via une combinaison de touches est celui relatif aux cellules de la feuille de calcul. Pressez Maj+F10 et le menu contextuel s'ouvre dans le coin supérieur gauche de la feuille de calcul. Cette combinaison ne fonctionne pas pour les feuilles de graphique puisqu'elles n'ont aucun menu contextuel personnel.

Disséquons ces fameuses boîtes de dialogue

Une grande majorité de commandes Excel possèdent une boîte de dialogue. Celle-ci propose diverses options applicables aux commandes. Les Figu-res 1.10 et 1.11 sont assez représentatives des différents types de boutons, onglets et boîtes utilisés par Excel. Le Tableau 1.5 détaille les différentes parties d'une boîte de dialogue.

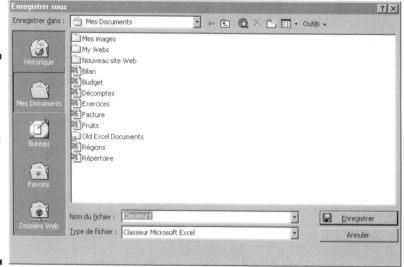

Figure 1.10
La boîte de dialogue Enregistrer sous contient des boîtes de texte, de listes, de listes déroulantes et des boutons de commande.

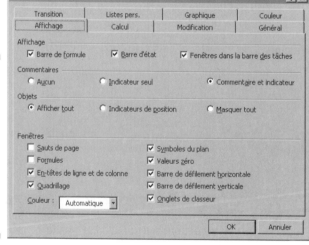

Figure 1.11
La boîte de dialogue Options contient des onglets, des cases à cocher, des boutons radio et des boutons de commande.

Tableau 1.5
Les différentes parties d'une boîte de dialogue.

Boîte ou bouton	Fonction
Onglet	Permet d'accéder à un ensemble d'options complexes d'une boîte de dialogue (voir Figure 1.11) pour modifier certains paramètres du programme.
Boîte de texte (ou boîte d'édition)	Permet d'y taper une nouvelle entrée. La plupart des boîtes contiennent des entrées par défaut que vous pouvez modifier ou remplacer.
Zone de liste	Propose une liste d'options dans laquelle vous opérez un choix. Si cette boîte contient plus d'éléments qu'elle ne peut en afficher, utilisez la barre de défilement pour accéder au contenu caché. Certaines zones à listes sont contiguës à des boîtes de texte. Vous pouvez effectuer une nouvelle entrée dans la boîte de texte soit en y saisissant directement le texte, soit en le sélectionnant dans la zone à liste.
Zone de liste déroulante	Cette version condensée d'une zone de liste standard affiche uniquement l'option active. Pour afficher les autres options de cette zone, cliquez sur son bouton de déroulement. Une fois la liste affichée, vous pouvez y sélectionner une nouvelle option.
Case à cocher	Permet d'activer ou de désactiver une option. Quand une marque apparaît dans une telle boîte, cela signifie que l'option est sélectionnée.
Bouton radio	Permet d'activer une seule option proposée. Ici, le fait d'activer une option désactive l'option préalablement sélectionnée. Une option est sélectionnée lorsqu'un petit rond noir apparaît au centre du bouton.
Bouton à double flèche	Il s'agit de deux boutons collés verticalement l'un à l'autre et dont la flèche de l'un pointe vers le haut et celle de l'autre vers le bas. Utilisez ces boutons pour sélectionner des options prédéfinies.
Bouton de commande	Déclenche une action. Le nom de la commande est affichée sur un bouton rectangulaire. Si le nom de la commande est suivi de trois petits points, une boîte de dialogue s'ouvrira lorsque vous cliquerez sur ce bouton.

Note : Vous pouvez déplacer une boîte de dialogue dans n'importe quelle direction mais ne pouvez changer ni sa taille ni sa forme.

La majorité des boîtes de dialogue garderont des options ou des entrées sélectionnées par défaut, tant que vous ne les aurez pas modifiées avant de fermer la boîte en question.

- Pour que vos sélections restent actives après la fermeture de la boîte de dialogue, cliquez sur le bouton OK ou le bouton Fermer.

  Si le bouton OK est entouré d'une bordure sombre, pressez Entrée pour que vos modifications prennent effet.

- Pour fermer la boîte de dialogue sans prise d'effet de vos modifications, cliquez soit le bouton Annuler ou le bouton de fermeture (X) de la boîte, soit, plus simplement, pressez la touche Echap.

La plupart des boîtes de dialogue regroupent en commande de menu les options apparentées (en plaçant une boîte autour desdites options). Pour opérer une sélection dans une boîte de dialogue, via la souris, cliquez sur l'option que vous souhaitez utiliser. Dans le cas d'une entrée texte, position-nez par un simple clic le point d'insertion sur l'entrée que vous souhaitez modifier.

Si vous opérez vos sélections depuis le clavier, il vous faudra parfois d'abord activer la commande de menu pour sélectionner une de ses options.

- Pressez la touche Tabulation jusqu'à ce que l'option désirée soit active (Maj+Tab active l'option précédente).

- Excel indique l'option active soit en mettant en surbrillance l'entrée par défaut, soit en entourant le nom de l'option avec une ligne en pointillé.

- Vous pouvez changer les paramètres d'une option active en pressant soit les touches ↑ ou ↓ (notamment pour les boutons radio et les zones à liste déroulante), soit la barre d'espace (pour sélectionner ou désélectionner les cases à cocher), soit en tapant une nouvelle entrée (dans les boîtes de texte).

Vous pouvez également sélectionner une option en pressant la touche Alt, puis la lettre soulignée de la commande.

- Pour vous placer directement dans une boîte de texte, pressez Alt et la lettre soulignée du nom de la boîte (ce qui vous permet de remplacer l'entrée actuelle par une nouvelle).

- Pour activer ou désactiver une option d'une case à cocher, pressez Alt et appuyez sur la lettre soulignée de la commande.

- Vous pouvez sélectionner une option d'un bouton radio tout en désélectionnant l'option active, en pressant Alt et la lettre soulignée de la commande.

- Pour lancer une commande ou ouvrir la boîte de dialogue s'y rapportant, pressez Alt et la lettre soulignée de la commande.

Pour sélectionner rapidement une option dans une zone à liste, tapez ses deux ou trois premiers caractères. Au fur et à mesure que vous taperez les lettres, Excel affichera instantanément un nom commençant par lesdites lettres.

Il existe des boîtes de dialogue moins élaborées que celles des Figures 1.10 et 1.11. Elles affichent des messages et des avertissements. Généralement, ces boîtes comportent l'unique bouton OK qui vous permet de les fermer après avoir pris connaissance du message.

Consulter l'aide en ligne

Dès que vous vous posez une question en cours de travail sur l'utilisation d'Excel, vous pouvez faire appel au système d'aide en ligne pour trouver la réponse. L'inconvénient est que ce système requiert une certaine connaissance du jargon d'Excel. Pour pallier ce problème, Excel propose une nouvelle fonction appelée Compagnon Office. Ici, vous posez une question avec les mots qui sont les vôtres, et le Compagnon Office essaie de rendre votre question compréhensible pour Excel afin que vous obteniez l'aide sur le sujet qui vous préoccupe.

Le Compagnon Office

Le Compagnon Office personnalise le système d'aide. Il vous donne la possibilité de poser des questions sur l'emploi d'Excel, en langage courant. Lorsque vous appelez le Compagnon Office pour la première fois, il apparaît sous la forme d'un trombone un peu agité, baptisé Trombine. Il s'agit d'un objet graphique, indépendant de la fenêtre d'Excel. Faites-le glisser pour le placer à l'endroit qui vous convient le mieux.

Pour faire appel à lui, il faut ouvrir la fenêtre du Compagnon Office.

1. **Cliquez sur le bouton Aide sur Microsoft Excel dans la barre d'outils Standard (il est symbolisé par un point d'interrogation dans une bulle) ou appuyez sur la touche F1.**

Si Trombine n'est pas déjà affiché, il apparaît dans sa propre fenêtre et affiche un phylactère dans lequel il vous demande ce que vous désirez faire (Figure 1.12).

Figure 1.12
Faites la
connais-
sance de
Trombine,
votre
Compagnon
Office
personnel,
prêt à
répondre à
vos ques-
tions sur
Excel.

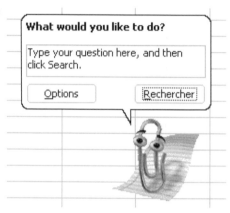

2. **Tapez votre question sur Excel en français ordinaire, puis cliquez sur le bouton Rechercher ou appuyez sur Entrée.**

   Au fur et à mesure que vous tapez, Trombine écrit votre question sur un bloc-notes. Lorsque vous actionnez le bouton Rechercher, Trombine recherche les sujets d'aide correspondant à votre question, puis affiche éventuellement une liste de sujets pour que vous puissiez préciser votre demande.

   Lorsqu'il existe plus de sujets s'apparentant à votre demande qu'il n'y a de place pour les accueillir dans la fenêtre-bulle du Compagnon Office, une ligne _Suivant..._ s'affiche dans le bas de la fenêtre (Figure 1.13).

3. **Une fois que vous avez trouvé le sujet qui vous convient, cliquez dessus pour afficher les détails dans une fenêtre d'aide.**

   Excel ouvre alors une fenêtre Microsoft séparée qu'il présente à droite de sa propre fenêtre, dont il réduit la taille pour la circonstance. Trombine est lui aussi réduit et déplacé vers la gauche.

4. **Lisez les informations. Pour en obtenir une copie papier, cliquez sur le bouton Imprimer, puis validez par OK.**

   Pour consulter une des autres rubriques épinglées par Trombine, cliquez dans sa fenêtre, puis sélectionnez cette rubrique.

5. **Lorsque vous avez terminé la lecture des informations d'aide, fermez la fenêtre d'aide en cliquant sur son bouton de fermeture.**

La fenêtre d'aide disparaît ; le classeur Excel reprend possession de l'écran.

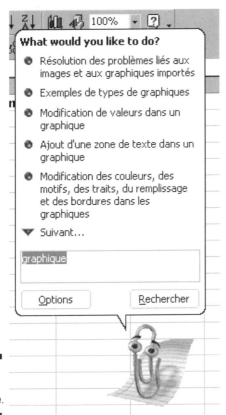

Figure 1.13
La réponse
de Trombine.

Si Trombine ne vous comprend pas

Si le Compagnon Office ne comprend pas votre question, c'est que vous l'avez mal formulée. Il émet alors un signal sonore et affiche le message suivant :

```
Je ne comprends pas la question. Veuillez la reformuler.
```

La plupart du temps, le Compagnon Office vous proposera des rubriques à consulter.

Soyez aussi bref et précis que possible.

Plus votre question comportera de termes facilement identifiables par Excel, plus rapide sera l'affichage des propositions du Compagnon Office.

Au début, vous aurez éventuellement cette désagréable impression qu'aucune rubrique d'aide ne répond à votre question, mais peu à peu l'expérience vous apprendra à trouver ce dont vous avez exactement besoin.

Masquer le Compagnon Office

Après avoir consulté le Compagnon Office, vous pouvez fermer la fenêtre-bulle tout en laissant ouverte la fenêtre du Compagnon Office. Pour fermer la bulle, appuyez sur la touche Echap ou cliquez dans sa fenêtre. Pour fermer carrément la fenêtre du Compagnon Office, opérez un clic droit dans sa fenêtre, puis choisissez Masquer dans son menu contextuel. (Vous pourrez le réactiver par la suite en activant l'icône Aide sur Microsoft Excel de la barre d'outils Standard ou en enfonçant la touche F1.)

Même si vous ne faites pas régulièrement appel à lui, je vous conseille de laisser le Compagnon affiché tant que vous êtes débutant. D'abord, il est craquant ; ensuite, il vous signalera, en se tortillant, que telle ou telle commande (comme enregistrer ou imprimer) a bien été exécutée. Il vous dispensera en outre toutes sortes de conseils bien pratiques.

Choisir un autre Compagnon Office

Trombine est une des neuf personnalités que peut revêtir le Compagnon Office. Vous avez aussi le choix entre :

- **Bille de clown** : Une balle à visage bien souriant.

- **MécanOffice** : Un robot à look d'aspirateur.

- **Professeur Génial** : Albert Einstein en personne.

- **Logo Office** : Un logo Microsoft Office en rotation.

- **Mère Nature** : Une planète Terre animée, qui se transforme en fleur.

- **Tifauve** : Un chat adorable qui poursuit la souris !

- **Toufou** : Un adorable petit toutou qui aime son maître.

Chaque personnalité du Compagnon Office est accompagnée de ses propres sons et animations. Pour sélectionner une nouvelle personnalité, suivez cette procédure :

1. **A moins que vous ne l'ayez déjà fait, cliquez sur le bouton Aide sur Microsoft Excel de la barre d'outils Standard ou appuyez sur la touche F1 pour ouvrir la fenêtre du Compagnon.**

2. **Cliquez sur le bouton Options pour afficher la fenêtre des options du Compagnon Office.**

3. **Cliquez sur l'onglet Présentation.**

4. **Cliquez sur le bouton Suivant jusqu'à afficher le personnage que vous désirez.**

5. **Cliquez sur le bouton OK pour fermer la fenêtre des options du Compagnon Office et remplacer Trombine par le personnage que vous avez choisi.**

Si vous trouvez votre personnage trop statique, forcez-le à bouger un peu en cliquant dessus avec le bouton droit de la souris, puis en actionnant la commande Animer dans le menu obtenu.

Lire les conseils du Compagnon Office

Lorsque vous travaillez dans Excel, le Compagnon Office ne cesse d'espionner et d'analyser silencieusement tout ce que vous faites. A chaque commande ou bouton utilisé, il constitue un "stock" d'informations, de trucs et astuces, auquel vous pouvez accéder en cliquant sur le Compagnon Office avec le bouton droit de la souris, puis sur la commande Conseils (ornée d'une ampoule).

Lorsque le Compagnon Office vous propose un nouveau conseil, une ampoule s'affiche au-dessus de sa tête. Cliquez sur l'ampoule pour prendre connaissance du conseil. Pour vous débarrasser et du conseil et du Compagnon, cliquez dans la case de fermeture de la fenêtre d'aide.

Aide contextuelle

Pour obtenir de l'aide contextuelle, actionnez la commande *Qu'est-ce que c'est* du menu d'aide (le menu représenté par un point d'interrogation) ou appuyez sur Majuscule-F1. Le pointeur de la souris change de forme : un point d'interrogation accolé à une flèche. Pour obtenir une aide, cliquez sur la commande ou la partie de l'écran d'Excel qui vous pose problème. Par exemple, vous ne savez plus comment utiliser l'outil Somme automatique : cliquez sur l'icône de l'outil Somme automatique. S'ouvre alors une fenêtre d'aide contenant des informations succinctes quant à l'utilisation de l'outil Somme automatique. Pour refermer cette fenêtre, cliquez n'importe où.

De même, vous pouvez obtenir des informations sur n'importe quelle commande d'un menu déroulant. Supposons que votre curiosité se focalise sur la commande Plein écran du menu Affichage. Actionnez la commande *Qu'est-ce que c'est* du menu d'aide ou appuyez sur Majuscule-F1, cliquez sur le menu Affichage afin de l'ouvrir, puis sur la commande Plein écran. Une fenêtre vous donne alors des informations sur le nombre maximum de cellules visibles à l'écran dans une feuille de calcul lorsque vous utilisez cette commande.

Consultation directe de l'aide

Parallèlement à l'utilisation du Compagnon Office ou de l'aide contextuelle intuitive, vous avez aussi la possibilité de consulter directement le module d'aide.

1. **Si le Compagnon n'est pas affiché, affichez-le en activant l'icône Aide sur Microsoft Excel ou en enfonçant la touche F1.**

2. **Sélectionnez une des rubriques qu'il vous propose, n'importe laquelle.**

3. **Cliquez sur Rechercher.**

   Vous accédez ainsi au fichier d'aide.

4. **Cliquez sur l'icône Afficher, en haut à gauche.**

   Trois onglets deviennent disponibles : Sommaire, Index et Aide intuitive (Answer Wizard).

L'onglet Sommaire vous propose des informations sur les techniques de base, telles que création, enregistrement et impression d'une feuille de calcul. L'onglet Aide intuitive vous permet de poser à l'aide une question formulée dans vos propres termes. Enfin, l'onglet Index vous permet d'introduire un mot clé et de balayer le fichier à la recherche de ce terme.

Pour sélectionner une rubrique dans l'onglet Sommaire, sélectionnez la rubrique qui vous intéresse, puis éventuellement la sous-rubrique ; les informations s'affichent à droite.

Pour agir dans l'index, introduisez un mot clé dans la case Taper les mots clés ou sélectionnez-le dans la liste Sélectionnez des mots clés ; cliquez ensuite sur Rechercher. Sélectionnez ensuite une rubrique dans la liste du bas ; les informations s'affichent à droite.

Dans ce volet de droite, vous remarquerez que certains termes sont soulignés (en bleu sur écran couleur). Le soulignement en trait continu désigne des *liens hypertextes* ; il s'agit de liens qui vous transportent immédiatement vers un autre endroit du fichier d'aide.

Si vous désirez imprimer les informations affichées, cliquez sur le bouton Imprimer de la fenêtre d'aide.

Quand l'heure est venue de quitter Excel

Plusieurs méthodes s'offrent à vous. Les plus répandues consistent à :

- cliquer sur le bouton de fermeture de la fenêtre d'Excel ;

- choisir la commande Quitter du menu Fichier ;

- cliquer deux fois sur l'icône XL située dans la partie supérieure gauche de la barre de titre ;

- ou, enfin, à presser Alt+F4.

Si vous tentez de quitter Excel sans avoir préalablement enregistrer les modifications apportées à votre travail, un message s'affiche vous demandant si vous désirez le faire. Si le Compagnon Office est ouvert à cet instant, il s'agite et vous demande si vous désirez enregistrer vos modifications. Si c'est votre intention, appuyez sur le bouton Oui (pour des informations plus précises sur l'enregistrement des documents, consultez le Chapitre 2), sinon appuyez sur Non.

Lorsque vous quittez Excel, c'est le Compagnon Office qui part en dernier lieu. Il se transforme en bicyclette et s'en va vers le couchant. (En fait, il remonte une feuille de papier et disparaît derrière cette feuille.)

Chapitre 2
Créer
une feuille de calcul

- -

Dans ce chapitre :

Créer un nouveau classeur.

Entrer trois types de données différentes dans une feuille de calcul.

Utiliser Excel pour introduire des virgules décimales à votre place.

Créer des formules simples.

Corriger vos erreurs d'introduction de données.

Utiliser la fonction de correction automatique.

Assimiler la fonction d'insertion automatique.

Utiliser la fonction de remplissage automatique.

Limiter l'entrée de données à un groupe de cellules particulier.

Effectuer une seule opération pour introduire une même donnée dans un ensemble de cellules.

Utiliser le bouton Coller une fonction pour entrer des fonctions intégrées dans vos formules

Modifier une formule avec le bouton Zone de formule.

Calculer la somme des colonnes et rangées de chiffres avec la fonction Somme automatique.

Enregistrer votre travail.

- -

Maintenant que vous savez faire démarrer Excel, vous allez apprendre comment introduire toutes sortes d'informations dans les cellules vides d'une feuille de calcul. Ici, vous serez initié à l'utilisation des fonctions de correction et d'insertion automatiques qui vous permettront de travailler plus vite. Vous apprendrez à accélérer la saisie de données par l'utilisation de la fonction de remplissage automatique et à introduire, en une seule opération, une donnée identique dans un groupe de cellules.

Une fois votre feuille de calcul remplie, vous apprendrez la leçon la plus importante : comment sauver toutes les informations sur votre disque dur afin de ne pas devoir les saisir à nouveau !

Que faire avec ce nouveau classeur ?

Lorsque vous lancez Excel sans ouvrir de document, vous vous retrouvez dans une fenêtre qui affiche un nouveau classeur vierge. Ce classeur est momentanément appelé Classeur1. Il contient trois feuilles de calcul vides. Votre premier travail consistera à entrer des informations dans la première feuille du Classeur1.

Les entrées et les sorties de données

Voici un petit mémento qui vous sera toujours utile lors de la création d'une première feuille de calcul dans un nouveau classeur :

- Chaque fois que vous le pouvez, organisez vos informations dans des tableaux de données utilisant des colonnes et des lignes adjacentes. Commencez votre saisie de données dans le coin supérieur gauche du tableau, et remplissez la feuille de haut en bas plutôt que de gauche à droite. Essayez de séparer chaque tableau par une seule colonne ou une seule ligne.

- Ne sautez aucune colonne ou ligne dans l'optique de "séparer" les informations. Au Chapitre 3, les techniques d'élargissement des colonnes, de rehaussement des lignes et de modification de l'alignement vous apprendront à placer autant d'espaces vides que vous le souhaitez entre des informations adjacentes.

- Dans le coin gauche de votre tableau, réservez une seule colonne pour les en-têtes de lignes.

- En haut de votre tableau, réservez une seule ligne pour les en-têtes de colonnes.

- Si votre tableau nécessite un titre, placez-le dans la ligne située au-dessus de l'en-tête de la colonne. Mettez le titre dans la même colonne que les en-têtes de lignes. Pour centrer le titre, reportez-vous au Chapitre 3.

Dans la mesure où j'ai insisté au Chapitre 1 sur les capacités d'Excel à manipuler des feuilles de calcul de grande taille, l'économie d'espace disponible dans une feuille peut vous paraître secondaire.

Vous auriez raison si économie d'espace ne rimait pas avec économie de mémoire. Au fur et à mesure qu'un tableau de données se développe vers de nouvelles zones de la feuille de calcul, Excel gère la mémoire disponible de votre système afin que vous puissiez remplir le plus de cellules possible. Donc, si vous sautez sans raison majeure des colonnes et des lignes, vous gaspillez de la mémoire qui aurait pu être utilisée pour stocker davantage d'informations dans la feuille de calcul.

Souvenez-vous de ceci...

Puisque c'est la quantité de mémoire disponible dans votre ordinateur qui détermine la taille de votre feuille de calcul, lorsque vous vous retrouvez à court de mémoire, vous vous retrouvez à court d'espace. Afin de maximiser la quantité d'informations que vous pouvez entrer dans une feuille de calcul, adoptez toujours cette politique d'économie de moyens.

Effectuer l'entrée de données

Révisons une règle de base pour l'entrée de données dans une feuille de calcul :

> Pour entrer des données dans une feuille de calcul, positionnez le pointeur de cellule sur la cellule dans laquelle vous voulez faire apparaître les données, puis saisissez celles-ci au clavier.

Avant de positionner le curseur sur une cellule, Excel doit se trouver en mode Prêt (indiqué dans la barre d'état). Dès que vous commencez à taper vos données, Excel passe en mode Entrer (indiqué dans la barre d'état).

Si vous n'êtes pas en mode Prêt, appuyez sur la touche Echap.

En mode Entrer, les caractères que vous tapez apparaissent simultanément dans la cellule sélectionnée et la barre de formule. A gauche de la barre de formule, les boutons Annuler et Entrer apparaissent entre la Zone Nom (qui comporte l'adresse de la cellule) et la Zone de formule (le signe égal).

La Figure 2.1 illustre parfaitement ce que nous venons de dire dans le précédent paragraphe.

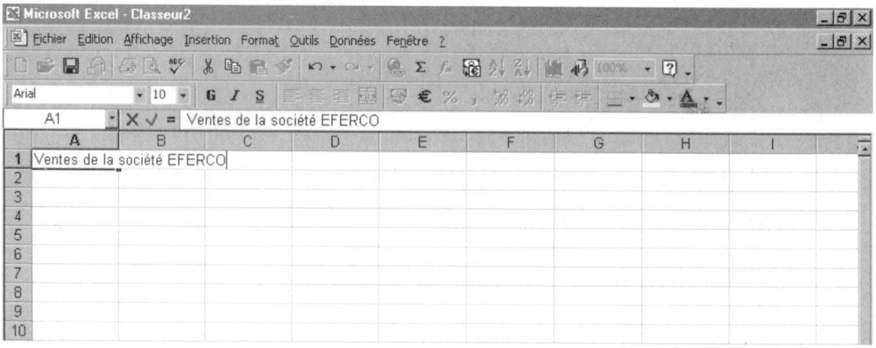

Figure 2.1
Ce que vous tapez s'inscrit à la fois dans la cellule et dans la barre de formule.

Une fois votre entrée de données terminée, vous devez la valider en pressant la touche Entrée ou une des touches de direction. Cette action aura pour conséquence de replacer Excel en mode Prêt. Vous pourrez alors sélectionner une autre cellule afin d'y entrer des données.

Notez que :

- Si vous saisissez votre entrée dans la barre de formule, le texte s'inscrit automatiquement dans la cellule active.

- Si vous pressez Entrée, non seulement le texte reste dans la cellule active, mais le pointeur de cellule se déplace, dans la même colonne, vers la cellule située juste en dessous. Cette dernière devient la nouvelle cellule active.

- Si vous pressez une des touches de direction, le pointeur de cellule se déplace vers la première cellule de la direction choisie. à gauche, à droite, en haut ou en bas).

Quelle que soit la méthode choisie pour positionner une entrée, la valider (en pressant Entrée) désactive les boutons Annuler et Entrer de la barre de formule. Les données saisies demeurent dans la cellule et, chaque fois que vous placerez le pointeur de cellule sur celle-ci, les données réapparaîtront dans la barre de formule.

Si, lors de la saisie, vous vous apercevez que vous êtes dans la mauvaise cellule, ne paniquez pas ! Cliquez sur le bouton Annuler (dont l'icône est un X) ou pressez Echap afin de nettoyer et désactiver la barre de formule. Par contre, si vous vous rendez compte de votre erreur après avoir validé la saisie, vous allez devoir soit déplacer le texte vers la bonne cellule (ce que vous apprendrez au Chapitre 4), soit l'effacer (voir Chapitre 4), et dans ce cas recommencer la saisie dans la cellule appropriée (fastidieux !).

Configurer la touche Entrée afin de placer le pointeur de cellule où vous le souhaitez

Chaque fois que vous pressez la touche Entrée pour valider une entrée de cellule, Excel fait descendre le pointeur de cellule vers le bas. Pour obliger Excel à déplacer le pointeur de cellule dans une autre direction (haut, gauche ou droite), choisissez la commande Options du menu Outils et sélectionnez l'onglet Modification dans la boîte de dialogue. Là, cliquez sur le bouton de la boîte Direction afin de sélectionner la direction qui vous convient.

Si vous souhaitez, après validation, que le curseur reste à sa position, désélectionnez l'option Déplacer la sélection après validation. Une fois vos changements opérés, cliquez OK ou pressez Entrée.

Les types de données

Lorsque vous effectuez des entrées de données dans votre feuille de calcul, Excel les analyse et les classe dans une des trois catégories suivantes : *texte*, *valeur* ou *formule*.

Si Excel identifie votre entrée comme une formule, il la calcule automatiquement et en affiche le résultat dans la cellule de la feuille de calcul (tout en laissant la formule visible dans la barre de formule). Si votre entrée n'est pas une formule, il détermine s'il s'agit d'un texte ou d'une valeur.

Dans une feuille de calcul, Excel positionne les entrées texte à gauche de la cellule, et les entrées valeur à droite. Ainsi texte et valeur sont bien différencier, et le programme sait avec quel type d'entrée il peut utiliser les formules que vous avez créées. Cependant, votre formule pourra se révéler totalement inefficace si elle fait référence à des cellules contenant du texte alors qu'Excel y attend des valeurs.

Les signes révélateurs d'un texte

Une entrée texte (qu'on appelle aussi *étiquette* ou *libellé*) est une entrée qu'Excel ne peut confondre ni avec une formule ni avec une valeur. Le texte apparaît donc comme la catégorie "fourre-tout" d'Excel. On considère comme entrée texte toute combinaison de lettres avec des signes de ponctuation ou avec des nombres. Dans une feuille de calcul, le texte est généralement utilisé pour les titres, les en-têtes et les notes.

Vous pouvez considérer qu'à partir du moment où Excel aligne une entrée à gauche de la cellule, cette entrée est estimée comme du texte. Si l'entrée texte s'avère plus longue que la cellule, la donnée empiète sur la cellule voisine *tant que celle-ci reste vide* (Figure 2.2).

Figure 2.2
Les entrées
texte trop
longues
empiètent
sur les
cellules
voisines
vierges.

Plus tard, lorsque vous entrerez des données dans les cellules vides occupées par un texte trop long, Excel coupera ledit texte (Figure 2.3). Ne vous mettez pas à pleurer : Excel n'a pas réellement fait disparaître les caractères que vous ne voyez plus - il les a simplement masqués pour laisser place aux nouvelles entrées. Vous apprendrez au Chapitre 3 comment agrandir une colonne pour permettre l'affichage d'une partie masquée d'un texte.

Figure 2.3
Le texte
empiétant
sur les
cellules de
droite a été
tronqué au
moment de
l'entrée de
données
dans ces
cellules.

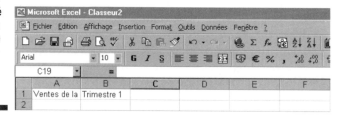

Comment Excel calcule ses valeurs

Les *valeurs* sont les blocs fonctionnels de la plupart des formules conçues dans Excel. Elles apparaissent sous forme de nombres représentant des quantités (comme 14 magasins ou 140 000 francs), des dates (comme 30 juillet 1999), ou encore un horaire (comme 14:00).

Si vos entrées ont été alignées à droite dans les cellules, vous en déduirez qu'Excel les a interprétées comme étant des valeurs.

Si la valeur entrée s'avère trop large pour être totalement affichée, Excel la convertit automatiquement en *notation scientifique* (par exemple, 6E+08 indique que le chiffre 6 est suivi de huit zéros, c'est-à-dire représente un total de six cents millions !). Si vous préférez que le nombre apparaisse dans sa notation normale, il vous suffit d'élargir la colonne de la cellule concernée (voir la procédure au Chapitre 3).

Pour Excel, le texte c'est zéro

Pour vous prouver qu'Excel donne la valeur 0 aux entrées texte, tapez par exemple dans une cellule "Excel est une excellente marque de chocolat". Lorsque vous placerez le pointeur de cellule sur la cellule concernée, l'indicateur de Somme automatique de la barre d'état affichera Somme=0.

Assurez-vous qu'Excel comprend vos chiffres

Dans la conception d'une nouvelle feuille de calcul, vous passerez beaucoup de temps à entrer des chiffres de toutes sortes comme la quantité d'argent que vous avez gagnée (ou perdue), le pourcentage de vente de café et de beignets, etc.

Pour entrer une valeur numérique positive, par exemple vos bénéfices de l'an dernier, sélectionnez une cellule, tapez **459600** (à titre de modèle) et validez votre entrée en pressant la touche Entrée ou en cliquant sur le bouton Entrée de la barre de formule. Pour entrer une valeur numérique négative, par exemple la quantité d'argent dépensée par votre magasin l'an dernier, tapez d'abord le signe **moins (-)**, puis les chiffres - comme **-175** (ce qui est peu comparé à vos bénéfices) - et validez votre entrée.

Si vous êtes un pro de la comptabilité, vous pouvez mettre les valeurs négatives (vos dépenses) entre parenthèses - **(175)**. Notez qu'au moindre problème provoqué par l'utilisation de parenthèses pour les valeurs négatives, Excel prend la main et convertit lesdites valeurs dans leur format le plus courant, c'est-à-dire précédées du signe moins. Ici **(175)** devient **-175** (calmez-vous, au Chapitre 3 vous apprendrez à contourner cet excès d'autorité d'Excel).

Vous pouvez accompagner vos valeurs numériques d'un signe monétaire ou de virgules de séparation, selon les conventions d'écriture utilisées où vous travaillez. Soyez conscient que si vous utilisez des virgules, Excel adaptera leurs positions afin qu'elles coïncident sans équivoque avec le format de la valeur numérique saisie (pour des informations complémentaires, consultez le Chapitre 3).

Quand vous entrez des valeurs numériques décimales, utilisez le point comme signe de séparation. Le programme ajoute automatiquement un zéro avant le point de séparation décimale (si vous entrez **.34**, Excel écrit **0.34**), et supprime le zéro se trouvant à la fin d'une valeur décimale (si vous entrez **12.50**, Excel écrit **12.5**).

Si vous ignorez l'équivalent décimal d'une valeur contenant une fraction, entrez la valeur accompagnée de sa fraction. Il est évident que vous pouvez ne pas savoir que 2.1875 est l'équivalent décimal de $2\,^{3}/_{16}$. Dans ce cas, tapez simplement **2** $^{3}/_{16}$ (créez bien un espace entre le 2 et le 3). Une fois l'entrée terminée (validée), lorsque vous positionnerez le curseur sur la cellule contenant la fraction, celle-ci sera toujours affichée sous cette forme, mais pas dans la barre de formule où vous pourrez lire 2.1875.

Lorsque vous devez entrer des fractions simples comme $^{3}/_{5}$ ou $^{5}/_{8}$, tapez la fraction précédée d'un zéro sous la forme suivante : **0 3/5** ou **0 5/8**. N'oubliez pas de créer un espace entre le zéro et la fraction, sinon Excel interprétera votre fraction comme une date : le 3 mai pour 3/5 et le 5 août pour 5/8.

Pour entrer une valeur numérique représentant un pourcentage, vous pouvez :

- Diviser par 100 le nombre sélectionné et entrer son équivalent décimal, c'est-à-dire entrer **.12** pour 12 pour 100.

- Saisir le nombre accompagné du signe pourcentage, c'est-à-dire **12 %**.

Quel que soit le format d'écriture de la valeur, Excel en respectera l'affichage dans votre feuille de calcul.

Configurer une décimale fixe

S'il vous faut saisir une grande quantité de nombres à décimale fixe, vous pouvez configurer Excel afin qu'il réalise cette opération à votre place. Cette possibilité est appréciable lorsque vous avez des centaines de chiffres à deux décimales à saisir (par exemple, pour indiquer les centimes).

Pour *fixer* le nombre de décimales, suivez les étapes ci-dessous :

1. **Déroulez le menu Outils et sélectionnez Options.**

   La boîte de dialogue Options s'ouvre.

2. **Cliquez sur l'onglet Modification.**

3. **Dans la zone Paramètres, activez Décimale fixe.**

   Par défaut, la position décimale est fixée à deux. Pour modifier ce paramètre, passez à l'étape 4 ; sinon passez à la 5.

4. **Dans la boîte de texte Place, tapez un nouveau chiffre ou sélectionnez-le en cliquant sur les boîtes fléchées.**

   Par exemple, vous pouvez fixer à 3 le paramètre Place. Ainsi, lorsque vous entrerez une valeur, elle s'inscrira comme ceci : 00.000 (à titre d'exemple).

5. **Cliquez sur OK ou pressez Entrée.**

   La barre d'état indique que la fonction Décimale fixe est activée en affichant le terme FIX.

A partir de cet instant, Excel ajoutera automatiquement les décimales aux valeurs que vous entrerez. Par exemple, pour entrer dans une cellule la valeur numérique 100.99, tapez les chiffres **10099**. Lorsque vous validerez votre entrée, Excel insérera un point de séparation décimale et la cellule affichera 100.99.

Délivrez-vous des places décimales

Bien que le paramètre Décimale fixe soit activé, vous pouvez positionner le point de séparation décimale où bon vous semble. Rappelez-vous simplement que vous devez effectuer cette opération manuellement. Ainsi, pour entrer 1099 au lieu de 10.99, tapez 1099. dans la cellule.

N'oubliez pas de désactiver le paramètre Décimale fixe lorsque vous quittez Excel ou commencez à travailler dans une nouvelle feuille de calcul. Autrement, lorsque vous taperez la valeur 20, la cellule affichera 0.2 et vous ne ferez peut-être pas immédiatement le rapprochement avec une éventuelle activation du paramètre Décimale fixe.

Dès que vous souhaitez revenir à un système d'entrée normal des valeurs numériques, désactivez la case à cocher Décimale fixe en répétant les étapes 1 et 2 ci-dessus.

Taper sur ce bon vieux pavé numérique

La fonction Décimale fixe peut s'avérer beaucoup plus efficace si vous opérez vos entrées numériques dans un bloc de sélection de cellules sélectionnées via le pavé numérique de votre clavier (voir plus loin dans ce chapitre "Effectuer des entrées dans un bloc de sélection de cellules"). N'oubliez pas de verrouiller le pavé numérique.

Tout ce que vous avez à faire est d'entrer vos valeurs dans chaque cellule et de les valider en pressant Entrée. Excel insérera le séparateur décimal et positionnera le pointeur de cellule sur la cellule suivante (celle située juste en dessous). Mieux, une fois la dernière valeur entrée, Excel place automatiquement le pointeur de cellule en haut de la colonne suivante si elle fait partie de la sélection (évidemment).

Les Figures 2.4 et 2.5 montrent comment se déroule votre travail avec la méthode dite du *pavé numérique*. Le paramètre Décimale fixe a été ajusté sur 2, et le bloc de sélection couvre les cellules B3 à D9. Six entrées ont déjà été effectuées dans les cellules B3 à B8. Pour réaliser une entrée dans la cellule B9, tapez **3083463** depuis le pavé numérique.

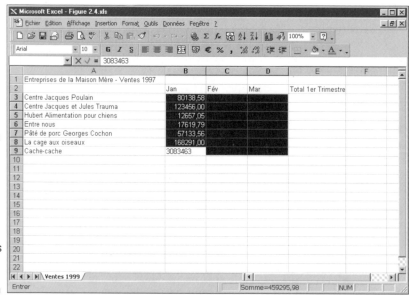

Figure 2.4
Pour entrer la valeur 30843.63 dans la cellule B9, tapez 3083463, puis pressez Entrée.

La Figure 2.5 illustre ce qui se passe une fois que vous avez pressé Entrée (du clavier ou du pavé numérique). Vous voyez qu'Excel a non seulement placé le séparateur décimal au bon endroit, mais qu'en plus il a déplacé le pointeur de cellule dans la cellule C3, à partir de laquelle vous pouvez saisir les valeurs destinées à cette colonne.

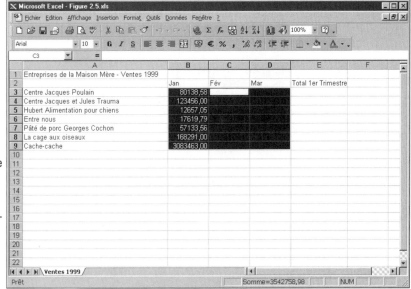

Figure 2.5
Une fois la valeur entrée dans la cellule B9, Excel place automatique-ment le pointeur de cellule dans la cellule C3.

Entrer des dates sans s'attarder

Dates et heures sont considérées comme des valeurs par Excel, car elles peuvent être utilisées dans des calculs de formules. Par exemple, vous pouvez entrer deux dates et créer une formule qui soustrait la date la plus ancienne de la date la plus récente, et obtenir ainsi le nombre de jours séparant les deux dates.

Attention ! Les formats de dates et heures prédéfinis par Excel sont considé-rés comme des valeurs. Par contre, si vous n'utilisez pas ces formats, Excel considère vos entrées comme du texte.

Les formats d'heures reconnus par Excel dépendent de la langue par défaut choisie dans l'onglet Module de la boîte de dialogue Options (commande Options du menu Outils), et donc du paramétrage effectué dans Windows pour cette langue :

```
15:21
```

```
15:21:04
```

```
...
```

```
(Voir paramètres régionaux du Panneau de configuration de Windows.)
```

Les formats de date reconnus par Excel dépendent de la langue par défaut choisie dans l'onglet Module de la boîte de dialogue Options (commande Options du menu Outils), et donc du paramétrage effectué dans Windows pour cette langue :

```
24/11/99 ou 24-11-99
```

```
24-Nov-99
```

```
24-Nov
```

```
Nov-99
```

```
...
```

```
(Voir paramètres régionaux du Panneau de configuration de Windows.)
```

Jouer avec les dates

Les dates sont stockées sous forme de numéros d'immatriculation qui indiquent combien de jours se sont écoulés entre deux dates spécifiques ; les heures sont stockées sous forme de fractions décimales qui indiquent le temps écoulé par tranche de 24 heures. Excel supporte deux systèmes de datation : le système 1900, utilisé par Excel pour Windows, dans lequel la date de référence est le 1er janvier 1900 (numéro d'immatriculation 1), et le système 1904, utilisé par Excel pour Macintosh, dans lequel la date de référence est le 2 janvier 1904.

Si vous avez entre les mains un classeur Excel pour Macintosh, les dates qu'il contient vont vous paraître totalement loufoques. Pour les rectifier, sélectionnez Options du menu Outils, puis l'onglet Calcul de la boîte de dialogue Options. Cochez enfin la case Calendrier depuis 1904 de la rubrique Classeur et cliquez sur OK.

Le problème de l'an 2000

Vous vous demandez sans doute ce qui va se passer si vous entrez dans une cellule une date de l'an 2000 ? Et bien, en dépit de tout ce que vous avez entendu à ce sujet, sachez que cette action ne provoquera aucun crash système ni aucune perte de données.

Contrairement à ce que vous pensez, il suffit, pour saisir une date du 21e siècle, d'entrer les deux chiffres de l'année. Ainsi, pour introduire la date correspondant au 6 janvier 2000, introduisez dans la cellule :

```
1/6/00
```

De même, pour introduire la date du 15 février 2010 :

```
15/2/10
```

Notez que cette possibilité de n'exprimer l'année qu'en 2 chiffres ne fonctionne que pour les dates des 30 premières années du siècle prochain (de 2000 à 2029). Pour entrer des données chronologiques postérieures à cette date butoir, vous devez exprimer l'année en 4 chiffres.

Il en va de même pour les dates des trente premières années de ce siècle. Ainsi, pour exprimer la date du 21 juillet 1925 :

```
21/7/1925
```

Si vous vous borniez à inscrire 25, Excel croirait qu'il s'agit de 2025 et non de 1925 !

Même lorsque vous introduisez quatre chiffres pour exprimer l'année, Excel n'affiche que les deux derniers chiffres. C'est embêtant étant donné que, dans ces conditions, le 30 juillet 1925 et le 30 juillet 2025 s'affichent de manière identique, à savoir :

```
30/7/25
```

Heureusement, il vous reste la possibilité d'appliquer à la cellule un format de nombre qui présente l'année en quatre chiffres. Voyez le Chapitre 3 pour en savoir plus à ce sujet.

Concevoir de fabuleuses formules !

Tout autant que les entrées, les formules sont la raison d'être d'une feuille de calcul Excel. Si vous concevez correctement une formule, elle effectuera le calcul exact des entrées de vos cellules. Dès lors, à la moindre modification de n'importe quelle valeur, la formule utilisée mettra à jour l'ensemble des valeurs de votre feuille de calcul.

Toute entrée débutant par le signe = indique à Excel que vous concevez une formule. Ce signe est presque toujours suivi de formules intégrées telles que Somme et Moyenne (pour plus d'informations sur l'utilisation des formules, voir plus loin "Insérer une fonction dans une formule via la commande Coller une fonction ou la Palette de formule "). D'autres formules très simples utilisent un ou plusieurs opérateurs mathématiques :

+ pour les additions

- pour les soustractions

* pour les multiplications

/ pour les divisions

^ pour marquer une exponentiation

Par exemple, pour créer une formule dans la cellule C2 qui multiplie une valeur de la cellule A2 par celle de la cellule B2, entrez la formule suivante dans la cellule C2 :

```
=A2*B2
```

Pour entrer cette formule en C2, respectez les étapes suivantes :

1.   **Sélectionnez la cellule C2.**

2.   **Tapez-y la formule =A2*B2.**

3.   **Pressez Entrée.**

Ou :

1.   **Sélectionnez la cellule C2.**

2.   **Tapez = (signe égal).**

3.   **Sélectionnez la cellule A2 par la méthode de votre choix.**

     Cette manoeuvre place les références de la cellule A2 dans la cellule C2 (comme illustré Figure 2.6).

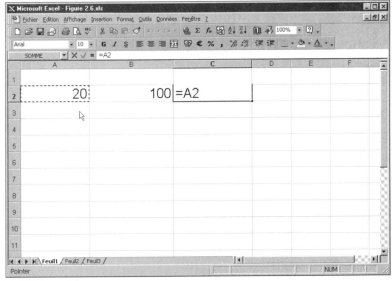

Figure 2.6
Pour
commencer
une formule,
tapez =, puis
sélectionnez
la cellule A2.

4.   **Tapez *.**

En tant que signe de multiplication.

5.   **Sélectionnez la cellule B2 par la méthode de votre choix.**

Cette manoeuvre place les références de la cellule B2 dans la cellule C2
(comme illustré Figure 2.7).

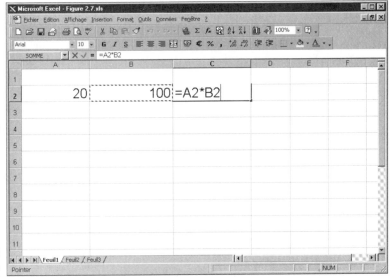

Figure 2.7
Pour
compléter la
seconde
partie de
votre
formule,
tapez *, puis
sélectionnez
la cellule B2.

6. **Validez votre formule en pressant Entrée.**

Excel affiche le résultat dans la cellule et la formule =A2*B2 dans la barre de formule (comme illustré Figure 2.8).

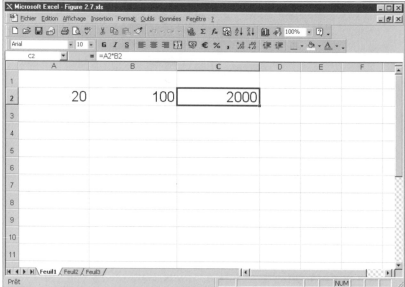

Figure 2.8
Quand vous cliquez sur le bouton Entrer, Excel affiche le résultat dans la cellule et la formule apparaît dans la barre de formule.

Le produit de A2, B2 s'affiche dans la cellule C2. La grande force des tableurs réside dans la mise à jour automatique du résultat lorsque vous changez la valeur contenue dans l'une des cellules concernées par la formule.

Pour le plaisir, modifiez les valeurs contenues dans les cellules qui ont servi d'exemple Figure 2.8. Entrez d'abord les valeurs initiales, soit 20 dans A2 et 100 dans B2. Vous obtenez 2000 dans la cellule C2. Dans B2, remplacez 100 par 50 et validez. Simultanément à la validation (via la touche Entrée), Excel calcule la nouvelle valeur (1000) et l'affiche en C2.

Cliquez sur la cellule que vous désirez utiliser

Cette méthode de sélection s'appelle *pointage*. Elle présente l'avantage d'être plus rapide que de taper les référence de la cellule, et réduit le risque de se tromper de cellule en tapant les mauvaises références (erreur de colonne ou de ligne ou des deux).

Sélectionner une cellule en cliquant dessus pour y entrer une formule vous évite le risque de taper de mauvaises références pour la cellule concernée.

Modifier l'ordre naturel des opérations mathématiques

Vos formules peuvent contenir plusieurs types d'opérations mathématiques. Excel effectue ces opérations (de gauche à droite) en respectant un ordre de préférence naturel de calcul, c'est-à-dire que les multiplications et les divisions ont priorité sur les additions et les soustractions, et ce, quelle que soit leur place dans la formule.

Considérons la formule suivante :

```
=A2+B2*C2
```

Si la cellule A2 contient le chiffre 5, la cellule B2 le nombre 10 et la cellule C2 le chiffre 2, Excel évaluera la formule comme suit :

```
=5+10*2
```

Dans cette formule, Excel multiplie d'abord 10 par 2, puis ajoute 5, ce qui donne 25.

Pour qu'Excel effectue l'addition avant la multiplication, il suffit de mettre les éléments additionnés entre parenthèses :

```
=(A2+B2)*C2
```

Dans ce cas, Excel procède à l'addition de la valeur 5 et de la valeur 10 ; le total 15 qui en résulte est ensuite multiplié par la valeur C2 (2), ce qui donne un résultat final de 30.

Dans des formules plus complexes, l'usage des parenthèses permet à Excel de savoir exactement dans quel ordre effectuer les diverses opérations. Par exemple, dans la formule suivante :

```
=(A4+(B4-C4))*D4
```

Excel effectue d'abord la soustraction des valeurs des cellules B4 et C4, ajoute ensuite la valeur de la cellule A4, et multiplie l'ensemble par la valeur de la cellule D4.

Sans cette méthode de double mise entre parenthèses, Excel aurait d'abord multiplié la valeur contenue en C4 par celle en D4, puis effectué l'addition des valeurs en A4 et B4, pour finalement opérer la soustraction.

Si vous oubliez une parenthèse fermante, Excel la ferme pour vous ou vous propose un emplacement. Acceptez sa suggestion ou refusez-la et agissez alors manuellement.

Des formules qui perdent la tête

Dans certaines circonstances, même les meilleures formules peuvent se comporter bêtement dans votre feuille de calcul. Vous reconnaîtrez facilement de telles formules quand le résultat escompté ne correspondra pas à celui inscrit dans la cellule. Cette dernière affichera des signes tels que #, ! et ?. Dans le jargon des tableurs, ces signes sont plus connus sous le nom de *valeur d'erreur*. Ils vous indiquent qu'Excel retournera des valeurs calculées fausses soit dans la formule elle-même, soit dans la cellule à laquelle se réfère la formule.

La pire chose que puissent provoquer ces valeurs d'erreur est une contamination des autres formules de votre feuille de calcul. En effet, si une formule fournit une valeur d'erreur à une cellule et qu'une seconde cellule se réfère à la valeur calculée par la formule incriminée, cette seconde cellule affichera la même valeur d'erreur.

Lorsqu'une valeur d'erreur aura été repérée dans une cellule, il vous faudra découvrir ce qui a causé l'erreur et éditer la formule dans la feuille de calcul. Le Tableau 2.1 affiche une liste de valeurs d'erreur et en explique les causes.

Tableau 2.1
Valeurs d'erreur des formules défaillantes.

Contenu de la cellule	Cause de l'erreur
#DIV/0	Apparaît quand la formule doit diviser par 0 ou par une cellule vide. 0 en tant que valeur de division n'est pas admis dans notre système mathématique.
#NOM?	Apparaît quand la formule se réfère à un *noms de plage* (voir Chapitre 6) qui n'existe pas dans la feuille de calcul. Cette erreur survient quand vous ne tapez pas le nom correct d'une plage ou ne mettez pas entre guillemets le texte utilisé dans la formule, laissant ainsi croire à Excel qu'il s'agit d'une plage de noms.
#NUL!	Apparaît lorsque vous insérez un espace au lieu d'une virgule pour séparer les références d'une cellule utilisées comme arguments d'une fonction.

#NUM!	Apparaît quand Excel est confronté à un argument numérique défaillant dans une fonction Excel, ou lorsque le résultat calculé est trop grand ou trop petit pour être affiché dans la feuille de calcul.
#REF!	Apparaît lorsque Excel rencontre une référence de cellule non valide, notamment lorsque vous effacez une référence de cellule dans une formule et la collez dans les références de cellules d'une autre formule.
#VALEUR!	Apparaît lorsque vous utilisez un mauvais argument ou un mauvais opérateur, ou lorsque l'opération mathématique se réfère à des cellules qui contiennent des entrées texte.

Repérer les entrées de données erronées

Personne n'est parfait ! Lorsque vous effectuez un nombre important d'entrées, vous n'êtes pas à l'abri d'une erreur. Afin d'obtenir une feuille de calcul parfaite, vous pouvez utiliser la fonction de Correction automatique ou corriger manuellement les petites erreurs introduites au moment de la saisie ou après celle-ci.

Tu peux corriger à ma place !

La fonction de Correction automatique va soulager tous ceux qui ont l'habitude de faire les mêmes fautes de frappe. Vous pouvez indiquer à Excel vos fautes de frappe les plus courantes afin qu'il les corrige automatiquement dès qu'il les détecte.

Excel possède déjà une liste de mots ou de formats d'écriture (lettres majuscules) que vous n'avez pas besoin de définir.

A cette liste prédéfinie, vous pouvez ajouter vos propres termes qui seront corrigés par deux méthodes différentes : la correction orthographique classique, semblable à celle d'un traitement de texte, et les abréviations ou acronymes qui s'inscriront en entier une fois que vous les aurez tapés.

Pour ajouter des termes de remplacement :

1. **Dans le menu Outils, choisissez la commande Correction automatique.**

2. **Dans la boîte d'édition Remplacer, tapez la faute de frappe ou l'abréviation.**

3. **Dans la boîte de texte Par, tapez le mot correct ou la forme complète de l'abréviation.**

4. **Cliquez sur le bouton Ajouter ou appuyez sur Entrée pour ajouter le nouvel élément à la liste.**

5. **Cliquez sur le bouton OK pour fermer la fenêtre de dialogue Correction automatique.**

La Figure 2.9 vous montre l'aspect de la boîte de dialogue de Correction automatique dans laquelle j'ai entré l'abréviation *emm* et sa forme complète *Entreprises de la Maison Mère*. Ainsi, lors de la saisie, il me suffira de taper *emm* pour que ce terme soit correctement, entièrement et immédiatement converti en *Entreprises de la Maison Mère*.

Figure 2.9
J'entre une abréviation et les mots auxquels elle renvoie afin qu'Excel effectue automatique-ment la conversion.

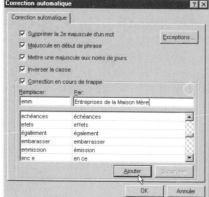

Correction pendant l'édition

Malgré le Correcteur automatique, vous ferez certaines erreurs dont la méthode de correction dépend de la validation ou non de l'entrée.

* Si l'entrée n'est pas validée, effectuez la correction en pressant la touche Retour arrière de votre clavier (celle située au-dessus de la touche Entrée) jusqu'à la disparition des caractères incorrects. Vous pourrez alors reprendre la frappe de votre entrée ou de votre formule.

* Si l'entrée a été validée, vous avez le choix entre remplacer la totalité de l'entrée ou simplement les fautes commises.

  Pour des entrées courtes, la méthode la plus rapide de correction consiste à positionner le pointeur de cellule sur la cellule concernée et à retaper votre entrée. Cliquez le bouton Entrer de la barre de formule ou pressez la touche Entrée ou une des touches de direction pour valider votre remplacement.

Quand l'erreur est facilement repérable mais l'entrée relativement longue, la meilleure méthode consiste à éditer la cellule soit en cliquant deux fois dedans, soit en la sélectionnant, puis en pressant la touche de fonction F2.

Chacune des deux méthodes réactive la barre de formule et ses boutons.

Vous noterez que la barre d'état indique désormais Modifier. Dans ce mode, vous pouvez déplacer le point d'insertion dans la cellule en cours d'édition, à l'aide de la souris ou des touches de direction.

Le Tableau 2.2 donne la liste des touches utilisables pour positionner le point d'insertion sur l'entrée de la cellule et effacer les caractères indésirables. Si vous souhaitez insérer de nouveaux caractères au point d'insertion, vous n'avez qu'à les taper. Si vous voulez effacer les caractères indésirables en tapant les nouveaux, pressez la touche Inser pour passer du mode d'insertion normal au mode Supprimer. Pour revenir au mode normal, appuyez une nouvelle fois sur Inser. Pour qu'Excel mette à jour le contenu des cellules corrigées, vous devez revalider votre entrée de données.

En mode Modifier, vous ne pouvez valider vos modifications qu'en cliquant sur le bouton Entrer de la barre de formule ou en pressant la touche Entrée. Les touches de direction ne permettent ici qu'un déplacement du point d'insertion dans la cellule en cours d'édition, et non l'édition d'une nouvelle cellule.

Tableau 2.2
Touches de correction des entrées erronées.

Touche	Fonction
Suppr	Efface, à chaque pression, le caractère situé à droite du point d'insertion.
Retour arrière	Efface, à chaque pression, le caractère situé à gauche du point d'insertion.
→	Déplace le point d'insertion d'un caractère vers la droite.
←	Déplace le point d'insertion d'un caractère vers la gauche.
↑	Quand le point d'insertion se trouve en fin d'entrée de cellule, place celui-ci à gauche de sa position précédente.
Fin ou ↓	Positionne le point d'insertion en fin de cellule.
Début	Place le point d'insertion en début de cellule.
Ctrl+→	Positionne le point d'insertion devant le mot suivant de l'entrée de cellule.
Ctrl+←	Positionne le point d'insertion devant le mot précédent de l'entrée de cellule.
Ins	Bascule du mode Insertion au mode Supprimer et réciproquement.

Le match du siècle : édition dans la cellule contre édition dans la barre de formule

Excel vous permet d'éditer soit depuis une cellule, soit depuis la barre de formule. Bien qu'avec des entrées longues, l'édition via la cellule semble plus adaptée, notamment lorsqu'il y a plusieurs paragraphes à gérer, vous pourriez préférer l'édition depuis la barre de formule. Car, sur une seule ligne, vous avez accès à tout le contenu d'une cellule ; alors que l'affichage dans la feuille de calcul peut en tronquer le contenu.

Pour éditer à partir de la barre de formule, placez le pointeur de cellule sur la cellule à éditer, puis cliquez sur le contenu affiché dans la barre de formule afin d'y placer le point d'insertion.

Comment éviter les tâches répétitives

Avant d'en terminer avec les entrées de données, je vais vous communiquer des tuyaux pour éviter les tâches répétitives de saisie. Ils font appel aux fonctions de Remplissage automatique et d'Insertion automatique, ainsi qu'à l'entrée de données dans un bloc de cellules présélectionnées et d'une même donnée dans un groupe de cellules, mais en une seule fois.

Je ne peux pas en finir sans toi

La fonction d'insertion automatique n'est utile que lorsque vous entrez des données.

Cette fonction ne marche qu'avec des entrées texte. Elle mémorise votre dernière entrée et la duplique automatiquement, si votre nouvelle entrée commence par les mêmes lettres que la précédente.

Par exemple, entrez **Centre Jacques Poulain** dans la cellule A3, puis activez la cellule A4 et pressez la touche C (majuscule ou minuscule), l'Insertion automatique inscrira *centre Jacques Poulain* comme le montre la Figure 2.10 (la première lettre du mot *centre* passera en majuscule dès que vous sortirez de la cellule).

Figure 2.10
La fonction
d'insertion
automatique
duplique une
entrée si
votre
nouvelle
entrée
commence
par les
mêmes
lettres que la
précédente.

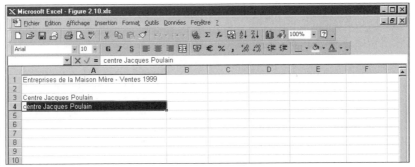

Cette duplication n'est qu'une suggestion, dans la mesure où les lettres qui suivent la première restent sélectionnées. Ainsi, dans mon exemple, je peux conserver la lettre C mais taper derrière elle "entre Jacques et Jules Trauma".

Remplir avec la fonction de Remplissage automatique

Il vous faudra souvent créer des feuilles de calcul nécessitant l'entrée séquentielle de dates et de nombres. Par exemple, une colonne devra comporter les douze mois de l'année ou encore numéroter les lignes de 1 à 100.

Le Remplissage automatique effectue ces tâches fastidieuses à votre place. La seule chose que vous ayez à faire est de sélectionner (par la méthode du glisser) les lignes du dessous ou les colonnes de droite.

Notez que la poignée du pointeur de cellule ressemble à un + situé dans le coin inférieur droit d'une cellule ou d'un bloc de sélection de cellules. Si vous faites glisser une sélection de cellules en utilisant le pointeur de la souris en forme de croix, plutôt qu'avec la poignée de Remplissage automatique, Excel étend la sélection de cellules aux cellules sur lesquelles vous avez glissé (voir Chapitre 3). Si vous effectuez le même type d'opération avec le pointeur en forme de flèche, Excel déplace la sélection de la cellule (voir Chapitre 4).

La création d'une séquence de remplissage automatique ne peut se faire que dans une direction à la fois. Par exemple, vous pourrez effectuer un remplissage automatique à partir des valeurs initiales d'une suite de cellules soit vers la droite, soit vers la gauche, soit vers le haut ou le bas. Même en essayant de tracer une diagonale, vous ne parviendrez pas à vous déplacer dans deux directions simultanément.

Au fur et à mesure que vous déplacez la souris, apparaît dans une info-bulle la valeur de ce qui sera inscrit dans la cellule où se trouve actuellement le pointeur de la souris. Le Remplissage automatique s'opérera une fois le bouton de la souris relâché. Alors Excel créera une suite dans toutes les autres cellules ou remplira une rangée entière avec la valeur initiale.

Les Figures 2.11 et 2.12 montrent comment utiliser la fonction de Remplissage automatique pour entrer une suite de mois sur une même ligne. Inscrivez **Janvier** dans la cellule B2 et positionnez le pointeur de la souris sur la poignée de remplissage (coin inférieur droit du pointeur de cellule). Ensuite, allez jusqu'à la cellule G2 (comme l'illustre la Figure 2.11). Lorsque vous relâchez le bouton de la souris, Excel place dans chaque cellule sélectionnée le mois correspondant (de février à juin, comme illustré Figure 2.12). Notez que les cellules restent sélectionnées pour vous permettre d'y effectuer des modifications (notamment si vous avez sélectionné trop de cellules vous pouvez revenir en arrière pour les désélectionner ; si vous n'êtes pas allé assez loin, vous pouvez étendre la sélection en utilisant toujours la même technique).

Figure 2.11
Pour créer une suite de mois, tapez *Janvier* dans la première cellule, puis utilisez le générateur de remplissage automatique pour sélectionner les cellules dans lesquelles les autres mois s'afficheront.

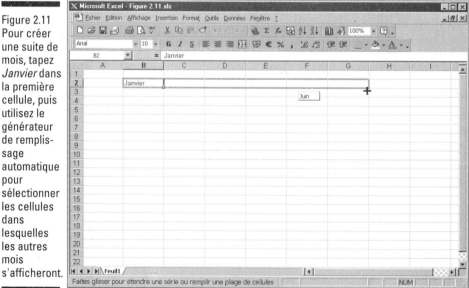

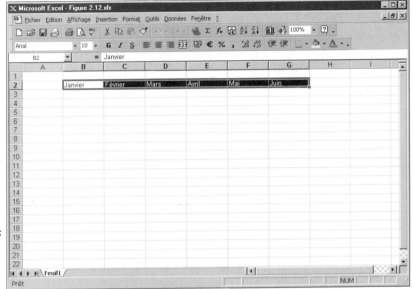

Figure 2.12
Dès que
vous
relâchez le
bouton de la
souris, Excel
remplit la
sélection de
cellules avec
les mois
correspon-
dants.

Dans le Tableau 2.3, vous trouverez une liste de différentes valeurs que la fonction de Remplissage automatique peut forcer Excel à utiliser.

Travailler avec des suites espacées

Le Remplissage automatique utilise la valeur initiale sélectionnée pour "construire" les suites. Le Tableau 2.3 montre un échantillon de suites soumises à un facteur de progression égal à un (un jour, un mois ou un nombre). Vous pouvez imposer un autre facteur de croissance, en entrant deux valeurs qui représentent l'écart que vous souhaitez obtenir entre chaque cellule d'une suite. Sélectionnez ces deux valeurs, puis utilisez la fonction de Remplissage automatique.

Par exemple, vous désirez une suite n'affichant qu'un jour sur deux. Sur la même ligne, tapez **Samedi** dans la première cellule et **Lundi** dans la cellule juste à sa droite. Sélectionnez les deux cellules, puis faites progresser votre sélection vers la droite. Lorsque vous relâchez le bouton de la souris, Excel reproduit l'exemple que vous avez introduit dans les deux premières cellules, c'est-à-dire qu'il affiche un jour sur deux (mercredi après lundi, vendredi après mercredi, et ainsi de suite).

Tableau 2.3
Suites que vous pouvez créer avec la fonction de Remplissage automatique.

Valeur dans 1ère cellule	Suite créée par le Remplissage automatique dans les trois cellules suivantes
Janvier	Février, Mars, Avril
Janv	Févr, Mars, Avr
Mardi	Mercredi, Jeudi, Vendredi
Mar	Mer, Jeu, Ven
1/4/99	2/4/99, 3/4/99, 4/4/99
Jan-00	Févr-00, Mars-00, Avr-00
15-Févr	16-Févr, 17-Févr, 18-Févr
15:00	16:00, 17:00, 18:00
8:01	9:01, 10:01, 11:01
Trimestre 1	Trimestre 2, Trimestre 3, Trimestre 4
Trim 1	Trim 2, Trim 3, Trim 4
Produit 1	Produit 2, Produit 3, Produit4
1er Produit	2e Produit, 3e Produit, 4e Produit

Copier avec la fonction de Remplissage automatique

Vous pouvez utiliser le Remplissage automatique pour copier une entrée texte dans un ensemble de cellules. Il vous suffit de maintenir la touche Ctrl enfoncée tout en faisant glisser le pointeur de cellules. Lorsque vous cliquez sur le coin (en bas à droite) du pointeur de cellule (petit carré noir épais), un signe "plus" apparaît à côté du carré. Il indique que la fonction de Remplissage automatique va effectuer une copie et non une suite.

Ce qui est valable pour le texte ne l'est pas pour les valeurs. Si vous entrez la valeur 17, la fonction de Remplissage automatique crée une série (17, 18, 19, etc.) si, et seulement si, vous maintenez enfoncée la touche Ctrl pendant la sélection des cellules voisines, sinon elle ne fait que copier le nombre 17 dans lesdites cellules.

Réaliser ses propres séries

Au sein des Entreprises de la Maison Mère, vous trouvez les sociétés suivantes :

- Centre Jacques Poulain

- Centre Jacques et Jules Trauma

- Hubert Alimentation pour chiens

- Entre nous

- Pâté de porc Georges Cochon

- La cage aux oiseaux

- Cache-cache

Plutôt que de saisir le nom de chaque société dans les cellules d'une nouvelle feuille de calcul (ou même pour éviter le copier-coller), vous pouvez créer une suite personnalisée qui, dès que vous entrerez le nom de la première société, puis sélectionnerez les cellules désirées, inscrira le nom des autres sociétés dans les cellules vierges.

Une suite personnalisée se crée de la manière suivante :

1. **Déroulez le menu Outils, puis choisissez Options pour en ouvrir la boîte de dialogue.**

2. **Cliquez sur l'onglet Listes pers. afin d'accéder aux boîtes Listes personnalisées et Entrées de la liste.**

   Si la liste personnalisée existe déjà, passez à l'étape 3a. Si elle n'existe pas, passez à l'étape 3b.

3a. **Cliquez dans la boîte d'édition Importer la liste des cellules. Ensuite, éloignez la boîte de dialogue afin de voir les cellules contenant les noms des sociétés. Sélectionnez-les, puis pressez le bouton Importer pour copier la liste dans la boîte Entrées de la liste. Passez alors à l'étape 5 (comme l'illustre la Figure 2.13).**

3b. **Cliquez dans la boîte Entrées de la liste pour saisir un à un les noms dans n'importe quel ordre, sans oublier de presser Entrée après la saisie de chacun d'eux.**

   Passez ensuite à l'étape 4.

4. **Appuyez sur le bouton Ajouter pour introduire votre liste dans la boîte Listes personnalisées.**

   Passez ensuite à l'étape 5.

5. **Cliquez OK ou pressez Entrée pour revenir à la feuille de calcul sur laquelle vous travaillez.**

   A partir de maintenant, vous pouvez utiliser votre liste personnalisée avec la fonction de Remplissage automatique.

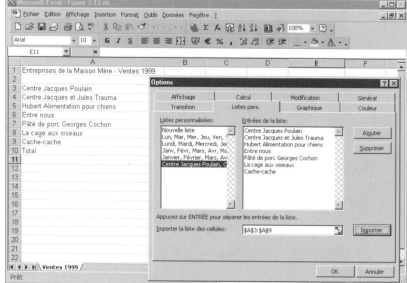

Figure 2.13
Création
d'une liste
personnali-
sée avec les
entrées de la
feuille de
calcul.

Pour encore en faire moins, c'est-à-dire ne même pas avoir à taper entièrement le contenu de la première entrée de la liste, utilisez la fonction de
correction automatique pour créer une abréviation, par exemple CJP pour
obtenir Centre Jacques Poulain.

Effectuer des entrées dans un bloc de cellules

Lorsque vous devez présenter vos informations sous forme de tableau,
sélectionnez un ensemble de cellules vides pour y taper vos entrées. La seule
chose que vous ayez à faire est de placer le pointeur de cellule sur la première cellule du tableau de données virtuel, et de sélectionner les cellules et
lignes voisines (pour plus de détails sur la sélection d'un groupe de cellules,
reportez-vous au Chapitre 3). Une fois le bloc sélectionné, vous pouvez y faire
votre première entrée.

Excel impose des restrictions à l'entrée de données dans un bloc de sélection
de cellules :

* Lors de la validation de chaque entrée (en cliquant sur l'icône Entrer de
  la barre de formule ou en pressant la touche Entrée du clavier), Excel
  déplace automatiquement le pointeur de cellule vers la cellule suivante
  du bloc de sélection.

- Dans un bloc de sélection de cellules contenant des colonnes et des lignes, Excel déplace le pointeur de cellule vers le bas. Une fois la dernière cellule de la colonne atteinte, Excel positionne automatiquement le pointeur de cellule sur la cellule de la colonne de droite. Si le bloc de sélection n'est constitué que d'une seule ligne, Excel déplace le pointeur de cellule de gauche à droite.

- Une fois la dernière entrée validée, Excel place le pointeur de cellule dans la première cellule du bloc de sélection. Pour désélectionner l'ensemble des cellules, cliquez sur n'importe quelle cellule de la feuille de calcul ou bien pressez une des touches de direction.

Ne pressez pas une touche de direction pour valider une entrée de cellule à l'intérieur d'un bloc de sélection de cellules. Cela aurait pour effet de désélectionner l'ensemble des cellules et de déplacer le pointeur de cellule. Vous pouvez déplacer ce dernier dans le groupe sans le désélectionner en utilisant une des méthodes suivantes :

- Pressez Entrée pour aller à la cellule immédiatement en dessous. Presser Maj+Entrée vous fait remonter d'une cellule.

- Pressez Tab(ulation) pour passer à la colonne immédiatement à droite et Maj+Tab pour revenir à la colonne précédente (celle de gauche).

- Pressez Ctrl+. (symbole "point" du pavé numérique) pour vous balader d'un coin à un autre du bloc de sélection.

Entrée express de données

Pour entrer une même donnée (texte, valeur ou formule) dans plusieurs cellules, sélectionnez d'abord les blocs de sélection de cellules concernés (Excel vous permet de sélectionner plusieurs blocs de sélection de cellules pour ce type d'entrée - voir Chapitre 3). Ensuite, confectionnez votre entrée dans la barre de formule et pressez Ctrl+Entrée... et voilà le travail !

N'oubliez pas la combinaison de touches Ctrl+Entrée, sinon Excel n'introduira l'entrée que dans la première cellule du bloc de sélection.

Vous pouvez aussi accélérer la saisie de données dans une liste comportant des formules en vous assurant que l'option Étendre les formules et formats de liste est bien validée dans l'onglet Modification de la fenêtre Options (Outils/Options). Lorsque c'est le cas, Excel formate automatiquement les nouveaux éléments ajoutés à la fin d'une liste afin qu'ils présentent le même format que les éléments précédents. Notez que, pour que la fonction puisse agir, vous devez avoir manuellement saisi les formules et formaté les entrées du début de la liste.

Comment créer des formules plus performantes

Dans le Chapitre 1, je vous ai montré comment concevoir des formules simples à partir des quatre opérations mathématiques de base. Pour créer des formules plus complexes, Excel met à votre disposition une fonction qui vous assiste largement dans votre travail.

Une *fonction* est une formule prédéfinie qui effectue des calculs particuliers. Pour utiliser une fonction, il vous suffit de lui communiquer les valeurs qu'elle doit calculer (pour les maîtres de la feuille de calcul, ces valeurs sont les *arguments d'une fonction*). Vous donnerez les arguments des fonctions sous forme de valeurs numériques (comme **22** ou **-4.56**) ou de références d'une cellule (**B10** par exemple) ou d'un groupe de cellules (comme **C3:F3**).

Comme toute formule, chaque fonction devra commencer par le signe = afin de ne pas induire Excel en erreur. A la suite du signe =, entrez le nom de la fonction (en minuscules ou en majuscules, peu importe), puis, derrière celui-ci, les arguments nécessaires au calcul. Tous les arguments d'une fonction sont mis entre parenthèses.

 Si vous tapez la fonction directement dans une cellule, ne mettez aucun espace entre le signe = et le nom de la fonction. Présentez les arguments entre parenthèses. Lorsque les arguments sont multiples, séparez-les les uns des autres par un point-virgule (pas par un espace).

Une fois la fonction constituée, activez n'importe quelle cellule ou groupe de cellules que vous désirez utiliser comme premier argument. Quand une fonction use de plusieurs arguments, avant de choisir le deuxième argument par la même méthode que celle utilisée pour le premier, séparez-les par un point-virgule.

Une fois le dernier argument entré, tapez une parenthèse à droite pour clore la liste des arguments. Cliquez alors sur le bouton Entrer de la barre de formule ou pressez la touche entrée du clavier, ou encore une touche de direction, pour insérer la fonction dans la cellule et laisser Excel calculer le résultat.

Insérer une fonction via la commande Coller une fonction ou la Palette de formule

Vous ne serez jamais à l'abri d'un oubli ou d'une erreur dans la conception d'une formule. Pour cette raison, Excel dispose d'un bouton Coller une fonction, qui affiche une fenêtre où vous choisissez la fonction que vous désirez employer. Vous pouvez indiquer les arguments de la fonction. Le logiciel repère immédiatement si un oubli ou une faute a été commis.

Pour ouvrir la fenêtre Coller une fonction, cliquez sur le bouton *fx* dans la barre d'outils Standard après avoir sélectionné la cellule devant contenir la formule (Figure 2.14).

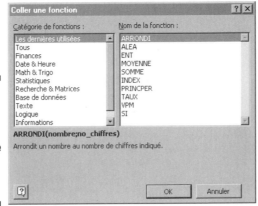

Figure 2.14
Sélection
d'une
fonction
dans la boîte
de dialogue
Coller une
fonction.

Cette boîte de dialogue comporte deux boîtes : Catégorie de fonction et Nom de la fonction. Quand vous ouvrez cette boîte de dialogue, Excel sélectionne automatiquement la dernière catégorie de fonction utilisée, et affiche vos fonctions les plus courantes dans la boîte à liste Nom de la fonction.

Si votre fonction ne figure pas dans la liste des fonctions courantes, sélectionnez-la dans la boîte Catégorie de fonction (si vous ignorez la catégorie, choisissez-les toutes), après quoi vous devrez choisir la fonction adéquate dans Nom de la fonction.

Quand vous sélectionnez le nom d'une fonction, Excel affiche, en bas de la boîte de dialogue, les arguments nécessaires à la fonction, et insère son nom (entre les parenthèses obligatoires) dans la cellule active. Supposons que vous sélectionniez la fonction SOMME dans la liste Nom de la fonction, le programme inscrit :

```
=SOMME(nombre1;nombre2;...)
```

sous la boîte Catégorie de fonction de l'Assistant Fonction.

Pour en terminer avec les arguments de la fonction SOMME, cliquez sur le bouton OK. Excel insère **SOMME()** dans la cellule active et dans la barre de formule. Par ailleurs, la Palette de formule s'affiche en dessous de la barre de formule, avec les arguments de la fonction (voir la Figure 2.15).

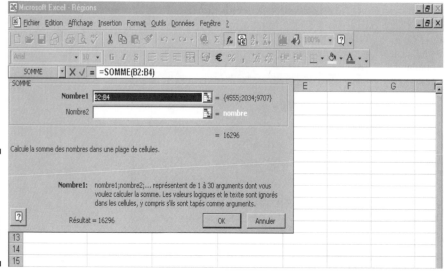

Figure 2.15
Dans la Palette de formule, spécifiez les arguments à utiliser.

Dans cette nouvelle boîte de dialogue, vous pouvez spécifier jusqu'à 30 nombres à additionner. Cela n'est qu'une limite relative dans la mesure où les nombres ne sont pas obligatoirement issus de cellules individuelles. D'ailleurs, la plupart du temps, vous chercherez à obtenir un total par sélection d'une série de cellules.

Vous sélectionnez votre premier argument en cliquant soit dans la cellule, soit en sélectionnant un ensemble de cellules directement dans la feuille de calcul. Dans la boîte Nombre1, Excel affiche les références de la ou des cellules, ainsi que la ou les valeurs qu'elles contiennent dont le total apparaît dans la boîte Valeur dans le coin supérieur droit.

Le bouton à droite de la case Nombre1 sert à réduire la Palette de formule à sa plus simple expression, pour dégager l'espace de travail et pouvoir sélectionner tranquillement des cellules.

Vous pouvez, dans la deuxième boîte nommée Nombre2, positionner le point d'insertion (en pressant la touche Tab) et entrer la ou les références des cellules que vous souhaitez ajouter à celles du Nombre1. Excel créera automatiquement une boîte Nombre3 (Figure 2.16). Notez que vous pouvez déplacer la Palette de formule en la cliquant-glissant lorsqu'elle masque les cellules auxquelles vous voulez accéder.

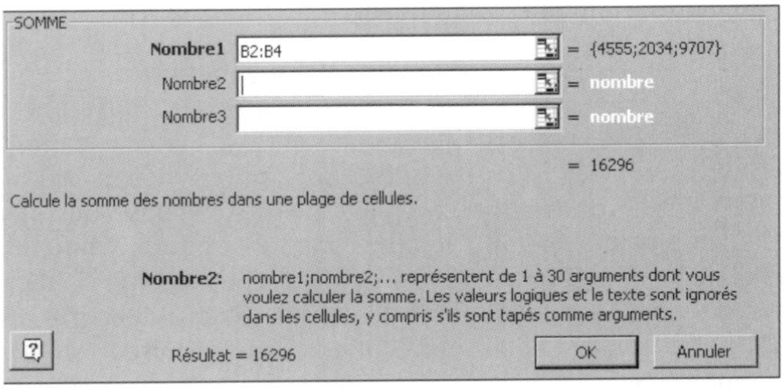

Figure 2.16
Pour ajouter de nouveaux arguments à une fonction, pressez la touche Tab.

Pressez le bouton OK pour fermer la Palette de formule. Le résultat de la fonction SOMME s'inscrit dans la cellule active de votre feuille de calcul.

Modification d'une formule avec le bouton Zone de formule

Le bouton Zone de formule d'Excel donne la possibilité de modifier une formule (particulièrement celle faisant appel à des fonctions) directement dans la barre de formule. Pour l'employer, sélectionnez la cellule comportant la formule, puis cliquez sur le bouton Zone de formule (c'est le bouton qui comporte un signe égal dans la barre de formule).

Il se produit alors deux choses :

- Le contenu de la Zone Nom (complètement à gauche dans la barre de formule) affiche le nom de la fonction utilisée le plus récemment, au lieu de l'adresse de la cellule. Lorsque vous cliquez sur le bouton de liste déroulante à droite de la Zone Nom, la liste des dernières fonctions employées apparaît.

- Une fenêtre de dialogue affichant le résultat de la formule dans la cellule active apparaît dans le coin supérieur gauche de la fenêtre du classeur. Si cette formule utilise une fonction, la fenêtre de dialogue montre également les arguments de la fonction (de façon semblable à ce que vous avez vu sur les Figures 2.15 et 2.16).

Vous avez toute latitude pour modifier votre formule. Si vous désirez remplacer une fonction qui est utilisée dans la formule, sélectionnez le nom de la fonction dans la barre de formule, puis déroulez la liste dans la Zone Nom, enfin sélectionnez dans la liste la fonction désirée pour remplacer la fonction actuelle par cette nouvelle fonction. Pour accéder à un nombre plus important de fonctions, cliquez sur *Autres fonctions* en bas de la liste. Vous obtenez la fenêtre de dialogue Coller une fonction (voir plus haut dans ce texte la Figure 2.14).

Pour modifier uniquement les arguments d'une fonction, sélectionnez les références de cellules dans la case appropriée (Nombre1, Nombre2, etc.), puis modifiez les adresses de cellules ou encore sélectionnez une nouvelle plage de cellules. Gardez à l'esprit que Excel ajoutera automatiquement à l'argument en cours toute cellule ou plage de cellules que vous sélectionnez dans la feuille de calcul. Si vous désirez remplacer complètement l'argument actuel, sélectionnez-le et appuyez sur la touche Suppr pour l'effacer. Suite à cela, sélectionnez la cellule ou plage de cellules à employer comme nouvel argument (rappelons également que vous pouvez réduire la fenêtre de dialogue pour dégager les cellules sur lesquelles vous désirez travailler).

Une fois achevée la modification de votre formule, fermez la fenêtre de dialogue en cliquant sur le bouton OK ou en appuyant sur Entrée. La fenêtre se ferme, la formule est mise à jour dans la cellule et la Zone Nom affiche de nouveau l'adresse de la cellule.

Somme automatique, que serais-je sans toi ?

Avant d'en terminer avec cette passionnante étude, je veux attirer votre attention sur l'outil Somme automatique de la barre d'outils Standard (celui représenté par Σ). Il ne se contente pas d'activer la fonction SOMME, mais permet d'effectuer le calcul des valeurs contenues dans les colonnes et/ou les lignes sélectionnées en leur appliquant les arguments de la fonction que vous avez créée. Dans 90 % des cas, Excel sélectionnera le bon groupe de cellules à calculer. Pour les 10 % d'erreur, vous pouvez opérer une correction manuelle en déplaçant le pointeur dans le bloc des cellules devant être calculées.

La Figure 2.17 vous montre comment calculer le total des ventes du centre Jacques Poulain à la ligne 3. Pour faire le calcul de cette ligne, placez le pointeur de cellule en E3 et cliquez sur l'outil Somme automatique. Excel insère alors la fonction SOMME dans la barre de formule et la cellule E4, tout en entourant les cellules B3, C3 et D3 d'une ligne en pointillé animée, et utilise le groupe de cellules B3:D3 comme argument de la fonction SOMME.

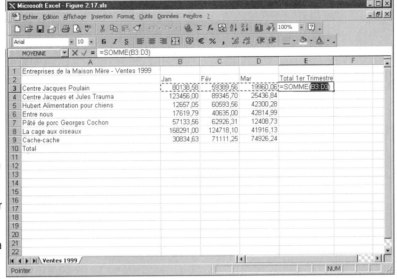

Figure 2.17
Utilisation de
Somme
automatique
pour calculer
le total des
ventes
réalisées à la
ligne 3.

La Figure 2.18 affiche dans la cellule E3, après un nouveau clic sur Somme automatique, le total de la formule calculée, tandis que la barre de formule indique :

```
=SOMME(B3:D3)
```

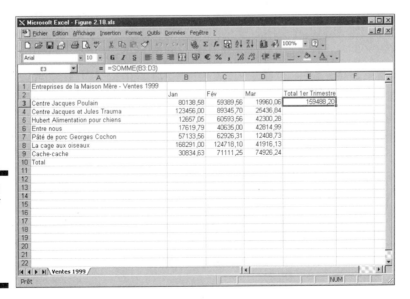

Figure 2.18
Total du 1er
trimestre
pour le
centre
Jacques
Poulain.

Vous pouvez copier la formule afin de calculer les ventes des autres sociétés. Il vous suffit de faire glisser le pointeur à partir de sa poignée sur les cellules E3 à E9.

La Figure 2.19 montre comment obtenir le total du mois de janvier pour toutes les sociétés. Placez le pointeur de cellule sur B10, c'est-à-dire là où doit apparaître le total. Ensuite cliquez sur le bouton de Somme automatique. Excel affiche la fonction dans la cellule et dans la barre de formule tout en entourant les cellules B3 à B9 d'une ligne pointillée animée.

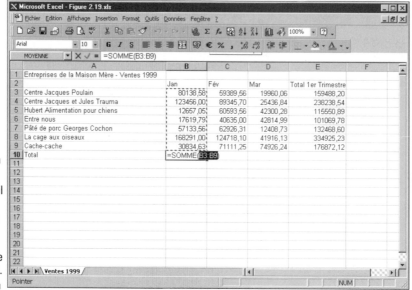

Figure 2.19
Utilisez l'outil Somme automatique pour additionner les ventes de la colonne B.

La Figure 2.20 montre l'aspect de la feuille de calcul après insertion de la fonction dans la cellule B10 et utilisation de la fonction de Remplissage automatique pour copier la formule aux cellules C10, D10 et E10. (Pour utiliser le Remplissage automatique, faites glisser, par sa poignée, le pointeur de cellule vers la droite jusqu'à la cellule E10, puis relâchez le bouton de la souris.)

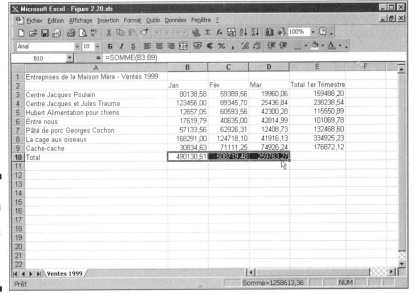

Figure 2.20
Aspect de la
feuille de
calcul après
copie de la
formule
SOMME.

Enregistrer vos données

Tant que vos données ne seront pas enregistrées sur disque, elles courront un danger permanent. Vous n'êtes à l'abri ni d'une panne électrique ni d'une panne de votre ordinateur. Aussi suivez ce précieux conseil : dès que vous avez entré suffisamment d'informations pour qu'il soit dommage de les perdre, enregistrez-les.

Pour encourager des sauvegardes fréquentes, la barre d'outils Standard vous propose l'outil Enregistrer (icône représentant une disquette). Il vous suffit de cliquer dessus pour enregistrer vos entrées et/ou vos modifications. Cet outil vous évite de passer par le menu Fichier. Vous pouvez également utiliser le raccourci clavier Ctrl+S.

La première fois que vous cliquez sur l'outil Enregistrer, Excel ouvre la boîte de dialogue Enregistrer sous (semblable à la Figure 2.21). Ici, vous donnez un nouveau nom à votre classeur et choisissez un dossier pour le sauvegarder :

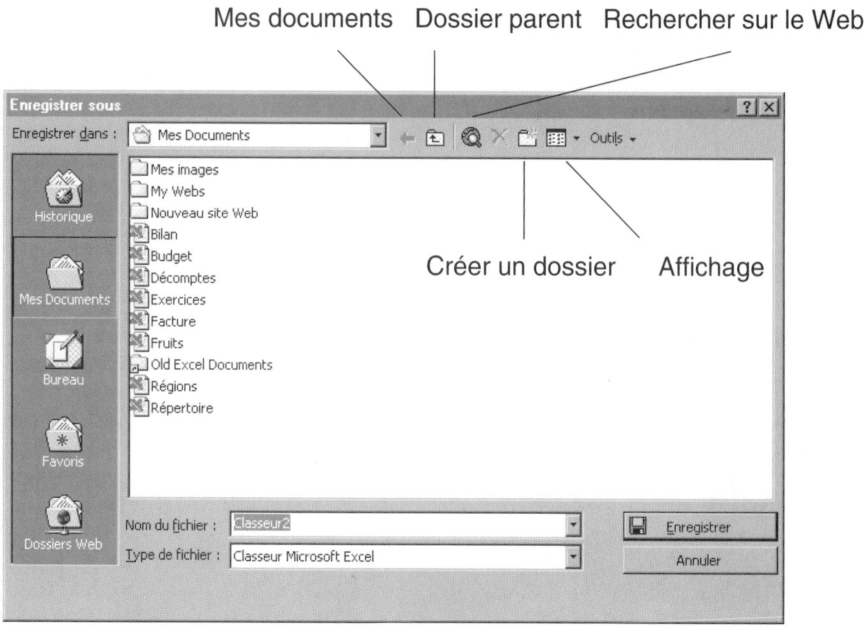

Mes documents   Dossier parent   Rechercher sur le Web

Créer un dossier   Affichage

Figure 2.21
Boîte de
dialogue
Enregistrer
sous.

- Changez le nom suggéré (Classeurx) en tapant celui de votre choix dans la boîte Nom de fichier.

- Choisissez un lecteur dans lequel stocker votre classeur. Pour cela, déroulez la liste de la boîte Enregistrer dans et optez, par exemple, pour le disque dur (C:) ou le lecteur de disquette A.

- Dans le lecteur ainsi sélectionné, choisissez un dossier de sauvegarde. Si un dossier adéquat existe déjà, cliquez deux fois dessus pour accéder à son contenu. Si aucun dossier existant ne vous convient, créez-en un par un simple clic sur le bouton Créer un nouveau dossier (voir Figure 2.21). Une boîte de dialogue s'ouvre dans laquelle vous tapez le nom de votre nouveau dossier. Ensuite validez votre choix en pressant OK ou la touche Entrée.

La boîte de dialogue d'Excel 2000 propose, à gauche, cinq nouveaux boutons : Historique, Mes Documents, Bureau, Favoris et Dossiers Web.

- Cliquez sur Historique pour enregistrer votre classeur dans le dossier Recent, placé dans le dossier Office du dossier Microsoft du dossier Application Data du dossier Windows de votre disque dur.

- Cliquez sur Mes documents pour placer votre classeur dans le dossier du même nom.

- Cliquez sur Bureau pour archiver votre classeur sur le bureau.

- Cliquez sur Favoris pour sauvegarder votre classeur dans le dossier Favoris du dossier Windows.

- Enfin, cliquez sur Dossiers Web pour enregistrer votre classeur dans un des dossiers du serveur Web de votre entreprise. Ce bouton est particulièrement utile lorsque vous désirez publier votre document Excel en tant que page Web sur votre intranet ou sur le site Web de votre société. (Le Chapitre 10 vous en apprend plus sur la création de dossiers Web et l'enregistrement de classeurs sous forme de pages Web.)

Sous Windows 95/98, le nom d'un fichier peut comprendre des espaces et jusqu'à 250 caractères. C'est une révolution pour les utilisateurs du DOS ou de Windows 3.x qui restent limités à huit caractères plus trois pour l'extension. Lorsque vous transférez des classeurs nommés sous Windows 95/98 sur des machines utilisant un autre système d'exploitation, les noms des fichiers Excel sont irrémédiablement amputés mais l'extension .XLS propre à Excel reste intacte.

Une fois vos changements effectués, cliquez sur le bouton Enregistrer ou bien pressez la touche Entrée. Lors de l'enregistrement, Excel sauve absolument tout de chaque feuille de calcul (même la position du pointeur de cellule). Vous n'avez aucun souci à vous faire si vous voulez renommer votre fichier ou en faire une copie dans un autre répertoire. Mais dans ce cas, utilisez la commande Enregistrer sous du menu Fichier et non l'outil Enregistrer ou la combinaison de touches Ctrl+S.

Deuxième partie
Éditer sans craquer

Dans cette partie...

C'est l'inertie dans le travail qui rend vos tâches quotidiennes difficiles à supporter. Seule une reconnaissance de vos mérites, une abolition de la routine amènent des changements positifs en vous. Mais la réalité est bien plus triste. Ainsi, tout le mal que vous vous êtes donné pour créer votre première feuille de calcul avec Excel va être réduit à néant.

La deuxième partie divise le travail d'édition en trois phases : formater des données brutes, les arranger et parfois les effacer, puis parvenir à les imprimer. Croyez-moi, lorsque vous saurez éditer une feuille de calcul, vous maîtriserez plus de la moitié des possibilités d'Excel 2000.

Chapitre 3

Faire que tout soit présentable

Dans un tableur comme Excel, votre préoccupation n'est pas l'aspect harmonieux des données que vous entrez. Cette préoccupation viendra lorsque votre feuille de calcul sera terminée et qu'il s'agira d'en donner une lecture claire et précise.

Lorsque vous aurez choisi des styles de présentation, sélectionnez toutes les cellules devant être embellies et cliquez alors sur l'outil approprié, ou exécutez la commande adéquate afin d'appliquer les styles en question. Le bon ordre des choses nécessite que vous appreniez d'abord à sélectionner un groupe de cellules - opération qu'on appellera indifféremment *sélection de cellules* ou *sélectionner une cellule*.

Dans Excel, il faut distinguer le formatage de données de l'entrée de données. Lorsque vous modifiez l'entrée d'une cellule formatée, l'entrée adopte le format de la cellule. Ainsi, vous pouvez formater des cellules vierges sachant que l'entrée de données optera automatiquement pour le format de sa cellule d'accueil.

Sélectionner un groupe de cellules

L'apparence d'un groupe de cellules sera sans surprise pour vous puisque les feuilles de calcul ne sont que des blocs de cellules dont le nombre de colonnes et de lignes est variable.

Une *sélection de cellules* n'est rien d'autre qu'un ensemble de cellules à formater ou éditer. La plus petite des sélections comprend une seule cellule (qu'on appelle *cellule active*). La plus grande des sélections comporte toutes les cellules d'une feuille de calcul. Vos sélections seront bien plus raisonnables et regrouperont quelques cellules aux colonnes et lignes adjacentes.

Les cellules sélectionnées sont mises en surbrillance par Excel (la Figure 3.1 montre des sélections de cellules aux formes et tailles différentes).

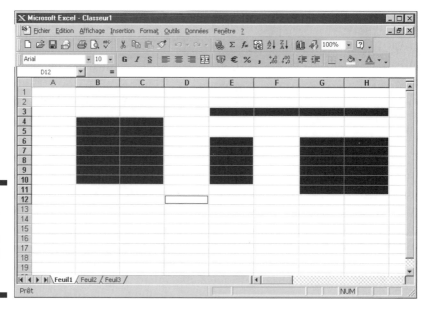

Figure 3.1
Des sélections de cellules de différentes formes et tailles.

La Figure 3.1 montre qu'il est possible de sélectionner plusieurs plages de cellules discontinues ou non adjacentes. La dernière cellule sélectionnée (D12) devient la cellule active.

Pointer et cliquer

La souris est le périphérique de prédilection pour la sélection de plusieurs cellules. Placez le pointeur sur une cellule, puis faites-le glisser dans la direction de votre choix.

- Pour sélectionner les cellules des colonnes de droite, faites glisser le pointeur vers la droite, ce qui a pour effet de mettre en surbrillance les cellules sur lesquelles vous vous déplacez.

- Pour sélectionner les cellules inférieures d'une ligne, faites glisser le pointeur vers le bas de la feuille de calcul.

- Pour sélectionner les cellules situées vers le bas à droite, faites glisser diagonalement le pointeur vers la cellule du coin inférieur droit du bloc que vous désirez constituer.

Accélérer la sélection

Pour sélectionner plus rapidement un bloc de cellules, suivez la procédure ci-dessous :

1. **Cliquez sur la première cellule de la sélection.**

   Cette action la sélectionne.

2. **Placez le pointeur de la souris sur la dernière cellule de la sélection.**

3. **Pressez la touche Maj et, tout en la maintenant enfoncée, cliquez de nouveau sur le bouton de la souris.**

   Excel sélectionne alors toutes les cellules des colonnes et des lignes entre la première et la dernière cellule.

Ce fonctionnement combiné de la touche Maj avec la souris produit le même effet de sélection, quelle que soit l'application dans laquelle vous travaillez. C'est une constante !

Si pendant la sélection vous incluez des cellules non désirées, il vous suffit de revenir dessus pour les désélectionner. Par contre, si la sélection est déjà terminée, cliquez sur la première cellule de la sélection et recommencez toute la procédure.

Sélectionner des cellules non adjacentes

Sélectionnez un premier bloc de cellules de façon traditionnelle. Puis, en maintenant enfoncée la touche Ctrl et en cliquant avec le bouton de la souris, sélectionnez un autre bloc. Tant que la touche Ctrl reste pressée, vous pouvez sélectionner autant de plages de cellules que vous voulez, sans désélectionner les autres.

Dans d'autres applications, la touche Ctrl combinée avec la souris produit un effet de sélection similaire.

Opérer une "grosse" sélection

Vous pouvez sélectionner toutes les cellules de plusieurs colonnes ou lignes, voire toutes les cellules d'une feuille de calcul grâce à la technique suivante :

- Pour sélectionner toutes les cellules d'une colonne, cliquez sur sa lettre d'identification (A pour la colonne A, B pour la colonne B, etc.).

- Pour sélectionner toutes les cellules d'une ligne, cliquez sur son numéro d'identification (1 pour la ligne 1, 2 pour la ligne 2, etc.).

- Pour sélectionner plusieurs colonnes ou lignes, adjacentes ou non, maintenez la touche Ctrl enfoncée tout en cliquant sur les lettres ou chiffres désirés. Cela ajoutera à la sélection sans désélectionner ce qui est déjà sélectionné.

- Pour sélectionner toutes les cellules de la feuille de calcul, cliquez sur le bouton vierge qui se trouve dans le coin supérieur gauche de celle-ci, à l'intersection des cadres d'identification des colonnes et des lignes.

Sélectionner les cellules d'une table de données via la Sélection automatique

Grâce à cette fonction particulière, vous allez rapidement sélectionner les cellules d'une table de données. Pour utiliser la Sélection automatique, procédez comme suit :

1. **Cliquez sur la première cellule de la table afin de la sélectionner.**

    Elle se situe dans le coin supérieur gauche.

2. **Maintenez enfoncée la touche Maj et cliquez deux fois sur le bord droit ou le bord inférieur de la cellule sélectionnée, avec le pointeur de la souris en forme de flèche (Figure 3.2).**

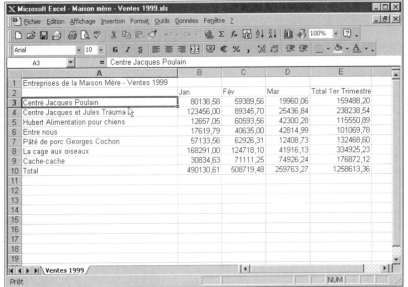

Figure 3.2
Positionner le pointeur de la souris sur le bord inférieur de la première cellule sélectionnera, grâce à la Sélection automatique, toutes les cellules de la première colonne de la table de données.

Cliquer deux fois sur le bord inférieur de la cellule sélectionnera toutes les cellules de la première colonne contenant des données (Figure 3.3).

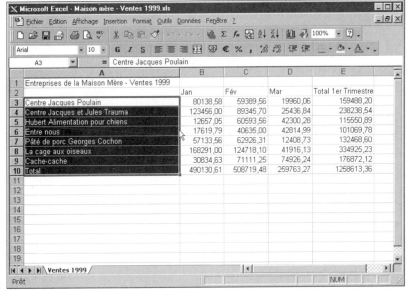

Figure 3.3
Cliquer deux fois sur le bord inférieur de la cellule, touche Maj enfoncée, sélectionne la première colonne de la table de données.

3a. Cliquez deux fois sur le bord droit de la sélection (voir Figure 3.3), si elle englobe la première colonne de la table de données.

Cette action sélectionne toutes les lignes restantes de la table de données (Figure 3.4).

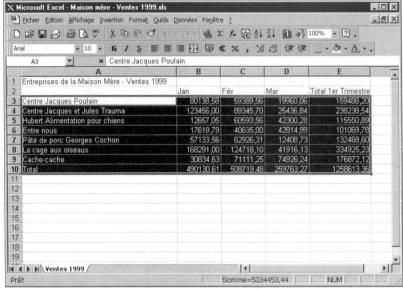

Figure 3.4 Cliquer deux fois sur le bord droit de la colonne sélection-née, touche Maj enfon-cée, sélectionne le reste des colonnes de la table de données.

3b. Cliquez deux fois sur le bord inférieur de la sélection, si elle englobe la première ligne de la table de données.

Cette action sélectionne les autres lignes de la table de données.

Vous pouvez étendre la sélection de cellules d'une table de données, en gardant la touche Maj enfoncée tout en cliquant sur n'importe quel bord de la sélection active. Vous sélectionnerez ainsi soit la première ou la dernière ligne de la table, soit sa première ou sa dernière colonne.

Sélectionner des cellules via le clavier

Si l'utilisation de la souris n'est pas votre tasse de thé, vous pouvez opérer une sélection via le clavier en combinant la touche Maj avec d'autres touches de déplacement du pointeur de cellule (le Chapitre 1 vous donne une liste de ces touches).

Placez le pointeur dans la première cellule de la sélection, puis, tout en maintenant la touche Maj appuyée, pressez la touche de direction appropriée (↑, ←, ↓, →), PgUp ou PgDn. Excel déplace le pointeur de cellule et met en surbrillance les cellules sélectionnées.

Quand vous procédez à une sélection de cellules par cette méthode, vous pouvez en modifier l'aspect tant que la touche Maj reste enfoncée. Une fois la touche Maj relâchée, si vous pressez n'importe quelle touche de direction, vous annulez la sélection et vous retrouvez avec une seule cellule active.

Étendre la sélection

Si maintenir constamment la touche Maj vous fatigue, pressez d'abord la touche de fonction F8 pour placer Excel en mode Étendre. Excel affiche EXT dans la barre d'état. A partir de ce moment, pressez les touches de direction nécessaires à la constitution de votre sélection.

Une fois votre sélection de cellules terminée, pressez à nouveau la touche F8 pour en annuler la fonction. L'indication EXT disparaît de la barre d'état, et vous récupérez le pointeur de cellule pour une utilisation traditionnelle. En fait, lorsque vous déplacez votre pointeur, toutes les cellules qui étaient sélectionnées sont désélectionnées.

Sélection automatique par le clavier

Vous pouvez bénéficier d'un équivalent de la Sélection automatique via votre clavier comme vous l'avez via votre souris (voir plus haut dans ce chapitre "Sélectionner les cellules d'une table de données via la Sélection automatique"). Pour cela, combinez la touche F8 ou Maj avec les combinaisons Ctrl + touches de direction, Fin + touches de direction pour aller directement d'une extrémité à l'autre du bloc tout en sélectionnant les cellules sur lesquelles vous passez.

Pour sélectionner, avec cette méthode, toute une table de données, respectez les étapes suivantes :

1. **Positionnez le pointeur dans la première cellule. (Celle située dans le coin supérieur gauche de la table.)**

2. **Pressez la touche F8 (ou maintenez la touche Maj enfoncée), puis utilisez Ctrl+→ (ou Fin,→) pour étendre la sélection aux cellules des colonnes de droite.**

3. **Pressez ensuite Ctrl+↓ (ou Fin,↓) pour étendre la sélection aux cellules des lignes inférieures.**

Bien sûr, les directions indiquées ci-dessus sont arbitraires et, dans l'absolu, vous pouvez étendre votre sélection dans n'importe quelle direction. Si vous utilisez le mode Étendre, n'oubliez pas de le désactiver une fois votre sélection effectuée ; sinon, vous continuerez à sélectionner des cellules à chaque déplacement du pointeur.

Sélectionner des cellules non adjacentes avec le clavier

Sélectionner plus d'une seule plage de cellules est une opération moins facile à réaliser au clavier qu'à la souris. Avec le clavier, soit vous positionnez le pointeur de cellule pour en activer une, soit vous le déplacez pour sélectionner une plage de cellules ou pour le placer sur la plage suivante. Pour déplacer le pointeur de cellules afin de sélectionner une nouvelle plage, pressez la combinaison Maj+F8. Vous passez en mode Ajouter grâce auquel vous pourrez créer un autre bloc de cellules sélectionnées, sans désélectionner le premier bloc. Lorsque vous êtes en mode Ajouter, la barre d'état affiche AJT.

Pour effectuer une telle sélection, suivez les étapes ci-dessous :

1. **Placez le pointeur de cellule sur la première cellule de la première plage que vous voulez sélectionner.**

2. **Pressez F8 pour passer en mode Étendre.**

   Déplacez le pointeur pour sélectionner toutes les cellules constituant la première plage (touche Maj enfoncée + touches de direction).

3. **Pressez Maj+F8 pour passer en mode Ajouter.**

   AJT apparaît dans l'indicateur de la barre d'état.

4. **Placez le pointeur de cellule sur la première cellule d'une autre plage (non adjacente) que vous voulez sélectionner.**

5. **Pressez à nouveau la touche F8 pour revenir en mode Étendre et opérer la sélection des cellules de cette nouvelle plage.**

6. **Pour effectuer d'autres sélections de plages, répétez les étapes 3, 4 et 5.**

Sélectionner des cellules avec la méthode Atteindre

Vous utiliserez cette méthode pour sélectionner une plage de cellules très éloignées les unes des autres. Voici comment procéder :

1. **Positionnez le pointeur de cellules sur la première cellule de la plage ; pressez ensuite la touche F8 pour passer en mode Étendre.**

2. **Pressez la touche de fonction F5 pour ouvrir la boîte de dialogue Atteindre. Dans la boîte Référence, tapez l'adresse de la dernière cellule de la plage, puis pressez Entrée.**

Puisque vous êtes en mode Étendre, Excel place le pointeur de cellule sur la dernière cellule référencée, tout en sélectionnant l'ensemble des cellules situées entre la première et la dernière. Désactivez ensuite le mode Étendre pour éviter toute sélection involontaire.

Formater avec la fonction Mise en forme automatique

Voici une technique qui ne demande aucune sélection de cellules, mais simplement que le pointeur soit positionné sur une des cellules d'un tableau de données. Ensuite, déroulez le menu Format où vous choisirez la commande Mise en forme automatique.

Dès que la boîte de dialogue Format automatique est ouverte, Excel sélectionne automatiquement toutes les cellules de la table. (Si le pointeur se situe à l'extérieur de la table, un message surgit pour vous prévenir de votre erreur.)

La boîte de dialogue Format automatique vous propose un choix de seize formats de tableau prédéfinis. Voici comment en sélectionner un :

1. **Choisissez Format/Mise en forme automatique.**

2. **Sélectionnez un format dans liste (Figure 3.5).**

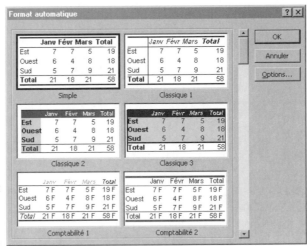

Figure 3.5
Sélectionnez ici le format qui vous plaît.

Faites défiler si nécessaire.

3. Cliquez alors sur le bouton OK ou pressez Entrée pour quitter la boîte de dialogue Format automatique et appliquer à votre table de données le format du tableau sélectionné.

Vous pouvez également accélérer l'étape 3 en cliquant deux fois sur le format choisi.

Si le format du tableau ne vous convient pas lorsqu'il affiche les données dans la feuille de calcul, choisissez Annuler Mise en forme automatique du menu Édition (ou pressez Ctrl+Z) avant d'entreprendre quoi que ce soit d'autre. Excel replacera la table de données dans l'état qui était le sien avant l'application de la mise en forme automatique (pour plus d'informations sur la commande Annuler, reportez-vous au Chapitre 4). Cependant, si vous avez accepté un format et opéré d'autres actions, vous pouvez toujours supprimer la représentation de vos données sous forme de tableau en ouvrant une nouvelle fois la boîte de dialogue Mise en forme automatique pour y choisir le format Aucun (le dernier de la liste).

La Figure 3.6 montre un tableau de données après application du format Simple. Vous remarquerez qu'outre les divers enrichissements de caractères, la mise en forme automatique a centré le titre de la feuille de calcul et les entêtes des colonnes B2 à E2. Par contre, ce format n'a ajouté aucun style monétaire.

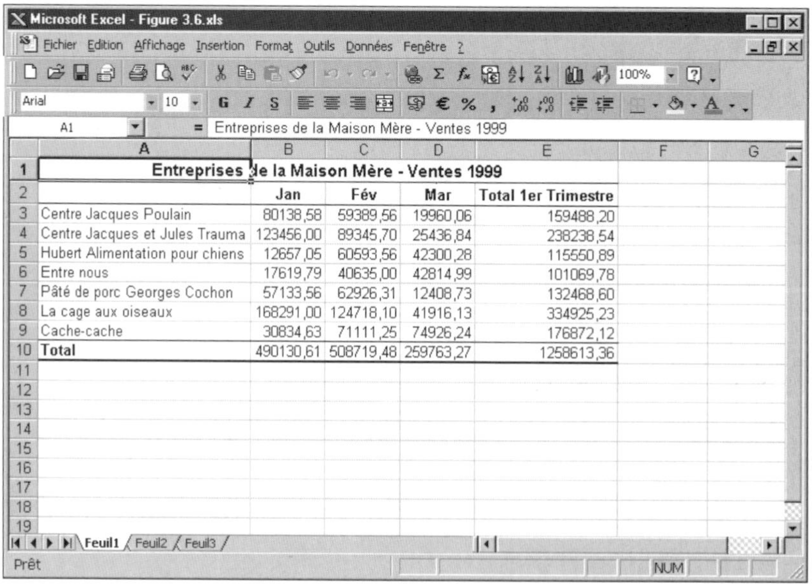

Figure 3.6
Aspect du
tableau de
données
après
application
du format de
tableau
Simple.

	A	B	C	D	E	F	G
1	Entreprises de la Maison Mère - Ventes 1999						
2		Jan	Fév	Mar	Total 1er Trimestre		
3	Centre Jacques Poulain	80138,58	59389,56	19960,06	159488,20		
4	Centre Jacques et Jules Trauma	123456,00	89345,70	25436,84	238238,54		
5	Hubert Alimentation pour chiens	12657,05	60593,56	42300,28	115550,89		
6	Entre nous	17619,79	40635,00	42814,99	101069,78		
7	Pâté de porc Georges Cochon	57133,56	62926,31	12408,73	132468,60		
8	La cage aux oiseaux	168291,00	124718,10	41916,13	334925,23		
9	Cache-cache	30834,63	71111,25	74926,24	176872,12		
10	Total	490130,61	508719,48	259763,27	1258613,36		

La Figure 3.7 montre l'aspect de la feuille de calcul après application du format automatique Effets 3D 2 à la même plage de cellules. Cette fois, vous remarquez qu'Excel a agrandi la colonne A pour qu'elle contienne la totalité du titre de la feuille de calcul dans la cellule A1. Ce type de dimensionnement de colonne s'appelle *Ajustement automatique*. Si certains noms de la colonne A n'apparaissent pas, il vous suffit de l'élargir manuellement.

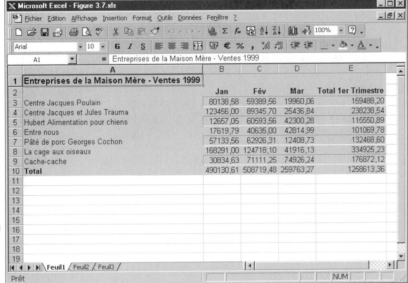

Figure 3.7
Le même tableau de données avec application de la mise en forme automatique Effets 3D 2.

Lorsque vous formatez un tableau dont le titre a été centré grâce à l'icône Fusionner et centrer de la barre d'outils Mise en forme, vous devez sélectionner une autre cellule que la cellule fusionnée avant d'appeler la commande Format/Mise en forme automatique. Car, si vous l'appeliez alors que cette cellule fusionnée est sélectionné, Excel ne traiterait que cette cellule. Cliquez donc, pour commencer, dans une cellule quelconque du tableau.

Enrichir vos cellules via la barre d'outils Mise en forme

Certaines feuilles de calcul exigent plus que ne peut offrir la fonction de mise en forme automatique. Par exemple, vos besoins peuvent se limiter à une simple mise en valeur des en-têtes de colonnes (en gras) et au soulignement de la ligne des totaux.

Vous pourrez réaliser cela en utilisant les outils de la barre d'outils Mise en forme sans devoir ouvrir un quelconque menu.

Vous pourrez assigner de nouveaux formats de caractères aux cellules, modifier l'alignement de leur contenu, ajouter un contour, des motifs et des couleurs. (Voir le Tableau 1.3 du Chapitre 1 pour une vue d'ensemble sur l'utilisation de chacun de ces outils.)

Barres d'outils mobiles

Dans sa configuration par défaut, Excel place les barres d'outils Standard et Mise en forme en haut de la fenêtre du programme (juste sous la barre de menus). Cependant, il vous est possible de déplacer n'importe quelle barre d'outils en la faisant glisser d'une partie de l'écran à une autre (consultez le Chapitre 12 pour obtenir des détails sur la manière de personnaliser les autres barres d'outils).

Si vous placez les barres d'outils Standard ou Mise en forme dans la zone de travail de la feuille de calcul, la barre d'outils prend la forme d'un rectangle, comme le montre la Figure 3.8. La fenêtre d'une telle barre d'outils répond au délicieux nom de *barre d'outils flottante*, parce qu'elle flotte poétiquement au-dessus du classeur. Non seulement vous pouvez déplacer cette merveilleuse barre, mais aussi la redimensionner :

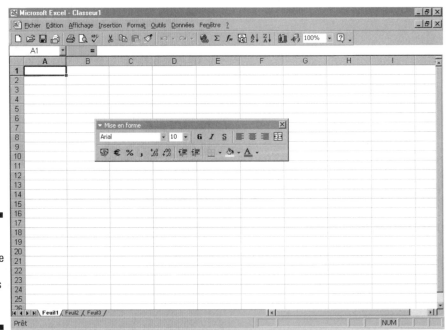

Figure 3.8
La barre d'outils Mise en forme placée dans l'espace de travail.

- Faites glisser la fenêtre en la tenant par sa petite barre de titre.

- Redimensionnez la barre d'outils flottante en faisant glisser un de ses côtés (le pointeur de la souris doit prendre la forme d'une double flèche).

- Une fois la barre d'outils redimensionnée, relâchez le bouton de la souris. Excel arrange la position des outils en fonction de la nouvelle taille de la fenêtre.

- Pour fermer une barre d'outils flottante, cliquez sur son bouton de fermeture situé dans le coin supérieur droit de sa fenêtre.

Déplacer la barre des menus

Les barres d'outils comme la barre Standard ou Mise en forme ne sont pas les seuls éléments déplaçables dans Excel. Dans cette version du programme, vous avez en effet la possibilité de bouger la barre des menus (celle qui contient les menus déroulants). C'est pourquoi cette barre comporte elle aussi une double barre verticale (lorsqu'elle est calée sur un des bords de l'écran). Lorsque vous déroulez un menu et que la barre des menus est flottante (c'est-à-dire qu'elle se trouve quelque part au milieu de l'écran), les commandes du menu apparaissent éventuellement au-dessus de la barre s'il n'y a pas assez de place en dessous.

Pour déplacer une barre d'outils, cliquez-glissez la double barre verticale située au début de la barre d'outils. Pour lui faire ensuite reprendre sa position d'origine, double-cliquez dans la barre de titre de la barre d'outils (cette barre de titre existe lorsque la barre d'outils est flottante, c'est-à-dire lorsque vous ne l'avez pas calée sur un côté de l'écran).

Fixer la barre d'outils

A la longue, une barre d'outils flottante peut devenir embarrassante, car il faudra souvent la déplacer dès lors que vous ajouterez ou éditerez les données de votre feuille de calcul. Pour vous éviter une telle gêne, il vous suffit de fixer la barre d'outils.

Dans Excel, une fixation de ce type peut s'effectuer en quatre endroits différents : au-dessus de la barre de formule, à l'extrême gauche ou droite de l'écran, ou en bas de l'écran juste au-dessus de la barre d'état. La Figure 3.9 montre les barres d'outils Dessin et Révision ancrées le long du bord inférieur de l'écran.

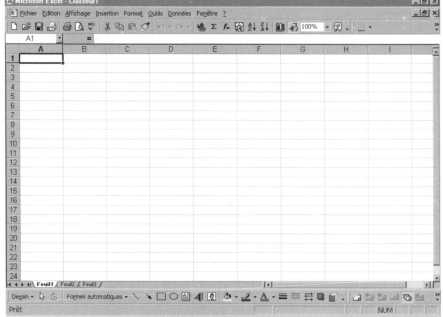

Figure 3.9
Les barres
d'outils
Dessin et
Révision, à
l'abri dans le
bas de
l'écran.

Pour fixer une barre d'outils flottante, faites-la glisser vers un des côtés de la fenêtre jusqu'à ce qu'elle prenne la forme d'une colonne (quand vous allez à droite ou à gauche) ou d'une ligne (quand vous allez en haut ou en bas). L'orientation des outils dans la barre nouvellement positionnée se fait automatiquement.

Certaines barres (notamment Standard, Mise en forme et Web) comportent des menus déroulants. Lorsque vous ancrez une barre de ce type le long du bord gauche ou droit de l'écran, ses menus déroulants n'apparaissent plus. Placez-les donc horizontalement.

Notez aussi que, lorsque vous ancrez plusieurs barres les unes à côté des autres, c'est Excel qui, automatiquement, détermine la taille optimale à allouer à chacune d'entre elles. Les icônes non visibles sont alors accessibles grâce au bouton Autres boutons. Si vous le souhaitez, vous pouvez changer la taille de ces barres en opérant un cliquer-glisser sur leur poignée (vers la gauche pour agrandir la barre, vers la droite pour la rétrécir).

Utiliser la boîte de dialogue Format de cellule

La commande Cellules du menu Format (dont le raccourci clavier est Ctrl+1) ouvre une boîte de dialogue contenant six onglets : Nombre, Alignement, Police, Bordure, Motifs et Protection. Dans ce chapitre, seul l'onglet Protection ne sera pas abordé, puisqu'il sera étudié en détail au Chapitre 6.

 Dans la mesure où vous procéderez souvent au formatage de vos données, souvenez-vous du raccourci clavier Ctrl+1 et utilisez-le autant que possible. Il s'agit de maintenir la touche Ctrl enfoncée et d'appuyer sur la touche 1 du clavier et non sur celle du pavé numérique. Cela revient en fait à taper la combinaison Ctrl+Maj+1.

Connaître les formats numériques

Comme expliqué au Chapitre 2, la manière d'entrer la valeur dans la feuille de calcul détermine son format numérique. Voici quelques exemples :

- Si vous entrez une valeur comptable avec son signe monétaire et deux décimales, Excel assigne un format monétaire à la cellule destinataire.

- Si vous entrez un pourcentage accompagné du signe % mais sans décimales, Excel assigne au contenu de la cellule un format numérique Pourcentage.

- Si vous entrez une date (n'oubliez pas que les dates sont des valeurs) similaire à celles prédéfinies d'Excel, comme 19/02/99 ou 19-Févr-99, Excel assigne un format numérique Date.

Bien que vous puissiez préférer formater les valeurs au moment de leur saisie, mieux vaut assigner un format numérique à un groupe de valeurs avant ou après leur saisie. Après est encore plus efficace :

1. **Sélectionnez toutes les cellules contenant des valeurs à formater de manière identique.**

2. **Sélectionnez le format numérique à appliquer soit depuis la barre d'outils Mise en forme, soit depuis la boîte de dialogue Format de cellule.**

Vous avez beau être un pro du clavier et préférer entrer chaque valeur dans son format exact, il vous faudra recourir aux formats numériques pour rendre les valeurs compréhensibles par les formules des autres valeurs calculées, et ce, parce qu'Excel applique un format numérique Standard (à propos duquel la boîte de dialogue Format de cellule explique que les "cellules de format Standard n'ont pas de format de nombre spécifique") à toutes les valeurs qu'il calcule. Le problème le plus important que présente ce format Standard est sa propension à ne pas tenir compte des zéros commençant ou terminant une entrée. L'alignement sur la virgule décimale d'une série de nombres d'une colonne devient problématique.

La Figure 3.10 illustre parfaitement ce problème de valeurs non formatées. La seule chose à faire est d'appliquer un format plus uniforme à toutes ces valeurs.

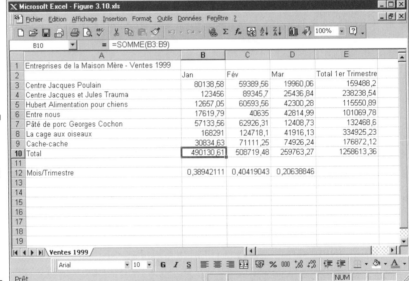

Figure 3.10
C'est le bazar dans l'alignement des ventes du premier trimestre, répandues sur les colonnes B à E.

Agrémenter vos cellules d'un style Monétaire

La nature comptable des feuilles de calcul vous obligera probablement à utiliser le format Monétaire plus que tout autre. Ce format est d'une simplicité d'application enfantine. En effet, la barre d'outils Mise en forme possède un outil Style monétaire qui ajoute le signe de la monnaie locale (pour nous le franc), sépare les milliers par un espace, et ajoute deux décimales à toutes les valeurs sélectionnées. Les valeurs négatives sont affichées en rouge et entre parenthèses.

Dans la Figure 3.11, seules les cellules contenant des totaux ont été sélectionnées (plages de cellules E3:E10 et B10:D10). Ces cellules ont été formatées avec un style monétaire par un simple clic sur l'outil Monétaire (qui représente un billet de banque et quelques pièces).

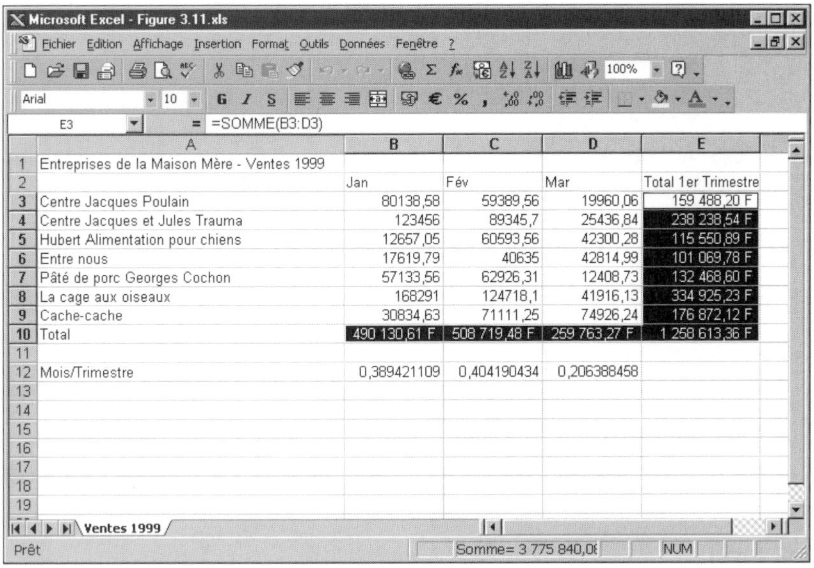

Figure 3.11
Aspect des
totaux après
utilisation du
style
Monétaire.

Note : Il aurait été possible d'appliquer ce style à toutes les cellules. Cependant, la table étant petite, nous aurions eu une surabondance de signes "franc". La limitation de ma sélection tient à cette seule raison.

Plus de débordement !

Lors de l'application du format Monétaire aux cellules E3:E10 et B10:D10 dans la feuille visible sur la Figure 3.11, Excel ajoute le symbole du franc, le séparateur des milliers, une virgule, et gère deux décimales après la virgule. Il élargit également automatiquement les colonnes B, C, D et E de façon à afficher correctement les valeurs. Dans les versions précédentes d'Excel, il fallait élargir les colonnes soi-même. Au lieu d'obtenir des colonnes de chiffres bien alignés, une série de dièses ####### apparaissait dans chaque cellule, indiquant un débordement, c'est-à-dire une largeur de colonne insuffisante pour afficher correctement le nombre.

En élargissant automatiquement les colonnes, Excel élimine cette situation. La seule fois où vous pouvez être confronté à ces indicateurs de débordement : si vous décidez de rétrécir manuellement la largeur d'une colonne (voir plus loin la section *Ajuster les colonnes*) et qu'il n'y ait plus assez de place pour afficher la totalité des chiffres.

Agrémenter vos cellules avec l'outil Style de la virgule

Il s'agit de rendre plus claires les valeurs portant sur des milliers, millions et milliards qui, après application de ce style, sont séparées par des espaces.

Les valeurs négatives sont présentées entre parenthèses sans affichage du signe monétaire.

La Figure 3.12 montre l'aspect des valeurs formatées par l'outil Style de la virgule. Pour cela, sélectionnez la plage de cellules B3:D9, puis cliquez sur le bouton Style de la virgule (celui avec trois zéros) de la barre d'outils Mise en forme.

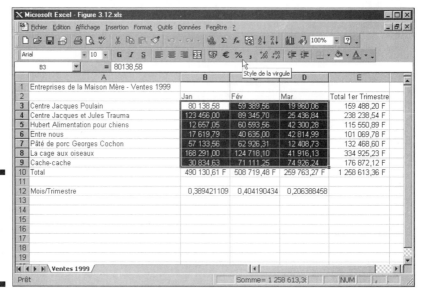

Figure 3.12
Formatage
des ventes
mensuelles
avec l'outil
Style de la
virgule.

Vous constatez que ce type de formatage permet un alignement parfait des valeurs. Si vous regardez très attentivement, vous noterez que les valeurs formatées se sont légèrement déplacées vers la gauche. Cela afin de permettre aux valeurs négatives entre parenthèses de s'aligner parfaitement sur le séparateur décimal.

Amusons-nous avec le style Pourcentage

Beaucoup d'utilisateurs se servent de feuilles de calcul pour instituer les taux d'intérêt, taux de croissance et d'inflation, en pourcentage. Pour insérer un taux d'intérêt dans une cellule, il suffit de taper le signe % derrière la valeur (12 pour 100 s'écrira **12 %**). Excel assigne alors un format Pourcentage qui divise la valeur inscrite par 100 et affiche le résultat dans la cellule (12 % donnera 0.12).

Dans une feuille de calcul, les pourcentages sont souvent le résultat d'une formule qui retourne des valeurs décimales brutes. Dans ce cas, il vous faudra ajouter un format de pourcentage pour convertir, en pourcentage, les valeurs décimales calculées (multipliez la valeur décimale par 100 et ajoutez le signe %).

L'exemple des ventes du premier trimestre contient, à la ligne 12, des pourcentages issus de formules, qu'il faut mettre en forme. La Figure 3.13 affiche les valeurs après application du format Pourcentage. Pour exécuter cette application, sélectionnez les cellules et cliquez sur le bouton Style pourcentage de la barre d'outils Mise en forme.

Figure 3.13 Pourcentages des ventes mensuelles formatées avec le format Pourcentage.

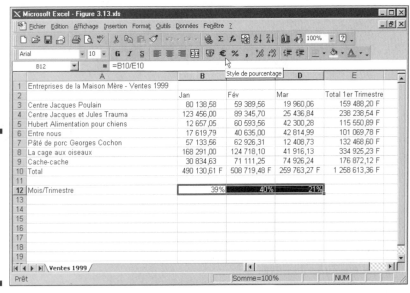

Décider du nombre de décimales

L'augmentation ou la diminution des décimales d'un nombre se fait en cliquant sur les outils Ajouter une décimale ou Réduire les décimales de la barre d'outils Mise en forme. (Au besoin, cliquez sur Autres boutons pour accéder à ces icônes.)

Chaque clic sur un de ces outils ajoute ou supprime une décimale. La Figure 3.14 montre les pourcentages de la plage B12:D12 après deux clics sur l'outil Ajouter une décimale.

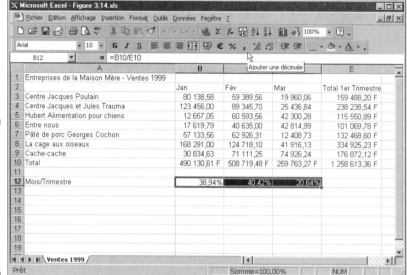

Figure 3.14 Pourcentages des ventes mensuelles du premier trimestre après ajout de deux décimales.

Aspect des valeurs après formatage

Si le formatage est fait sans erreur, vos valeurs bénéficieront d'une présentation hors du commun dans la feuille de calcul. Vous deviendrez un magicien de la mise en forme ! Par exemple, supposons qu'une formule retourne la valeur suivante :

```
25,6456
```

En un coup d'outil Style monétaire, elle devient :

```
25,65 F
```

Désolé de vous décevoir, mais cela n'a rien de magique, ni même de très mathématique. Excel a simplement arrondi à la valeur supérieure la valeur initiale 25,6456 contenue dans la cellule. Si vous utilisez cette dernière dans une autre formule de la feuille de calcul, rappelez-vous qu'Excel utilisera la valeur d'origine et non la valeur arrondie.

Vous voulez que la valeur exacte soit affichée dans la feuille de calcul ? Soit, mais attention, il s'agit d'un aller sans retour. Vous insistez ? Alors allons-y :

1. **Assurez-vous que toutes les valeurs de votre feuille de calcul sont formatées avec le séparateur décimal correctement placé.**

2. **Déroulez le menu Outils et sélectionnez la commande Options.**

3. **Cliquez sur l'onglet Calcul pour accéder aux options de calcul.**

4. **Dans la rubrique Options de classeur, cochez la case Calcul avec la précision au format affiché, puis cliquez sur OK.**

   Excel affiche le message : "La précision pour ces données sera définitivement perdue".

5. **En grand aventurier, foncez et cliquez sur le bouton OK ou pressez la touche Entrée pour convertir toutes les valeurs et faire concorder leur affichage.**

Après une telle conversion, enregistrez votre classeur sous un autre nom afin de conserver une copie de votre classeur original... au cas où.

L'icône Euro de la barre d'outils Mise en forme ajoute le symbole de l'euro à droite des valeurs sélectionnées. Pratique, non ?

Un coup d'oeil sur les autres formats numériques

Excel ne se limite pas aux formats monétaire, virgule, pourcentage et euro. Pour accéder à ces autres formats, commencez par sélectionnez la plage à formater. Cliquez ensuite dans une cellule avec le bouton droit de la souris et, dans le menu contextuel qui s'ouvre, choisissez l'option Format de cellule. Un autre moyen d'action consiste à passer par le menu Format et sa commande Cellule (ou Ctrl+1). S'ouvre alors la boîte de dialogue Format de cellule.

Dans cette boîte, cliquez sur l'onglet Nombre. Dans la liste Catégorie, sélectionnez le format qui vous convient. Certaines catégories de format numérique (Date, Heure, Fraction) ouvrent une autre boîte de dialogue nommée Type où vous choisissez un type de présentation prédéfini. D'autres catégories (telles que Comptabilité) disposent de boîtes particulières pour compléter leur format. Dans la petite fenêtre Aperçu, Excel affiche l'aspect numérique du format. Si cela vous convient, cliquez sur OK ou pressez Entrée pour appliquer le format choisi à la sélection de cellules active.

Le format numérique Spécial

Excel contient une catégorie de formats appelée Spécial. Elle propose trois types de formats :

- **Code postal :** Garde les zéros débutant une valeur comme 01200.

- **Numéro de téléphone :** Propose six formats téléphoniques selon le pays. Ainsi, le format Canada place entre parenthèses les trois premiers chiffres et sépare, avec un trait d'union, les quatre derniers des trois qui les précèdent. Exemple (999) 555-1111.

- **Numéro de Sécurité sociale :** sépare chaque groupe de chiffres par un espace, et la clé est séparée des autres chiffres par une petite barre verticale.

Ces formats accélèrent la procédure lors de la création d'une base de données, puisque la mise en forme se fait automatiquement (voir le Chapitre 9 pour des informations sur la création d'une base de données).

Créer des formats numériques personnalisés

Si aucun format prédéfini ne vous convient, vous pouvez créer le vôtre. Pour cela, choisissez Personnalisé dans la liste Catégorie. Dans la boîte de dialogue Type, sélectionnez le code du format numérique qui se rapproche le plus de celui que vous avez en tête. Ensuite, éditez votre choix dans la boîte d'édition Type.

Le problème ici est que vous allez constituer un format en utilisant des codes barbares comme #s, 0.,?/?. Pour vous faciliter la tâche, ne quittez pas des yeux la fenêtre Aperçu. C'est dans celle-ci qu'Excel fera apparaître la forme numérique de votre format personnalisé. Dès que le format vous convient, validez-le en pressant OK ou la touche Entrée.

Rien ne vous empêche de choisir un des formats personnalisés (codés) et d'y apporter des modifications. Comme le résultat est toujours affiché dans la fenêtre Aperçu, pas besoin de sortir de polytechnique pour éditer un format personnalisé, et donc pour le personnaliser davantage.

Plutôt que de vous embêter avec des exemples de formats numériques personnalisés posant problème, je préfère vous en présenter un très pratique. Il masque l'affichage des entrées de cellules dans la feuille de calcul (bien sûr, l'entrée d'une cellule reste visible dans la barre de formule lorsque vous "pointez" sur cette cellule). Ainsi, vous pouvez temporairement masquer des plages de cellules afin de ne pas les imprimer ou de les rendre invisibles à l'écran.

Décoder ces épouvantables codes de format numérique

Ces codes contrôlent l'aspect de chaque format numérique (positif, négatif, etc.). Ces formats utilisent des points-virgules (tout format non ainsi représenté recouvre les autres types de données). Le 0 réserve une place pour un chiffre. Ce zéro sera maintenu si aucun chiffre n'est entré à cette place. Il en va de même avec le signe #, à cette différence près que si aucun chiffre n'est entré la place reste vide. Les M sont utilisés pour les mois ou les minutes, les J pour les jours, les A pour les années, les H pour les heures, et les S pour les secondes.

Pour créer un format numérique personnalisé masqué, ouvrez la boîte de dialogue Format de cellule... (Ctrl+1), puis dans l'onglet Nombre choisissez la catégorie Personnalisé ; enfin, activez le type Standard dans la boîte à liste Type et remplacez-le par le code suivant :

```
;;;
```

Les trois points-virgules indiquent à Excel de ne rien afficher dans les cellules de la feuille de calcul.

Une fois les codes tapés dans la boîte d'édition Type, cliquez sur OK ou pressez Entrée pour appliquer *votre* format à la sélection actuelle. Les formats personnalisés sont sauvegardés en tant que partie intégrante de la feuille de calcul lors de l'enregistrement de votre classeur. (Pensez à ne pas négliger l'outil Enregistrer de la barre d'outils Standard !)

L'application d'un format masqué fait disparaître tout ce qui est affiché dans la feuille de calcul. Pour faire réapparaître les données cachées, sélectionnez les cellules masquées, ouvrez la boîte de dialogue Format de cellule... et sélectionnez un des formats numériques visibles (le format Standard par exemple) que vous appliquerez aux cellules concernées.

Comme les formats numériques personnalisés sont ajoutés en fin de liste dans la boîte Type, lorsque vous ouvrirez à nouveau la boîte de dialogue Format de cellule, il vous faudra faire défiler la boîte à liste Type avant de localiser les codes du format numérique personnalisé à sélectionner.

Ajuster les colonnes

Quand Excel n'ajuste pas les largeurs de colonnes à votre goût, il vous faut mettre la main à la pâte. La manière la plus rapide d'ajuster la taille d'une colonne est l'utilisation de la fonction d'Ajustement automatique.

Voici comment procéder :

1. **Placez le pointeur de la souris à droite du cadre de la colonne à ajuster.**

   Le pointeur prend alors la forme d'une double flèche pointant à droite et à gauche.

2. **Cliquez deux fois sur le bouton de la souris.**

   Excel élargit ou rétrécit la largeur de la colonne pour l'adapter exactement aux entrées les plus longues.

Pour ajuster plusieurs colonnes en même temps, sélectionnez-les toutes, puis cliquez deux fois sur n'importe quel bord droit d'un des cadres des colonnes sélectionnées.

Parfois l'Ajustement automatique ne produit pas l'effet attendu. Ainsi, un long titre entraîne un trop grand élargissement de la première colonne.

Lorsque l'Ajustement automatique s'avère inefficace, procédez manuellement. Cette technique marchera sur plusieurs colonnes sélectionnées. En ajustant une colonne, vous ajustez la largeur des autres.

L'ajustement des colonnes peut aussi se faire via la boîte de dialogue Largeur de colonne, à laquelle vous accédez en ouvrant le menu contextuel des colonnes sélectionnées (clic sur le bouton droit de la souris), ou via la fonction Largeur de la commande Colonne du menu Format.

La boîte d'édition Largeur de colonne affiche la largeur d'une colonne standard de la feuille de calcul, ou la largeur de la colonne que vous venez d'ajuster. Pour modifier les largeurs de toutes les colonnes sélectionnées (à l'exception de celles ajustées manuellement ou par Ajustement automatique), tapez une nouvelle valeur dans la boîte de texte Largeur de colonne et cliquez sur le bouton OK.

Pour un Ajustement automatique, vous pouvez utiliser aussi le menu Format, sa commande Colonne et l'option Ajustement automatique. L'ajustement se fait en fonction de la longueur des données saisies. Admettons que vous vouliez ajuster au plus précis une colonne pour bien voir les en-têtes, tout en excluant le titre de la feuille de calcul (qui s'étend sur plusieurs cellules vierges de droite). Sélectionnez tout d'abord les cellules de la colonne qui contient les en-têtes, puis procédez comme expliqué au début du présent paragraphe.

Pour revenir à la largeur par défaut, appliquez la commande Largeur standard du sous-menu Colonne du menu Format qui ouvre la boîte de dialogue Largeur standard dont la valeur par défaut est 10,71 pour toute nouvelle feuille de calcul. Pour remettre les colonnes sélectionnées dans leur largeur standard, cliquez simplement sur OK ou pressez Entrée.

Ajuster des lignes

La procédure est sensiblement la même que pour les colonnes, mais vous n'aurez que rarement l'occasion de le faire dans la mesure où Excel s'occupe de modifier la hauteur des lignes en fonction des entrées (notamment si vous utilisez une police de caractères de grande taille). Vous interviendrez lorsque vous souhaiterez un espace plus important entre une ligne et les en-têtes de colonnes sans laisser de lignes vierges (pour des informations complémentaires, voir "De haut en bas" plus loin dans ce chapitre).

Pour augmenter la hauteur d'une ligne, faites glisser son bord inférieur vers le bas. Pour la rétrécir, opérez en sens inverse. Pour un ajustement précis, utilisez la fonction d'Ajustement automatique comme vous l'avez fait pour les colonnes.

L'ajustement peut également se faire par l'intermédiaire d'une boîte de dialogue. Sélectionnez une ligne, cliquez sur le bouton droit de la souris pour ouvrir le menu contextuel, puis choisissez la commande Hauteur de ligne. Vous pouvez également faire la même opération en déroulant une succession de menus depuis le menu Format. Dans la boîte de texte Hauteur de ligne, tapez la hauteur de votre choix. Celle-ci est de 12,75 par défaut.

Cacher ce que vous voyez

Une petite chose amusante sur les colonnes et lignes étroites : vous pouvez rétrécir des colonnes et des lignes au point de les voir disparaître de la feuille de calcul. Cette disparition vous rendra service, notamment lorsque vous voudrez imprimer un rapport dans lequel certaines informations ne sont pas nécessaires. Au lieu de perdre du temps à réorganiser l'emplacement des colonnes et des lignes ne devant pas être imprimées, masquez simplement les colonnes et les lignes indésirables.

Masquer des colonnes et des lignes grâce aux menus déroulants et contextuels

Bien que le "masquage" puisse se faire manuellement, vous pouvez utiliser le menu déroulant Format ou les menus contextuels des lignes et des colonnes. Admettons que vous souhaitiez masquer la colonne B. Suivez les étapes ci-après :

1. **Cliquez sur le cadre contenant la lettre B afin de sélectionner cette colonne.**

2. **Cliquez sur le menu Format pour le dérouler et descendez jusqu'à Colonne, puis vers Masquer que vous cliquez.**

Disparition de la colonne B et de toutes ses informations. En regardant la ligne des colonnes, on passe directement de A à C.

Vous auriez obtenu le même résultat en utilisant le menu contextuel et sa commande Masquer.

Pour faire réapparaître la colonne B, procédez comme suit :

1. **Sélectionnez les colonnes A et C par la méthode de votre choix.**

2. **Cliquez sur le menu Format pour le dérouler et descendez jusqu'à Colonne, puis vers Afficher que vous cliquez.**

Le miracle a lieu ! Excel affiche à nouveau la colonne B et son contenu. Cliquez n'importe où sur la feuille de calcul pour désélectionner les colonnes.

Vous auriez obtenu le même résultat en utilisant le menu contextuel et sa commande Afficher.

Masquer des colonnes et des lignes avec la souris

Cette technique demande un degré de précision diabolique que seuls possèdent les dieux de la souris :

- Pour masquer une colonne, faites glisser sa bordure droite vers la gauche jusqu'à sa réduction la plus totale, puis relâchez le bouton de la souris.

- Pour masquer une ligne, faites glisser sa bordure inférieure vers le haut jusqu'à sa réduction la plus totale, puis relâchez le bouton de la souris.

Lorsque l'info-bulle affichée à côté du pointeur de souris indique une valeur de 0,00, cela signifie qu'il est temps pour vous de relâcher le bouton de la souris.

Afficher une colonne ou une ligne masquée nécessite l'exécution du processus inverse... et c'est très difficile, car même lorsque le pointeur de la souris prendra la forme d'une double flèche divisée par le milieu, vous agrandirez la colonne de gauche plus souvent que vous ne ferez réapparaître la colonne masquée.

Si vous ne parvenez pas à afficher la colonne masquée, inutile de paniquer. Utilisez la traditionnelle méthode des menus déroulants et contextuels (voir section précédente) !

Jongler avec les polices

Au démarrage d'une nouvelle feuille de calcul, Excel assigne un type et une taille de police uniformes à toutes les entrées de données : police *Arial* avec une taille fixée à 10 points. Si cette police convient aux entrées normales, vous devrez la changer pour mettre en valeur des titres et des en-têtes dans la feuille de calcul.

Vous pouvez changer la police par défaut. Ouvrez les Options du menu Outils et, dans la boîte de dialogue, cliquez sur l'onglet Général. Là se trouve une option nommée Police standard. Dans la liste déroulante, choisissez la police qui vous convient et déterminez-en la taille dans la boîte Taille. Cliquez sur OK. Désormais, chaque nouvelle feuille de calcul prendra votre police comme police par défaut.

Les outils de format vous permettent de grandes manipulations de police sans avoir à recourir à la boîte de dialogue Format de cellule (Ctrl+1) et à son onglet Police.

- Pour appliquer une nouvelle police à une sélection de cellules, choisissez-la dans la liste déroulante de la zone Police, située à l'extrême gauche de la barre d'outils Mise en forme.

- Pour changer sa taille, déroulez la liste de la zone Taille de la barre d'outils Mise en forme, située immédiatement à droite de la zone Police.

Vous disposez également d'outils d'enrichissement qui permettent d'appliquer une graisse, des italiques, des soulignés ou des surlignés aux caractères. Vous savez que ces outils sont actifs lorsque leur bouton est enfoncé et prend une couleur gris clair. En cliquant à nouveau sur un bouton d'enrichissement de caractères, vous en annulez l'effet pour les caractères sélectionnés et ceux que vous taperez par la suite.

La majorité de vos modifications se feront par l'intermédiaire de ces boutons.

La Figure 3.15 présente les possibilités de modification des polices de caractères. Cet onglet reste le moyen le plus rapide pour appliquer plusieurs changements à une sélection de cellules, d'autant que la boîte Aperçu vous donne une idée assez précise des modifications apportées.

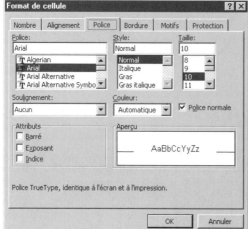

Figure 3.15
Utilisez l'onglet Police du Format de cellule pour effectuer vos change-ments.

Si par l'option Couleur de la boîte de dialogue ou par l'outil Couleur de caractères vous changez la couleur des caractères mais que vous imprimez avec une imprimante noir et blanc, Excel appliquera un niveau de gris. La couleur appelée Automatique correspond à celle qui a été définie pour Windows 95/98. (Pour toute aide à ce sujet, consultez *Windows 98 pour les Nuls* ou *Windows Me pour les Nuls*, tous deux parus aux Éditions First.)

Modifier l'alignement

Comme nous l'avons vu au début de cet ouvrage, l'alignement des données vous indique leur nature. Cet alignement par défaut est modifiable.

La barre d'outils Mise en forme contient trois boutons d'alignement classiques : Aligner à gauche, Centrer, Aligner à droite, plus un bouton spécial appelé Fusionner et centrer.

Ce dernier outil vous permet de centrer un titre d'une feuille de calcul sur toute la largeur du tableau. Les Figures 3.16 et 3.17 montrent comment utiliser cet outil. Dans la Figure 3.16, nous voyons que le titre a été entré dans la cellule A1 et que sa longueur le fait déborder sur la cellule voisine. Pour centrer ce titre par rapport à la totalité du tableau, sélectionnez la plage de cellules A1:E1, puis cliquez sur le bouton Fusionner et centrer. Voyez le résultat sur la Figure 3.17 : les cellules de la rangée 1 des colonnes A à E sont fondues en une seule cellule et le titre est maintenant correctement centré dans cette super-cellule, sur toute la largeur du tableau.

Si vous devez scinder une super-cellule obtenue par la commande Fusionner et centrer (tout simplement pour retrouver les cellules individuelles d'origine), ouvrez la fenêtre de dialogue Format de cellule (Ctrl+1), cliquez sur l'onglet Alignement, supprimez la marque dans la case à cocher Fusionner les cellules, puis cliquez sur OK pour refermer la fenêtre (ou appuyez sur Entrée).

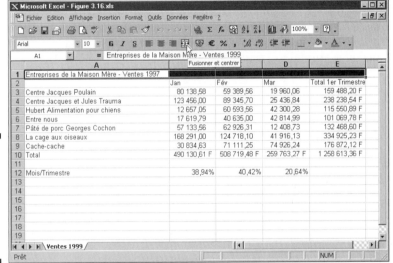

Figure 3.16
Centrer le titre de la feuille de calcul par rapport aux colonnes du tableau.

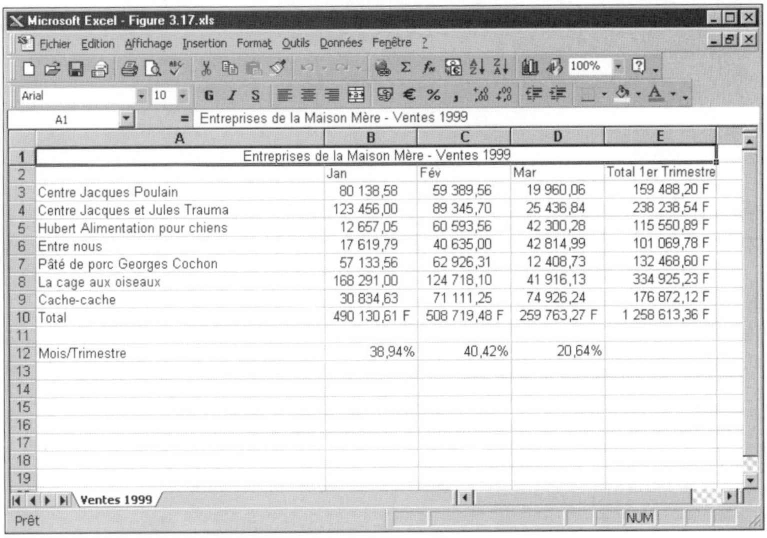

Figure 3.17
Aspect du titre après centrage.

Retraits

Excel dispose d'un outil pour appliquer un retrait au contenu des cellules. Il s'agit du bouton Augmenter le retrait, situé sur la barre d'outils Mise en forme. Il représente une flèche poussant des lignes de texte vers la droite. Chaque fois que vous cliquez sur ce bouton, Excel repousse le contenu de la cellule vers la droite, d'une largeur de caractère de la police standard (si vous ne savez pas ce qu'est la police standard ou que vous désirez la modifier, voyez plus haut dans ce chapitre la section "Jongler avec les polices").

Pour supprimer un retrait, cliquez sur le bouton Diminuer le retrait. Il est situé juste à gauche du bouton Augmenter le retrait. Par ailleurs, vous avez la possibilité de modifier l'importance du retrait. Pour cela, ouvrez la fenêtre de dialogue Format de cellule (Ctrl+1), sélectionnez l'onglet Alignement, puis modifiez la valeur dans la case Retrait (soit en tapant une valeur, soit en vous servant des petits boutons fléchés).

De haut en bas

Vous pouvez aligner les entrées texte par rapport aux bordures non seulement droite et gauche, mais aussi haute et basse.

Pour modifier l'alignement vertical d'une sélection de cellule, ouvrez la boîte de dialogue Format de cellule (Ctrl+1), cliquez sur l'onglet Alignement (voir Figure 3.18) ainsi que sur les boutons radio Haut, Centré, Bas ou Justifié.

Figure 3.18 Modifier l'alignement vertical via les options de l'onglet Alignement de la boîte de dialogue Format de cellule.

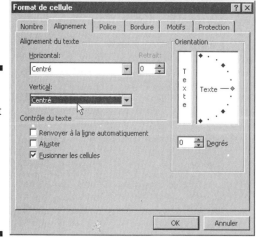

La Figure 3.19 montre le titre centré verticalement dans sa cellule. (La hauteur normale de la ligne, 12,75 caractères, a été montée à 33,75 caractères.)

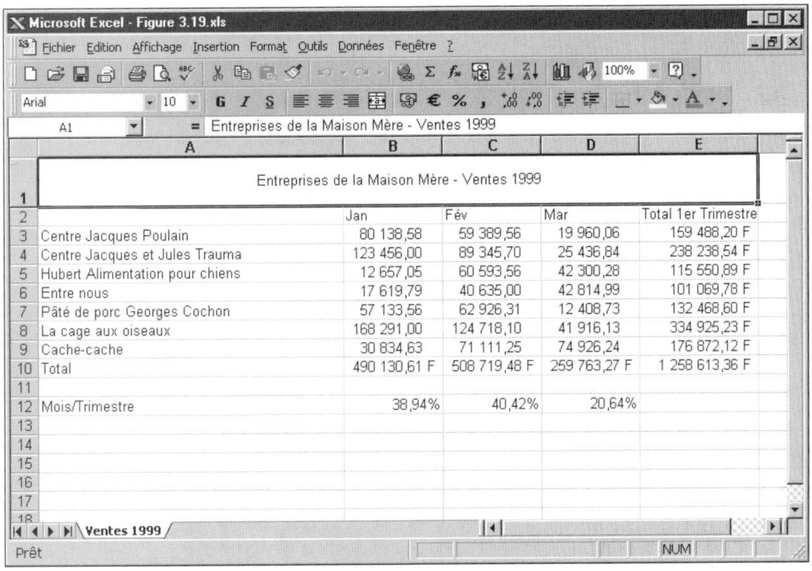

Figure 3.19
Centrage
vertical du
titre entre le
haut et le
bas de la
ligne 1.

S'arranger avec le renvoi à la ligne automatique

Le plus souvent, les en-têtes de colonnes sont trop longs pour tenir correctement dans des cellules de taille identique à celle des données. La Figure 3.20 montre comment l'utilisation du renvoi à la ligne automatique a permis de passer outre au problème de la largeur des colonnes.

Pour créer un tel effet, sélectionnez les cellules contenant les en-têtes (ici plage de cellules B2:H2). Ensuite, dans l'onglet Alignement de la boîte de dialogue Format de cellule, cochez la case Renvoyer à la ligne automatiquement (voir Figure 3.18).

Le texte se dispose sur plusieurs lignes. A partir de là, rien ne vous empêche de lui appliquer d'autres options d'alignement. Attention ! utilisez l'option Recopier de la liste Horizontal uniquement lorsque vous voulez qu'Excel répète la même entrée sur toute la largeur de la cellule.

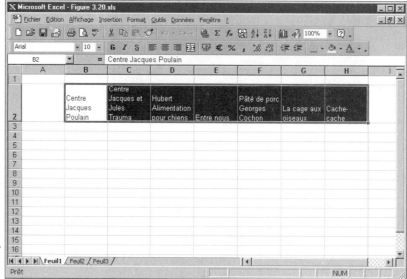

En sélectionnant l'option Justifier, le texte s'alignera parfaitement sur la largeur de la cellule, tout en gardant son renvoi à la ligne.

Vous pouvez effectuer un renvoi à la ligne au moment de la saisie. Il vous suffit d'appuyer sur la combinaison Alt+Entrée. La ligne s'étire verticalement à chaque renvoi à la ligne. C'est lors de la validation finale de l'entrée qu'Excel adaptera la hauteur de la cellule, donc de la ligne, au texte saisi.

Désorienter l'orientation

La Figure 3.21 montre l'efficacité d'une utilisation conjointe des fonctions Renvoi à la ligne automatique et Orientation.

Pour effectuer cette orientation, sélectionnez la plage de cellules B2:H2 et, dans la boîte Orientation de l'onglet Alignement de la boîte de dialogue Format de cellule, cliquez sur le losange en haut du cadran. La case en dessous de cette zone doit afficher la valeur 90. D'ailleurs, si vous ne voulez pas jouer de la souris, tapez directement une valeur dans cette case. Notez que l'option Renvoyer à la ligne automatiquement reste cochée, ce qui préserve le renvoi à la ligne lors de l'orientation.

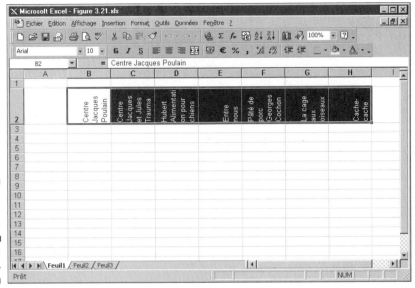

Figure 3.21
Feuille de
calcul après
réorientation
des en-têtes
de colonnes.

La Figure 3.22 présente les mêmes en-têtes de colonnes après application d'une orientation de 45 degrés à partir de l'horizontale. Pour obtenir cet effet, cliquez sur le deuxième losange à partir du haut du cadran ou tapez la valeur 45 dans la case Degrés.

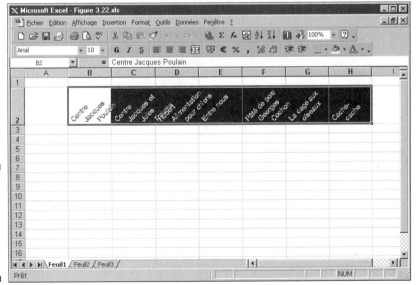

Figure 3.22
Feuille de
calcul après
orientation
de 45° des
en-têtes de
colonnes.

Il existe différents moyens d'indiquer l'orientation à appliquer. Vous avez vu qu'il est possible de cliquer sur un des losanges du cadran ou d'entrer une valeur dans la case Degrés (de -90 à 90). Il reste la solution de faire glisser le losange rouge sur le pourtour. Surveillez la valeur affichée dans la case Degrés pour connaître la valeur exacte qui sera appliquée.

Ajustement de la taille des caractères

Pour les occasions où vous voudrez empêcher Excel d'élargir les colonnes (ce qu'il fait dans le but d'afficher la totalité des contenus), employez l'option Ajuster qui se trouve sur l'onglet Alignement de la fenêtre de dialogue Format de cellule. Lorsque vous sélectionnez cette option, Excel réduit la taille des caractères de façon à ne pas avoir à augmenter la largeur de cellule. Attention à ne pas tomber en dessous d'une certaine taille de lettres, sous peine que vos informations soient illisibles.

Ajouter des bordures !

Le quadrillage de la feuille de calcul n'est là qu'à titre de guide pour vos entrées de données. Pour mettre en valeur certaines parties de la feuille de calcul, vous pouvez ajouter des bordures ou des ombrages à certaines cellules. Ne confondez pas *bordures* et *quadrillage*. Ce dernier définit les contours des cellules d'une feuille de calcul - les bordures sont imprimées alors que l'impression du quadrillage est facultative.

Pour mieux voir les bordures que vous ajoutez aux cellules de votre feuille de calcul, enlevez le quadrillage habituellement affiché :

1. **Dans le menu Outils, sélectionnez la commande Options, puis l'onglet Affichage.**

2. **Désactivez la case Quadrillage.**

3. **Choisissez OK ou pressez Entrée.**

Si la case à cocher Quadrillage détermine l'affichage ou non du quadrillage dans la feuille de calcul, c'est dans la commande Mise en page, onglet Feuille, que vous décidez d'imprimer ou non le quadrillage.

Pour ajouter des bordures à la sélection de cellule, ouvrez la boîte de dialogue Format de cellule (Ctrl+1) et cliquez sur l'onglet Bordure (comme illustré Figure 3.23). La zone Style offre un choix de bordures prédéfinies. Cliquez sur celle qui vous plaît, puis déterminez son aspect de la manière suivante :

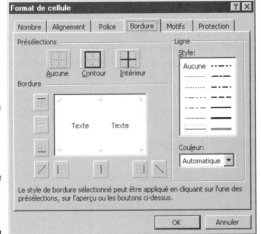

Figure 3.23
Onglet de
sélection de
bordures
dans la boîte
de dialogue
Format de
cellule.

- Pour qu'Excel applique une bordure autour des bords extérieurs de la sélection, cliquez sur le bouton Contour dans la zone Présélections.

- Si vous préférez des bordures entourant les quatre côtés de chaque cellule d'une sélection, cliquez sur le bouton Intérieur, puis sur les boutons adéquats dans la série de boutons Bordure.

Quand vous voulez ajouter des bordures à une seule cellule ou autour d'une sélection de cellules, inutile d'ouvrir la boîte de dialogue Bordure. Sélectionnez la cellule ou la plage de cellules, puis cliquez sur l'outil à liste déroulante Bordure. Dans cette liste, effectuez votre choix.

Pour enlever des bordures, il faut ouvrir la boîte de dialogue Format de cellule (Ctrl+1), puis cliquer sur le bouton Aucune de la zone Présélections de l'onglet Bordure. Vous obtiendrez le même effet en cliquant sur la première option de la palette des bordures (cette palette s'affiche lorsque vous cliquez sur le bouton Bordures dans la barre d'outils Mise en forme).

Choisir un nouveau motif

Vous pouvez améliorer la présentation des sections d'une feuille de calcul ou d'un tableau en changeant la couleur et/ou le motif de ses cellules. Les utilisateurs d'imprimante noir et blanc devront limiter leur choix à une palette en niveaux de gris et à un motif constitué de quelques points sous peine de rendre illisibles les données saisies.

C'est dans la boîte de dialogue Format de cellule (Ctrl+1) que vous choisirez couleurs et motifs parmi ceux proposés dans l'onglet Motifs (comme le montre la Figure 3.24). Pour changer la couleur des cellules, cliquez sur une des couleurs de la palette contenue dans la partie Ombrage de cellule. Le changement de motif se fait en déroulant la liste Motif, dans laquelle vous effectuez votre choix en cliquant sur le motif qui vous convient. Dans boîte Aperçu, Excel vous montre à quoi ressemblera votre feuille de calcul après validation de vos choix.

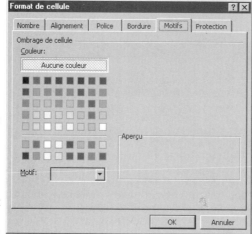

Figure 3.24
Sélection
des nouvel-
les couleurs
et motifs
dans l'onglet
Motifs.

Pour supprimer un motif, sélectionnez les cellules concernées, ouvrez la boîte de dialogue Format de cellule et sélectionnez l'onglet Motifs ou bien cliquez sur l'option Aucune couleur de la palette Couleur.

Pour appliquer une couleur, utilisez l'outil Couleur de remplissage de la barre d'outils Mise en forme. Cliquez sur le bouton flèche pour ouvrir la palette dans laquelle vous choisirez la couleur désirée. Celle-ci apparaît instantané-ment dans la ou les cellules sélectionnées.

L'outil Couleur de remplissage n'offre aucun choix de motifs. Cependant, il vous permet de supprimer couleurs et motifs d'une sélection de cellules, en choisissant Aucun remplissage dans la palette qu'il vous propose.

Pour changer la couleur du texte, utilisez l'outil Couleur de caractères dans la barre d'outils Mise en forme. Cliquez sur le bouton flèche pour ouvrir la palette dans laquelle vous choisirez la couleur désirée pour la police. Si vous souhaitez revenir à la couleur noire, sélectionnez les cellules, puis choisissez Automatique en haut de la palette Couleur de caractères.

Rendre les palettes flottantes

Sachez que toute palette d'un outil de la barre d'outils Mise en forme peut devenir flottante. Il suffit d'opérer un cliquer-glisser sur sa barre de titre grisée. Pour fermer une palette flottante, cliquez sur son bouton de fermeture à l'extrême droite de sa fenêtre.

Les styles

Avec les styles, Excel met à votre disposition un large éventail de formats, composé de sept styles de cellules prédéfinis utilisables dans toute feuille de calcul : Euro, Milliers, Milliers [0], Monétaire, Monétaire [0], Normal et Pourcentage. En outre, lorsque vous employez des hyperliens (voir le Chapitre 10), Excel vous offre deux autres styles : Lien hypertexte et Lien hypertexte visité.

Le format par défaut est Normal. Les autres styles, Euro, Milliers, Milliers [0], Monétaire, Monétaire [0] et Pourcentage, sont utilisés pour formater des sélections de cellules avec des formats numériques différents. Quant aux styles Lien hypertexte et Lien hypertexte visité, ils servent à formater des liens dans la feuille de calcul (voir le Chapitre 10).

Pour appliquer un style à la sélection active, choisissez Style du menu Format. Dans la liste déroulante Nom du style, cliquez sur le style qui vous intéresse.

Vous pouvez créer vos propres styles. Il vous suffit simplement de formater une entrée de cellule que vous instituerez en tant que nouveau style (incluant le format numérique, la police, l'alignement, les bordures, les motifs, la protection - pour cette dernière, consultez le Chapitre 6).

Ouvrez ensuite la boîte de dialogue Style, tapez le nom de votre style dans la boîte Nom du style, cliquez sur le bouton Ajouter, puis sur OK.

Excel sauvegardera le nouveau style comme faisant partie de votre document dès que vous enregistrerez votre feuille de calcul. Pour appliquer ce nouveau style à une sélection, procédez comme avec n'importe quel autre style.

Les styles représentent un moyen génial de création de formats numériques. Vous pouvez créer un style numérique Masqué qui cache tous types d'entrées. Appliquez-le ensuite à un échantillon de cellules afin de créer un nouveau style nommé Masqué que vous ajouterez à la liste des styles de la boîte de dialogue s'y rapportant.

Suivez les étapes ci-dessous pour appliquer à une feuille de calcul, un style créé dans une autre feuille de calcul :

1. **Ouvrez le classeur qui contient les styles à copier dans le classeur actuel.**

2. **Avec le menu Fenêtre, réorganisez l'affichage des classeurs et activez le classeur destinataire.**

3. **Via la commande Style du menu Format, accédez à la boîte de dialogue Style du classeur destinataire de la copie.**

4. **Cliquez sur le bouton Fusionner. La boîte de dialogue Fusionner des styles s'affiche. Cliquez deux fois sur le nom du classeur dont vous voulez copier les styles.**

5. **Cliquez sur OK pour fermer la fenêtre et exécuter la fusion.**

Si le classeur destinataire comporte des styles de même nom que ceux que vous souhaitez copier, Excel affiche un message d'alerte vous demandant si vous souhaitez écraser les anciens styles. Si oui, cliquez Oui. Pour fusionner uniquement les styles portant des noms différents, cliquez Non. Pour abandonner toute copie de styles, choisissez le bouton Annuler.

Reproduire la mise en forme

L'utilisation des styles pour formater les cellules d'une feuille de calcul est certainement la méthode que vous utiliserez le plus souvent. Cependant, parfois vous voudrez simplement réutiliser le format d'une cellule particulière pour l'appliquer à d'autres cellules de la feuille de calcul, sans pour autant vouloir créer un nouveau style.

Pour cela, utilisez l'outil Reproduire la mise en forme de la barre d'outils Standard (son icône représente un pinceau).

Voici comment l'utiliser :

1. **Formatez comme bon vous semble une cellule ou une plage de cellules.**

2. **Avec le pointeur de cellule dans une des cellules formatées, cliquez sur l'outil Reproduire la mise en forme dans la barre d'outils Standard.**

Le pointeur de souris prend l'aspect d'une épaisse croix à laquelle est attaché un pinceau.

3. Faites glisser ce pointeur sur les cellules auxquelles vous désirez appliquer la mise en forme effectuée à l'étape 1.

Dès que vous relâchez le bouton de la souris, Excel formate les cellules sélectionnées !

Pour reproduire la mise en forme sur plusieurs plages de cellules non adjacentes, cliquez deux fois sur l'outil Reproduire la mise en forme, et appliquez-le sur ce qui doit être formaté. Pour arrêter une telle reproduction de format, cliquez une fois sur le même outil. Son bouton n'est plus enfoncé, et le pointeur reprend son aspect habituel.

Pour supprimer la mise en forme d'une cellule et la remettre dans son état par défaut (Standard), cliquez sur une cellule vide, puis sur l'outil Reproduire la mise en forme. Enfin, faites glisser le pointeur sur les cellules que vous voulez remettre en leur état d'origine (format Standard par défaut).

Formatage conditionnel

Excel 2000 propose une possibilité de formatage dite de *mise en forme conditionnelle*. Cela veut dire que tel formatage n'est appliqué que lorsque la cellule comporte une valeur particulière. Par exemple, vous créez un formatage conditionnel qui affiche le contenu de la cellule en caractères gras de 14 points (au lieu du caractère standard, qui est en maigre et en 10 points) lorsque la cellule contient une valeur particulière (150 000, par exemple) ou une valeur située dans une certaine fourchette (entre 50 000 et 100 000). Autre idée, celle d'afficher en rouge le contenu d'une cellule lorsque sa valeur est négative (inférieure à zéro).

La Figure 3.25 présente un exemple de mise en forme conditionnelle dans la cellule B14, qui contient une formule calculant le résultat (gains ou pertes) prévu pour l'exercice 1998 du groupe Entreprises de la Maison Mère.

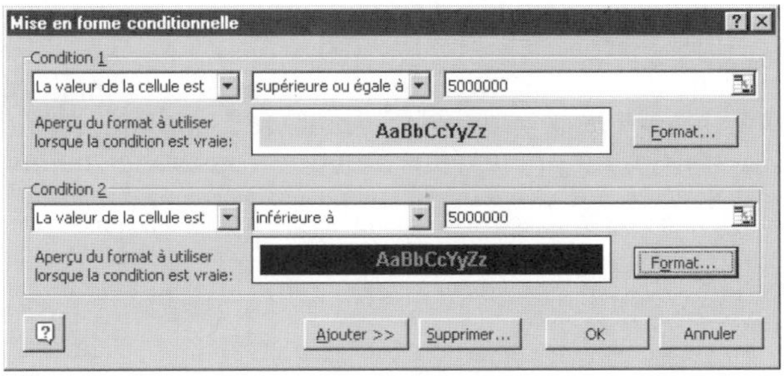

Figure 3.25
Exemple de mise en forme conditionnelle.

Dans cet exemple, la mise en forme conditionnelle affiche en gras et noir sur fond gris clair le contenu de la cellule lorsque le résultat prévu est supérieur ou égal à 5 000 000 F, en gras et rouge sur fond noir si le gain prévu est inférieur à cette somme.

Voici la procédure à suivre :

1. **Sélectionnez la cellule concernée (B14 dans l'exemple).**

2. **Actionnez la commande Mise en forme conditionnelle du menu Format.**

   La fenêtre de dialogue Mise en forme conditionnelle s'affiche.

3. **Dans la première liste de la zone Condition 1, vérifiez que c'est bien l'option *La valeur de la cellule est* qui est sélectionnée, plutôt que *La formule est*.**

   Lorsque vous créez une mise en forme conditionnelle, vous pouvez appliquer le formatage en tenant compte de la valeur contenue dans la cellule (le formatage est appliqué lorsque le contenu de la cellule vaut telle ou telle valeur ou encore est compris entre telle et telle valeur). Dans ce cas, il faut sélectionner l'option *La valeur de la cellule est*. Vous pouvez aussi appliquer la mise en forme uniquement lorsque la formule que vous déclarez est *vraie*. Dans ce deuxième cas, vous employez l'option *La formule est*.

4. **Dans la seconde liste, sélectionnez l'option *supérieure ou égale à*.**

   Lorsque vous travaillez sur la valeur de la cellule, vous disposez dans cette liste des options suivantes : *comprise entre*, *non comprise entre*, *égale à*, *différente de*, *supérieure à*, *inférieure à*, *supérieure ou égale à*, *inférieure ou égale à*. A vous de déterminer ce qui convient à votre situation.

5. **Tapez 5000000 dans la case de saisie, à droite.**

6. **Cliquez sur le bouton Format pour ouvrir la fenêtre de dialogue Format de cellule. C'est là que vous allez indiquer la mise en forme à appliquer.**

   Cette fenêtre de dialogue comporte trois onglets : Police, Bordure, Motifs. Sélectionnez les options de formatage à appliquer au contenu de la cellule lorsqu'il remplira la condition que vous venez de définir.

7. **Une fois que vous avez choisi le formatage à appliquer, cliquez sur le bouton OK pour fermer la fenêtre de dialogue Format de cellule.**

   Dans notre exemple, lorsque la valeur sera supérieure ou égale à 5 000 000, nous avons choisi d'appliquer du gras au texte et un ombrage de cellule gris clair.

8. **Dans la fenêtre Mise en forme conditionnelle, cliquez sur le bouton Ajouter, pour afficher la partie basse de la fenêtre et accéder à la deuxième condition.**

   Vous avez le droit à autant de conditions qu'il faut pour couvrir votre situation. Dans cet exemple, nous employons seulement deux conditions : l'une pour le cas où la valeur est supérieure ou égale à 5 000 000 ; l'autre lorsque la valeur est inférieure à 5 000 000.

9. **Dans la seconde partie de la fenêtre, indiquez les particularités de la seconde condition.**

   Pour cette condition, nous avons conservé l'option *La valeur de la cellule est*, puis sélectionné *inférieure à* dans la seconde liste, puis tapé 5000000 dans la case de saisie de droite (voir la Figure 3.25).

10. **Cliquez sur le bouton Format dans la zone Condition 2 et sélectionnez les options adéquates dans les onglets Police, Bordure et Motifs pour définir la mise en forme de la seconde condition.**

    Nous avons choisi du gras, une couleur de texte rouge et un ombrage de cellule noir (onglet Motifs).

11. **Une fois que vous avez défini le formatage pour la seconde condition, cliquez sur le bouton OK dans la fenêtre Format de cellule. Puis cliquez sur le bouton OK dans la fenêtre Mise en forme conditionnelle pour fermer cette fenêtre et appliquer la mise en forme conditionnelle à la cellule.**

La Figure 3.26 montre la mise en forme conditionnelle appliquée à la cellule B14. Ici, le résultat étant un gain prévu de plus de cinq millions de francs, le contenu de la cellule est formaté avec les caractéristiques définies pour la première condition (texte noir en gras sur fond gris clair). La Figure 3.27 montre ce qui arrive si le résultat prévu est, en revanche, inférieur à cinq millions de francs : le contenu de la cellule est formaté en tenant compte des caractéristiques définies pour la seconde condition, c'est-à-dire un texte rouge en gras sur fond noir.

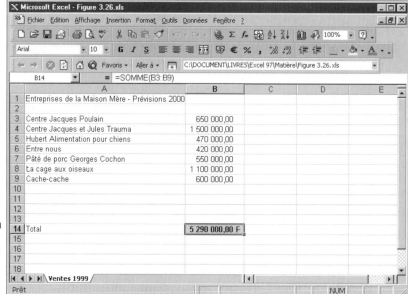

Figure 3.26
Mise en forme correspondant à la première condition (un résultat supérieur ou égal à 5 000 000).

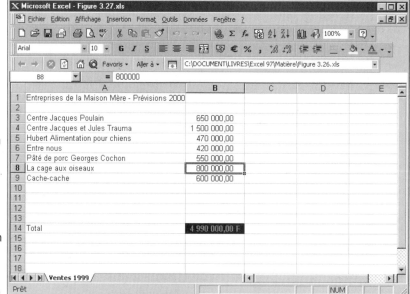

Figure 3.27
Mise en forme correspondant à la seconde condition (un résultat inférieur à 5 000 000).

Chapitre 4
L'univers des modifications

. . . .

Dans ce chapitre :

Ouvrir des classeurs pour les éditer.

Annuler vos erreurs.

Se déplacer pour copier avec la technique du glisser-déposer.

Copier des formules.

Se déplacer pour copier avec les fonctions Couper, Copier et Coller.

Effacer des entrées de cellule.

Retirer des colonnes et des lignes à la feuille de calcul.

Insérer des colonnes et des lignes dans la feuille de calcul.

Vérification orthographique de la feuille de calcul.

. . . .

Imaginez que vous ayez parfaitement réalisé une feuille de calcul à soumettre à votre patron, mais que celui-ci se rende compte de l'oubli de certaines informations qu'il fallait placer ici et là, entre telle et telle colonne ou ligne. Vous commencez à vous dire qu'il va falloir tout refaire dans l'urgence car le document doit être soumis dès le lendemain à l'Administration fiscale. Vous blêmissez... vous voici au bord de la crise de nerfs. Calmez-vous ! Nous allons apprendre à faire des modifications structurelles importantes, sans modifier l'esthétique de votre merveilleuse feuille de calcul.

L'édition d'une feuille de calcul d'un classeur peut se faire à plusieurs niveaux :

- Modification du contenu des cellules telle que copie des en-têtes d'une ligne ou d'une colonne, ou déplacement d'une table de données vers une zone particulière de la feuille de calcul.

- Modifications qui portent sur la structure même de la feuille de calcul telles qu'insérer de nouvelles colonnes ou lignes (pour y entrer de nouvelles données), ou suppression des colonnes et lignes inutiles d'une table sans laisser un seul espace vide.

- Modification du nombre de feuilles de calcul contenues dans un classeur (soit par l'ajout ou la suppression de feuilles).

Dans ce chapitre vous apprendrez à maîtriser toutes ces techniques. Il vous faudra être plus attentif qu'à l'habitude. N'ayez crainte, si vous faites une erreur, la fonction Annuler vous replacera dans l'état qui était le vôtre avant la malencontreuse modification.

Ouvrir un classeur afin de l'éditer

Avant d'effectuer un changement, vous devez ouvrir un classeur. Pour cela, cliquez sur l'outil Ouvrir de la barre d'outils Standard ou utilisez la commande Ouvrir du menu Fichier, ou enfin les raccourcis clavier Ctrl+O ou Ctrl+F12.

Quelle que soit la méthode utilisée, Excel affiche la boîte de dialogue Ouvrir (voir Figure 4.1). Dans la liste de la plus grande des fenêtres, choisissez le fichier sur lequel vous voulez travailler. Ensuite, pour l'ouvrir, soit cliquez sur Ouvrir, soit pressez Entrée, soit cliquez deux fois sur le nom du classeur.

De gauche à droite : Dossier parent - Rechercher sur le Web - Supprimer - Créer un dossier - Affichage

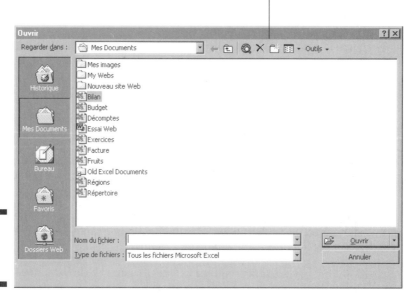

Figure 4.1
La boîte de
dialogue
Ouvrir.

Ouvrir plus d'un classeur à la fois

Pour éditer plus d'un des classeurs présents dans la liste de la boîte de dialogue Ouvrir, sélectionnez tous les classeurs à ouvrir pour qu'Excel les ouvre dès que vous aurez cliqué sur Ouvrir ou pressé la touche Entrée.

La sélection multiple séquentielle s'effectue en cliquant sur le premier nom de fichier, puis, tout en maintenant la touche Maj enfoncée, sur le dernier. Pour une sélection non séquentielle, cliquez sur les différents noms de fichiers en maintenant la touche Ctrl enfoncée.

Une fois les classeurs sélectionnés ouverts, passez d'un document à un autre via le menu déroulant Fenêtre (au Chapitre 7 vous trouverez plus de détails sur la manière de travailler avec plusieurs documents ouverts en même temps).

Ouvrir depuis le menu Fichier des classeurs récemment édités

Le menu Fichier garde en mémoire les quatre derniers classeurs que vous avez ouverts. Si vous devez travailler sur l'un d'eux, déroulez le menu Fichier et tapez le chiffre (1, 2, 3 ou 4) correspondant au document à ouvrir (ou cliquez dessus).

Vous pouvez régler le nombre de fichiers accessibles via cette partie inférieure du menu Fichier :

1. **Choisissez Outils/options pour accéder à la zone de dialogue Options.**

2. **Activez l'onglet Général.**

3. **Entrez le nombre de fichiers souhaité dans la case ... fichiers de l'option Liste des derniers fichiers utilisés.**

4. **Confirmez en cliquant sur OK.**

Pour qu'aucun fichier n'apparaisse dans ce menu Fichier, désactivez l'option, tout simplement.

Si vous ne savez plus où se trouve le fichier

Pour une raison indépendante (normalement) de votre volonté, le fichier que vous voulez ouvrir ne se trouve pas dans la liste proposée. Comment le retrouver ?

Chercher dans tous les lecteurs

Dans le cas de figure envisagé, la première chose à faire est de vous assurer que vous cherchez dans le bon dossier, sinon je peux vous garantir que vous ne trouverez jamais votre fichier. Le nom du dossier actif apparaît dans la fenêtre Regarder dans (voir Figure 4.1).

Si ce n'est pas le bon dossier, cherchez dans les dossiers parents en cliquant sur le bouton du même nom (voir Figure 4.1). Cliquez jusqu'à ce que le bon dossier apparaisse. Ouvrez ce dernier en cliquant deux fois sur son icône dans la liste affichée (ou en pressant le bouton Ouvrir ou la touche Entrée).

Si le dossier se trouve sur un autre disque, cliquez sur le bouton Dossier parent jusqu'à ce que l'ensemble des disques et lecteurs de votre ordinateur apparaisse dans la fenêtre principale. Cliquez deux fois sur l'icône du bon lecteur, ou pressez le bouton Ouvrir ou la touche Entrée.

Le volet gauche de la fenêtre propose une série d'icônes (Historique, Mes Documents, Bureau, Favoris et Dossiers Web) qui vous assure un accès aisé à vos fichiers :

- **Historique** : Propose les fichiers sauvegardés dans le dossier Récent (du dossier Office du dossier Microsoft).

- **Mes Documents** : Propose les fichiers sauvegardés dans le dossier Mes Documents.

- **Bureau** : Dresse la liste des fichiers archivés directement sur le bureau de Windows.

- **Favoris** : Propose les fichiers archivés dans le dossier Favoris du dossier Windows.

- **Dossiers Web** : Donne accès à des fichiers (plus particulièrement à ceux que vous avez enregistrés en tant que pages Web) stockés dans n'importe quel dossier Web de votre disque dur. (Le Chapitre 10 vous explique comment enregistrer un classeur Excel comme une page Web et comment créer des dossiers Web sur votre poste de travail.)

Utiliser les Documents favoris

Vous avez réussi à localiser le fichier recherché ? Parfait ! Sachez que vous pourrez accélérer le processus lors de la prochaine recherche de ce même document en l'ajoutant aux Documents favoris.

Pour ajouter un dossier (ou un fichier particulier) au dossier Documents favoris, suivez ces étapes :

1. **Sélectionnez l'icône du dossier ou du fichier dans la boîte de dialogue Ouvrir.**

2. **Déroulez le menu local Outils et choisissez Ajoutez aux Favoris (Figure 4.1).**

Vous pouvez immédiatement ouvrir ce nouveau fichier ou dossier ajouté en cliquant sur le bouton Regarder dans un Document favori, puis deux fois sur l'icône correspondante ou sur le bouton Ouvrir, ou en pressant Entrée.

A la recherche des fichiers cachés

La boîte de dialogue Ouvrir possède une fonction intégrée nommée Rechercher qui permet de limiter vos recherches à un type de fichiers particulier.

Quand vous utilisez cette fonction, indiquez exactement à Excel la procédure de recherche à suivre grâce à des critères comme :

• Le nom du fichier contient une chaîne donnée de caractères.

• Le fichier n'est pas un classeur Excel.

• Le fichier contient une chaîne donnée de caractères ou une propriété spécifique (titre, auteur, mot clé).

• Le fichier a été créé ou modifié à une date précise ou dans une fourchette donnée.

Pour accéder à la fenêtre de recherche, choisissez Outils/Rechercher et définissez vos critères dans cette zone de dialogue (Figure 4.2).

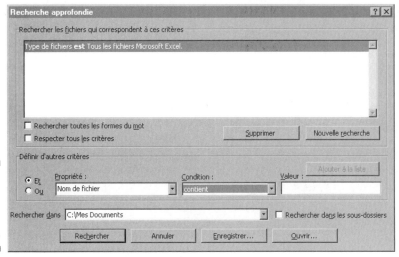

Figure 4.2
La boîte de
dialogue
Recherche
approfondie.

- Normalement, les critères de recherche approfondie peuvent se cumuler. Excel n'isolera donc que le fichier qui répond à tous les critères définis (puisque, par défaut, l'option Et est validée). Toutefois, si vous voulez qu'il isole tout fichier répondant à un seul des critères définis, utilisez l'option Ou.

- Par défaut, Excel base sa recherche sur le nom du fichier. Si vous voulez qu'il recherche à partir d'un autre critère, déroulez la liste Propriété et choisissez un autre critère (auteur, contenu, date de création, etc.).

- Excel effectue sa recherche selon une certaine valeur ou une partie de texte. Vous pouvez préciser la démarche d'Excel en déroulant la boîte Condition pour choisir si Excel doit prendre en compte tout le contenu du texte, son début ou sa fin.

- Dans la boîte Valeur, entrez la valeur ou le texte sur lequel va s'appuyer la recherche. Par exemple, si vous souhaitez trouver tous les fichiers qui contiennent le texte "Jacques", tapez ce nom dans la boîte d'édition. Idem pour une valeur. Si vous recherchez les fichiers contenant la valeur "1 250 750", tapez **1250750** dans la boîte d'édition Valeur.

Une fois que toutes les options qui vous paraissent nécessaires à une bonne recherche sont réunies, cliquez sur le bouton Ajouter à la liste.

Vous pouvez changer le répertoire de recherche en déroulant la boîte Rechercher dans, pour y choisir un niveau hiérarchique différent. Si vous désirez que la recherche se fasse dans tous les dossiers des dossiers, cochez la case Rechercher dans les sous-dossiers.

Une fois rassemblée cette masse de critères, lancez la recherche en cliquant sur le bouton Rechercher. Pendant la recherche, Excel ferme la boîte de dialogue Recherche approfondie, laissant apparente la boîte de dialogue Ouvrir. Une fois la recherche terminée, le résultat est affiché dans la liste de la boîte de dialogue Ouvrir. Si la fenêtre contient plus de dossiers qu'elle ne peut en afficher, utilisez la barre de défilement vertical pour faire apparaître le reste du contenu.

Sauvegarder les critères de recherche pour une autre fois

Vous pouvez sauver vos critères de recherche pour une utilisation ultérieure. Pour cela, cliquez sur le bouton Enregistrer de la boîte de dialogue Recherche approfondie. Une nouvelle boîte s'ouvre dans laquelle vous taperez le Nom de la recherche. Cliquez sur OK pour terminer votre enregistrement. Pour utiliser à nouveau ces mêmes critères de manière à isoler un fichier depuis la boîte de dialogue Ouvrir, cliquez sur Ouvrir depuis la fenêtre Rechercher approfondie et sélectionnez la recherche à lancer.

Procéder à une identification précise

Normalement, Excel présente les dossiers et fichiers sous la forme d'une liste d'icônes.

Vous pouvez modifier cette présentation grâce aux options du menu déroulant Affichages (Figure 4.1) :

- **Détails** affiche la taille du fichier en kilo-octets, le type de fichier et la date de sa dernière modification (voir Figure 4.3).

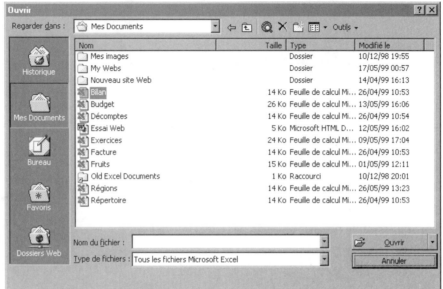

Figure 4.3
La boîte de dialogue Ouvrir après activation de la commande Détails.

- **Propriétés** affiche une fenêtre d'informations comme l'illustre la Figure 4.4. (Pour créer un résumé comportant ce type d'informations, sélectionnez le fichier dans la fenêtre Ouvrir, puis choisissez Outils/ Propriétés et activez l'onglet Résumé lorsque la fenêtre des propriétés s'affiche.)

- **Aperçu** permet d'avoir une représentation miniature de la première feuille de calcul du fichier classeur, comme le montre la Figure 4.5.

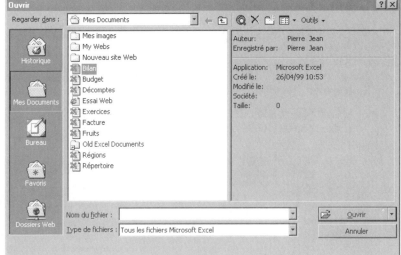

Figure 4.4
La boîte de
dialogue
Ouvrir après
activation de
la com-
mande
Propriétés.

Figure 4.5
La boîte de
dialogue
Ouvrir après
activation de
la com-
mande
Aperçu.

Personnaliser l'ouverture des fichiers

Le menu déroulant auquel vous accédez lorsque vous opérez un clic maintenu sur le bouton Ouvrir vous permet d'accéder à d'autres techniques
d'ouverture. En l'occurrence :

- **Ouvrir en lecture seule :** Ouvre le fichier en mode Lecture, ce qui
  suppose que si vous le modifiez, vous devrez sauver vos modifications
  sous un nouveau nom de classeur (via la commande Enregistrer sous du
  menu Fichier).

- **Ouvrir une copie :** Ouvre une copie des fichiers sélectionnés dans la fenêtre de dialogue Ouvrir. Ainsi, si vous détruisez la copie, vous disposez toujours de l'original pour retomber sur vos pieds.

- **Ouvrir dans un navigateur :** Ouvre les fichiers enregistrés en tant que pages Web (voir le Chapitre 10) dans votre navigateur Web préféré (il s'agit, en général, de Microsoft Internet Explorer). Cette commande n'est accessible que lorsque le programme a identifié le ou les fichiers sélectionnés comme étant des pages Web et non des classeurs Excel classiques.

A propos d'Annuler

Avant de vous lancer à corps perdu dans le classeur que vous venez d'ouvrir, vous devez savoir que la commande Annuler du menu Édition est une commande qui annule les effets de la dernière modification et replace, en l'état, ce sur quoi portaient vos modifications. Annuler un effacement replace la donnée effacée dans sa cellule.

Le nom exact de la commande Annuler change à chacune de vos actions. Si vous ne vous apercevez pas immédiatement que vous avez fait une erreur et que vous entamez une autre opération, vous ne pouvez annuler directement l'action précédente. Il vous faut alors cliquer sur la flèche du bouton Annuler dans la barre d'outils Standard (il est orné d'une flèche courbe pointant vers la gauche), puis sélectionner dans la liste l'action que vous désirez annuler. Notez bien que toutes les actions précédant celle-ci dans la liste seront également annulées.

Le raccourci clavier de la commande Annuler est Ctrl+Z.

Annuler et rétablir

Chaque fois que vous annulez une action, vous avez la possibilité de rétablir cette action, c'est-à-dire d'annuler l'annulation. Ainsi, après l'annulation d'une saisie (Annuler frappe), la deuxième commande du menu Édition devient :

```
Rétablir frappe Ctrl+Z
```

N'hésitez pas, pour annuler ou rétablir, à recourir aux icônes de la barre d'outils Standard : elles sont d'un accès plus direct que les commandes correspondantes du menu Édition.

De plus, vous pouvez annuler et rétablir plusieurs actions grâce aux menus déroulants situés à droite des icônes, dans la barre d'outils.

Que faire quand on ne peut pas Annuler ?

Si vous pouvez annuler l'effacement du contenu d'une cellule, un déplacement inopportun ou une copie indésirable, vous ne pouvez pas annuler le dernier enregistrement de votre classeur (commande Enregistrer ou Enregistrer sous du menu Fichier).

Dans ce cas de figure, Excel affiche dans le menu Édition :

```
Impossible d'annuler
```

Il existe pourtant une exception à la passivité d'Excel face à l'impossibilité d'annuler une action. Lorsque celui-ci s'aperçoit que la commande à exécuter va affecter considérablement la feuille de calcul, un message vous avertit que l'annulation de la commande envisagée ne sera pas possible car la mémoire disponible est insuffisante. Si malgré le message vous décidez d'exécuter la commande, cliquez le bouton Oui de la fenêtre du message, sachant que vous ne pourrez pas annuler votre action. Donc, méfiance ! Dans une telle situation, la seule solution est de fermer le fichier (Fichier/Fermer) *sans enregistrer vos modifications*.

Utiliser la bonne vieille méthode du glisser-déposer

C'est la première technique d'édition que vous devez connaître. Il s'agit d'utiliser la souris pour faire glisser une sélection de cellules et la déposer à un autre endroit de la feuille de calcul. Vous pouvez aussi bien glisser-déposer les données d'une cellule que copier une sélection de cellules.

Voici comment utiliser le glisser-déposer pour déplacer une plage d'entrées de cellules (vous ne pouvez déplacer qu'une plage à la fois) :

1. **Sélectionnez la plage de cellules.**

2. **Placez le pointeur sur un des bords de la plage sélectionnée.**

3. **Quand il prend la forme d'une flèche, faites glisser la plage.**

   Pour réaliser la troisième étape, vous devez maintenir enfoncé le bouton gauche de la souris tout en déplaçant celle-ci.

   A l'écran, votre déplacement épousera celui des bordures de la plage sélectionnée. Excel affiche une info-bulle indiquant les références de la plage de cellules sélectionnées.

4. Une fois la nouvelle position atteinte, relâchez le bouton de la souris.

Le contenu des cellules de la plage ainsi déplacée apparaît à sa nouvelle position dans la feuille de calcul.

La Figure 4.6 montre comment libérer de la place pour inscrire deux nouvelles sociétés dans la feuille de calcul, en faisant glisser la plage A10:E10 jusqu'à la ligne 12, comme le montre la Figure 4.7.

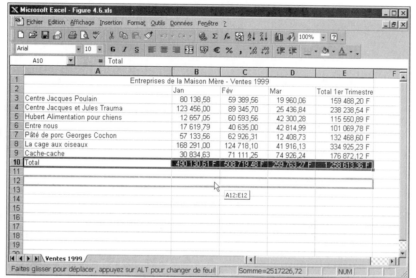

Figure 4.6
Faire glisser
une sélec-
tion de
cellules vers
une nouvelle
position sur
la feuille de
calcul.

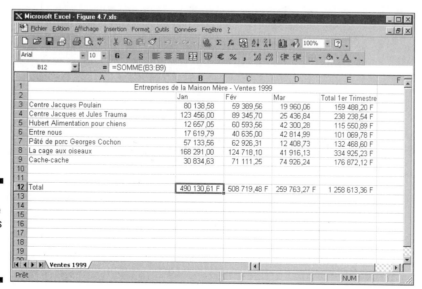

Figure 4.7
La feuille de
calcul après
l'opération
glisser-
déposer.

Notez que malgré le glisser-déposer, la SOMME ne concerne toujours que la plage B3:B9. Si vous entrez les résultats financiers de deux nouvelles sociétés, vous pouvez étendre la SOMME aux cellules B10 et B11 (consultez la section suivante "Remplissage automatique des formules").

Glisser-déposer des copies de styles

Maintenant, vous avez compris comment glisser-déposer une plage de cellules dans une même feuille de calcul. Admettons que vous vouliez créer, un peu plus bas dans la feuille, une nouvelle table conservant les formats actuels de titres et d'en-têtes de ligne :

1. **Sélectionnez la plage de cellules B2:E2.**

2. **Maintenez enfoncée la touche Ctrl tout en positionnant le pointeur de la souris sur un des bords de la sélection.**

   Le pointeur prend la forme d'une flèche avec le signe + attaché à sa droite (on retrouve également l'info-bulle donnant les références de cellules). Vous pouvez dès lors glisser-déposer pour effectuer une *copie* de la sélection et non un simple *déplacement*.

3. **Faites glisser les contours de la plage sélectionnée où vous désirez placer la copie, et relâchez le bouton gauche de la souris.**

Lors d'un déplacement ou d'une copie sur des cellules contenant déjà des données, Excel affichera le message suivant :

```
Voulez-vous remplacer le contenu des cellules de destination ?
```

Si vous ne souhaitez pas ce remplacement, cliquez sur le bouton Annuler, sinon cliquez sur OK ou pressez la touche Entrée.

Insérer via le glisser-déposer

Placer une entrée sur une cellule contenant des données provoque un remplacement de celles-ci. Tout se passe comme si les données n'avaient jamais existé.

Au lieu d'effacer, vous pouvez insérer les données que vous déplacez ou copiez. Il vous suffit de maintenir enfoncée la touche Maj pendant l'opération de glisser (si vous copiez, maintenez enfoncées les touches Ctrl et Maj en même temps !). Cette fois, la plage de cellules prend l'aspect d'un grand I. Effectuez votre déplacement et, une fois que la position où vous souhaitez insérer la plage est atteinte, relâchez le bouton de la souris.

Les Figures 4.8 et 4.9 montrent comment la colonne E a été insérée entre les colonnes A et B, décalant vers la droite les autres colonnes. La colonne E ainsi insérée devient alors la colonne B.

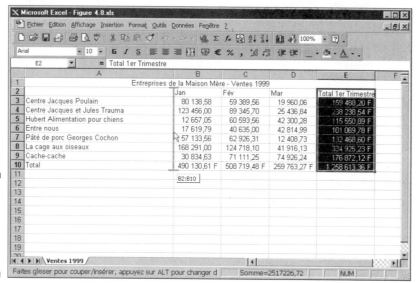

Figure 4.8
Faire glisser
la colonne E
afin de
l'insérer
colonne B.

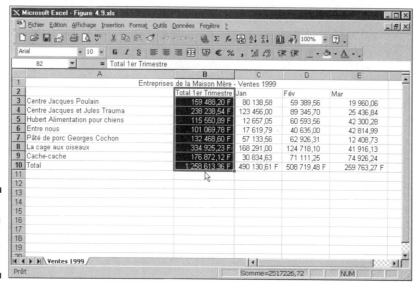

Figure 4.9
Aspect de la
feuille de
calcul après
insertion.

Notez que, lors du déplacement, le grand I est positionné horizontalement. C'est lorsqu'il prend sa forme verticale que vous pouvez effectuer l'insertion.

Gardez également ceci à l'esprit : il arrive parfois, après le déplacement d'une plage de cellules dans une feuille de calcul, que vous obteniez une série de dièses ####### dans une ou plusieurs cellules car Excel 2000 ne réalise pas dans ce cas un ajustement automatique de la largeur de colonnes. Il vous faut élargir vous-même la colonne, suffisamment pour que les données aient de la place pour être affichées correctement. Le moyen le plus facile pour élargir la largeur d'une colonne est de double-cliquer sur sa bordure de droite.

J'ai pourtant maintenu la touche Maj enfoncée

L'insertion par la technique du glisser-déposer est très méticuleuse. Parfois, même en étant très précis, Excel affichera un message d'alerte vous indiquant qu'il s'apprête à remplacer les données existantes au lieu de les pousser. Face à un tel message, cliquez toujours sur le bouton Annuler. Si cette technique vous pose problème, vous pourrez utiliser les commandes Couper et Insertion cellule copiée (voir "Couper et Coller" plus loin dans ce chapitre), sans vous préoccuper de l'exact positionnement du grand I.

Remplissage automatique des formules

Plutôt que de copier une plage de cellules dans une nouvelle zone de la feuille de calcul, vous voulez juste copier une formule que vous désirez appliquer à d'autres plages de cellules. Ce type de copie ne se fait pas avec la technique du glisser-déposer, mais avec la fonction de Remplissage automatique (présentée au Chapitre 2) ou les commandes Couper et Coller (voir un peu plus loin dans ce chapitre).

Les Figures 4.10 et 4.11 montrent une copie de formule par la fonction de Remplissage automatique. Dans la Figure 4.11, nous avons ajouté les sociétés Charcuterie Simon et Droguerie Boulle, respectivement aux lignes 10 et 11 rendues libres par le déplacement du Total jusqu'à la ligne 12.

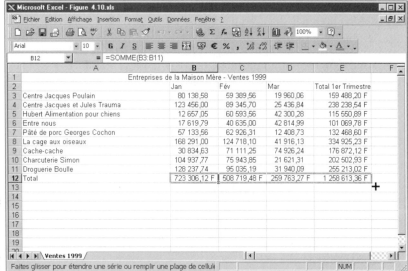

Figure 4.10
Copier une
formule vers
une autre
plage de
cellules avec
la fonction
de Remplis-
sage
automatique.

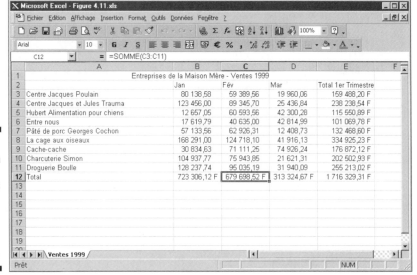

Figure 4.11
Aspect de la
feuille de
calcul après
copie d'une
formule de
calcul des
ventes
mensuelles.

Malheureusement, Excel n'a pas mis à jour le total des colonnes après l'entrée des chiffres des deux nouvelles sociétés. La SOMME s'arrête à la prise en compte des cellules 3 à 9 uniquement. Pour que la fonction SOMME prenne en compte toutes les lignes, placez le pointeur dans la cellule B12 et cliquez sur l'outil Somme automatique de la barre d'outils Standard. Excel suggère alors la prise en compte de la plage B3:B11 par la fonction SOMME.

La Figure 4.10 montre comment la nouvelle formule est appliquée à la plage C12:E12. Le contenu de ses cellules a été effacé pour une meilleure compréhension de ce qui se passe, mais il n'est pas obligatoire de le faire.

Relativement parlant

La Figure 4.11 montre l'aspect de la feuille de calcul après copie de la formule à la plage de cellules C12:E12 et sélection de la cellule C12. Voyez comment Excel gère la copie de formules. La formule d'origine dans la cellule B12 apparaît ainsi :

```
=SOMME(B3:B11)
```

Une fois la formule copiée à la cellule C12, la formule devient :

```
=SOMME(C3:C11)
```

Excel ajuste les références des colonnes. Nous sommes passés de B à C car la copie s'est faite de la gauche vers la droite.

Excel ajuste toujours la formule en fonction des numéros de lignes concernés par celle-ci. Par exemple, la cellule E3 de la feuille de calcul Maison Mère - Ventes 1999 contient la formule suivante :

```
=SOMME(B3:D3)
```

Quand vous copiez cette formule dans la cellule E4, Excel la modifie et affiche :

```
=SOMME(B4:D4)
```

Comme Excel modifie les références des cellules dans une formule relativement à la direction de la copie, les références des cellules sont appelées *références relatives*.

Ce qui demeure absolu !

Dans certaines circonstances, il vous faudra ajuster les références de cellules pour obtenir le résultat souhaité. Ici, il n'est plus question de références relatives car nous touchons à des *données* absolues. Ce sera le cas lorsque vous souhaiterez calculer un pourcentage. Prenons notre feuille de calcul actuelle et supposons que vous vouliez entrer une formule dans la ligne 14 en commençant cellule B (B14), pour calculer le pourcentage des ventes du mois de janvier. Vous inscrirez :

```
=B12/E12
```

Concrètement, cette formule divise le total de la cellule B12 (ventes de janvier) par le total de la cellule E12 (total des ventes du premier trimestre). Mais regardez ce qui se passe si vous copiez cette formule dans la cellule 14 ; elle devient :

```
=C12/F12
```

C'est un désastre. L'ajustement des références de cellules s'est fait n'importe comment, et la cellule C14 retourne un message d'erreur #DIV/0!.

Pour empêcher Excel d'ajuster les références lors d'une copie de formule, convertissez les références relatives en références absolues. Il vous suffit pour cela de presser la touche de fonction F4 après avoir entré votre formule dans la cellule. Excel place alors un signe $ devant la lettre de la colonne et le numéro de la ligne. La Figure 4.12 illustre ce que doit contenir la barre de formule :

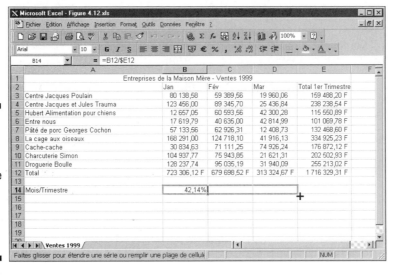

Figure 4.12
Copier une formule de calcul de pourcentage en utilisant une référence de cellule absolue.

```
=B12/$E$12
```

La Figure 4.13 montre l'aspect de la feuille de calcul après copie de la formule sur la plage C14:D14. Notez que la barre de formule indique :

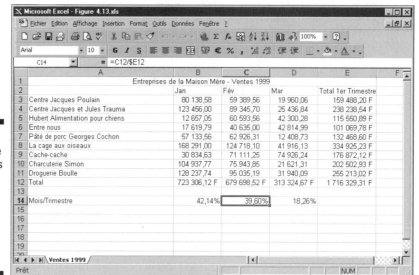

Figure 4.13
La feuille de calcul après copie de la formule contenant une référence de cellule absolue.

```
=C12/$E$12
```

Du fait que E12 est devenu $E$12 dans la formule originale, toutes les copies ont gardé la même référence absolue, à savoir E12.

Si vous copiez une formule dans des cellules où les références sont relatives au lieu d'être absolues, éditez la formule originale comme suit :

1. **Cliquez deux fois sur la cellule contenant la formule ou pressez F2 afin de l'éditer.**

2. **Positionnez le point d'insertion n'importe où sur la référence à convertir en référence absolue.**

3. **Pressez F4.**

4. **Quand l'édition est terminée, pressez Entrée, puis copiez la formule sur la plage de cellules concernée.**

Enfoncez bien la touche F4 une seule fois. Si vous l'enfoncez une deuxième fois, vous obtenez une référence dite mixte, où la ligne est absolue et la colonne relative (comme E$12). Si vous l'enfoncez une troisième, vous obtenez une autre référence mixte, où, cette fois, la ligne est relative et la colonne absolue (comme $E12). Enfin, si vous l'enfoncez une fois encore, vous revenez à la référence relative du début (comme E12). Recommencez le cycle !

Couper et Coller

Il est possible d'effectuer ces opérations sans utiliser le glisser-déposer ou la fonction de Remplissage automatique. Utilisez les traditionnelles commandes Couper, Copier et Coller pour déplacer ou copier n'importe quelle information de n'importe quelle feuille de calcul ouverte dans Excel, et même vers d'autres programmes fonctionnant sous Windows (comme Word, par exemple).

Pour déplacer une sélection de cellules avec Couper et Coller :

1. **Sélectionnez les cellules à déplacer.**

2. **Cliquez sur le bouton Couper dans la barre d'outils Standard.**

   Ou choisissez la commande Couper dans le menu contextuel de la cellule, ou Couper dans le menu Édition, ou enfin le raccourci clavier Ctrl+X.

   Une fois la commande Couper lancée, la sélection de cellules se trouve entourée d'une ligne pointillée animée, et le message suivant apparaît dans la barre d'état :

```
Sélect. une destination et appuyez sur ENTREE ou choisissez Coller
```

3. **Déplacez le pointeur de cellule vers, ou sélectionnez, le coin supérieur gauche de la nouvelle plage destinataire de l'information.**

4. **Pressez Entrée pour terminer l'opération de déplacement.**

   Ou bien utilisez le bouton Coller de la barre d'outils Standard, l'option Coller du menu contextuel de la cellule destinataire, la commande Coller du menu Édition, ou enfin la combinaison Ctrl+V.

Notez que vous n'avez pas à indiquer à Excel la taille de la plage de destination mais simplement à localiser sa première cellule. A partir de là, Excel colle les informations exactement comme il faut pour remplir les cellules restantes.

Pourtant, vous pouvez mettre du désordre dans votre feuille de calcul si la première cellule de destination ne permet pas à Excel d'arranger correctement l'ensemble des données collées. Dans ce cas, le message suivant apparaît :

> Impossible de coller les informations car les zones Copier et de collage sont de forme et de taille différentes. Essayez l'une des opérations suivantes :
>
> • Cliquez sur une seule cellule, puis collez.
>
> • Sélectionnez une zone rectangulaire de taille et de forme identiques à celles des informations, puis collez.

Si vous choisissez OK, vous devrez modifier la taille de la plage de destination pour obtenir une feuille de calcul cohérente et terminer ainsi l'opération de déplacement.

Coller une sélection de cellules ou la couper s'effectuent de manière similaire, sauf que vous utilisez l'outil ou la commande Coller à la place de Couper, et le raccourci Ctrl+C à la place de Ctrl+X.

Coller à n'en plus finir

Une fois utilisées les commandes Copier, puis Coller, la plage sélectionnée reste entourée d'un cadre en pointillé. Il vous indique que vous pouvez sélectionner une autre plage destinataire.

Une fois la destination choisie, vous pouvez à nouveau coller et recommencer jusqu'à remplir totalement votre feuille de calcul... Pour désélectionner la plage de cellules et terminer toute opération de coller, pressez Entrée au lieu de choisir la commande Coller. Si par erreur vous choisissez Coller, supprimez le cadre en pointillé de la plage de cellules originale en pressant la touche Echap.

A la différence des versions précédentes d'Office, les programmes qui composent Office 2000 (notamment Excel) peuvent stocker plusieurs éléments dans le Presse-papiers (12 maximum).

Pour coller un de ces éléments dans une feuille de calcul, vous devez afficher la barre d'outils Presse-papiers :

1. **Choisissez Affichage/Barres d'outils/Presse-papiers ou opérez un clic droit sur la barre des menus, puis choisissez Presse-papiers dans le menu contextuel.**

La barre d'outils Presse-papiers s'affiche (Figure 4.14). Chaque icône de cette palette représente un élément coupé ou copié.

Figure 4.14
La barre
d'outils
Presse-
papiers.

2. **Pour connaître le contenu d'un élément coupé ou copié, positionnez votre pointeur sur une des icônes de cette barre Presse-papiers et patientez une seconde ou deux.**

3. **Pour coller un élément dans la cellule active de la feuille courante, cliquez sur l'icône correspondante de la barre d'outils Presse-papiers.**

Le bouton Coller tout vous permet de coller, en une seule opération, tous les éléments stockés dans ce Presse-papiers cumulatif d'Office 2000. Sachez encore que, lorsque vous coupez ou copiez un treizième élément, Excel remplace le premier de la barre d'outils par le dernier coupé ou copié.

Qu'a donc de si spécial le Collage spécial ?

Normalement, Excel copie toutes les informations de la plage de cellules sélectionnée : formatage, formules, texte, valeurs. Par contre, rien ne vous empêche de sélectionner les informations que vous désirez coller, par exemple les formules et valeurs sans les textes, tout sauf le format, etc.

Pour coller des informations particulières d'une sélection de cellules, choisissez la commande Collage spécial, soit du menu contextuel d'une cellule, soit du menu Édition. S'ouvre alors une boîte de dialogue (Figure 4.15) dans laquelle vous choisirez les informations en activant ou désactivant les boutons radio appropriés :

- Dans la fenêtre Coller, le choix proposé par défaut est **Tout**, qui signifie que toutes les informations seront collées.

- **Formules** collera tout texte, chiffres et formules de la sélection de cellules active sans en appliquer le formatage.

- **Valeurs** convertira, en valeurs calculées, les formules de la sélection de cellules active.

Figure 4.15
La boîte de
dialogue
Collage
spécial.

- **Formats** collera uniquement le formatage de la sélection de cellules.

- **Annotations** collera uniquement les annotations des cellules (voir Chapitre 6 pour plus de précisions).

- **Validation** colle les règles de validation que vous avez définies via la nouvelle commande Validation du menu Données.

- **Tout sauf la bordure** collera les valeurs et les formules mais pas la bordure.

- **Largeurs de colonnes** copie la largeur des colonnes source.

- Dans la fenêtre Opération, **Aucune** signifie qu'Excel remplacera complètement les cellules de la zone de collage par celles de la zone de copie.

- **Addition** ajoutera les données coupées ou copiées à celles contenues dans la zone de collage.

- **Soustraction** soustraira les données coupées ou copiées de celles contenues dans la zone de collage.

- **Multiplication** multipliera les données coupées ou copiées par celles contenues dans la zone de collage.

- **Division** divisera les données coupées ou copiées par celles contenues dans la zone de collage.

- Cochez la case **Blancs non compris** pour éviter que des valeurs de la zone de collage soient remplacées par des cellules vides de la zone de copie.

- Si la case **Transposé** est cochée, Excel change les colonnes de données copiées en lignes, et inversement.

- **Coller avec liaison** établit un lien entre les données collées et les données originales. Ainsi, tout changement apporté aux cellules d'origine sera automatiquement répercuté sur les données collées.

Précisons un peu la fonction Effacer

Vous pouvez exécuter deux types d'effacement dans une feuille de calcul :

- **Nettoyer une cellule :** efface ce que contient la cellule sans retirer celle-ci de la feuille de calcul.

- **Effacer une cellule :** supprime la cellule (son contenu et son format). Dans ce cas, Excel vous demande de choisir la manière dont il va placer les cellules se trouvant en dessous de celle que vous venez de supprimer, afin de ne laisser aucun vide.

Tout nettoyer !

Pour effacer le contenu d'une sélection de cellules sans supprimer ces dernières, sélectionnez la plage de cellules et pressez la touche Suppr, ou choisissez la commande Effacer/Contenu du menu Édition.

Les options de cette dernière commande vous permettent de préciser davantage votre opération de nettoyage :

- Tout efface absolument tout ce que contient la sélection de cellules.

- Format efface uniquement le format de la sélection.

- Commentaires efface uniquement les annotations de la sélection de cellules.

Sortez ces cellules d'ici !

Pour effacer les cellules, sélectionnez la plage de cellules et choisissez Supprimer... dans le menu contextuel ou le menu Édition. Excel affiche alors une boîte de dialogue semblable à celle de la Figure 4.16. En fonction des boutons radio actifs, voici ce qui se passe :

Figure 4.16
La boîte de
dialogue
Supprimer.

- Décaler les cellules vers la gauche est l'option par défaut. Excel déplace les données des colonnes adjacentes de la droite vers la gauche afin de combler le trou créé, lorsque vous supprimez une cellule.

- Un même déplacement se fera vers le haut si vous activez Déplacer les cellules vers le haut.

- Activez Ligne entière pour supprimer les lignes de la sélection active.

- Activez Colonne entière pour supprimer les colonnes de la sélection active.

Une autre méthode de suppression de ligne ou de colonne consiste à cliquer sur leurs cadres respectifs, puis à presser la touche Suppr ou à choisir la commande Supprimer du menu contextuel ou du menu Édition. Par une multisélection de colonnes ou de lignes, vous pouvez en effacer plusieurs d'un coup.

Supprimer des colonnes ou des lignes entières est très risqué si leurs cellules contiennent des valeurs. Souvenez-vous que lors d'une suppression de ligne vous effacez *toutes les informations contenues dans les colonnes A à IV*, et lors d'une suppression de colonne *toutes les informations contenues dans les lignes 1 à 65 536.*

Insérer de nouvelles cellules

A un moment ou à un autre, vous serez confronté à ce problème de saisir de nouvelles données dans une partie de la feuille de calcul déjà occupée. La meilleure méthode consiste à insérer une cellule vierge dans laquelle vous effectuerez vos entrées. Pour cela, utilisez la commande Insérer... du menu contextuel des cellules ou la commande Cellule... du menu Insertion. S'ouvre alors la boîte de dialogue Insertion de cellule offrant les options suivantes :

- Décaler les cellules vers la droite déplace le contenu de la cellule et laisse une cellule vide pour y entrer des données.

- Vous pouvez activer Décaler les cellules vers le bas. Le contenu descendra vers la première cellule vide, libérant de la place pour une nouvelle entrée.

- Tout comme pour la suppression, vous pouvez insérer des lignes et des colonnes entières, en cliquant sur les boutons radio Ligne entière ou Colonne entière. Une sélection plus rapide consiste à cliquer sur la lettre de la colonne ou le numéro de la ligne.

Notez qu'à partir du menu Insertion vous pouvez insérer une ligne ou une colonne entière en choisissant la commande Ligne ou Colonne.

Gardez à l'esprit que l'effacement ou l'insertion de lignes et colonnes affecte la totalité de la feuille de calcul, et pas seulement la zone visible. Afin d'éviter tout désastre, je vous conseille de faire défiler la feuille de calcul pour rendre visibles les parties masquées, avant d'entreprendre une des deux opérations ci-dessus évoquées.

Corriger vos erreurs de frappe

Excel dispose d'une vérificateur orthographique qui rend impardonnables la présentation d'une feuille de calcul bourrée de fautes de frappe.

Pour lancer la vérification, choisissez la commande Orthographe du menu Outils, ou cliquez sur l'outil Orthographe de la barre d'outils Standard ou pressez la touche de fonction F7.

Dès qu'Excel rencontre un mot qu'il ne connaît pas, la boîte de dialogue Orthographe s'ouvre (voir Figure 4.17).

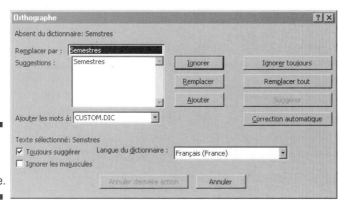

Figure 4.17
La boîte de
dialogue
Orthographe.

En haut de la boîte, Excel affiche le mot sur lequel il s'est arrêté. Il propose plusieurs mots de remplacement dans Suggestions et Remplacer par affiche le premier mot sélectionné. Faites défiler la liste de mots si nécessaire, jusqu'à ce que vous trouviez la bonne orthographe. Utilisez cette boîte de la manière suivante :

- Pour corriger la faute, sélectionnez le bon mot, puis cliquez sur Remplacer.

- Pour remplacer toutes les occurrences du mot dans la feuille de calcul, cliquez sur Remplacer tout.

- Si vous souhaitez ajouter le mot inconnu au dictionnaire, cliquez sur le bouton Ajouter. Excel connaîtra désormais ce mot.

- Si vous voulez utiliser un autre dictionnaire (comme Anglais (Royaume-Uni) ou Anglais (États-Unis)), déroulez le menu local Langue du dictionnaire, puis sélectionnez la langue souhaitée.

- Le bouton Correction automatique force Excel à mémoriser une faute et sa correction dans la liste de correction automatique, afin de la corriger en cours de frappe.

- Cliquez sur le bouton Ignorer pour que le mot reste tel qu'il est écrit. Avec Ignorer toujours, Excel ne s'arrêtera plus sur le mot quand il le rencontrera durant la présente session de correction.

La vérification d'orthographe prend également en compte les doublons (tels que *total total*) et les mots présentant des caractères en majuscule inhabituels (tels que *PAris*).

Pour limiter la correction orthographique à un groupe de cellules, sélectionnez ce groupe, puis lancez la vérification par une des méthodes décrites ci-dessus.

Chapitre 5
Imprimer
votre chef-d'oeuvre

. . . .

Dans ce chapitre :

Aperçu des pages avant impression.

Utiliser l'outil Imprimer de la barre d'outils Standard pour imprimer la feuille de calcul active.

Imprimer toutes les pages d'un classeur.

Imprimer certaines cellules d'une feuille de calcul.

Modifier la façon d'imprimer.

Imprimer une feuille de calcul entière sur une seule page.

Changer les marges pour présenter un rapport.

Ajouter un en-tête et un pied de page à un rapport.

Imprimer les en-têtes de lignes et de colonnes sur toutes les pages d'un rapport.

Insérer des changements de feuillet dans un rapport.

Imprimer les formules de votre feuille de calcul.

. . . .

Tout ce que vous préparez pour une bonne présentation d'une feuille de calcul a, comme but ultime, l'impression de toutes les informations contenues dans votre classeur.

Ce chapitre vous montrera avec quelle déconcertante facilité vous serez en mesure d'imprimer des rapports créés avec Excel 2000.

Les seules choses qu'il vous faut acquérir ici sont l'utilisation et le contrôle de la mise en page, car souvent vos pages créées dans Excel seront plus larges que longues. A la différence des traitements de texte, qui opèrent une pagination verticale, les tableurs paginent à la fois verticalement et horizontalement afin de pouvoir imprimer une feuille de calcul.

Excel effectue pagination sur pagination dans un ordre logique qui lui est propre jusqu'à ce que tout le document inclus dans la zone imprimable soit mis en page.

Excel ne coupe pas les informations à l'intérieur d'une colonne ou d'une ligne. Si certaines informations se trouvent en dehors de la zone imprimable (en bas de la page), Excel déplace la totalité de la ligne vers la page suivante. Idem pour les colonnes qui débordent à droite de la surface imprimable. Excel les déplace vers une nouvelle page.

La mise en page ne se fait pas sans problèmes. Nous allons les exposer ici et les résoudre. Lorsque vous saurez mettre en page, l'impression sera du gâteau !

Que le spectacle commence avec l'Aperçu avant impression

Utilisez l'aperçu avant d'imprimer n'importe quelle feuille de calcul, section ou classeur entier. Vous pourrez ainsi apprécier les sauts de page qui font qu'un rapport nécessitera une impression sur plusieurs pages. Bien plus que de montrer l'aspect de la feuille de calcul avant son impression, l'Aperçu avant impression vous permet de modifier les marges, de changer les paramètres de la page, et lorsque tout paraît OK, de lancer l'impression.

Pour passer en mode Aperçu avant impression, cliquez sur le bouton du même nom dans la barre d'outils Standard (celui représentant une feuille avec une loupe posée dessus), ou bien choisissez la commande Aperçu avant impression du menu Fichier. Excel ouvre un écran séparé, comme le montre la Figure 5.1, sur lequel apparaît la première page d'un rapport qui en contient quatre.

L'affichage en mode Aperçu avant impression ne permet pas de lire le contenu présenté. Pour vérifier les informations, utilisez le bouton Zoom ou le pointeur en forme de loupe qui agrandit la page de 100 %. La Figure 5.2 montre l'affichage de l'Aperçu avant impression suite à un clic sur le pointeur d'agrandissement (loupe) dans le haut de la page.

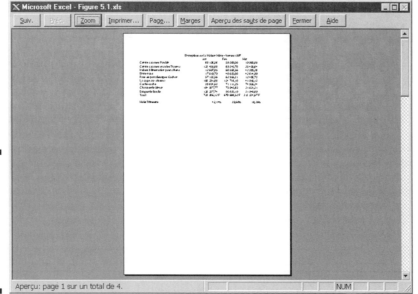

Figure 5.1
La première
des quatre
pages d'un
rapport vue
en mode
Aperçu
avant
impression.

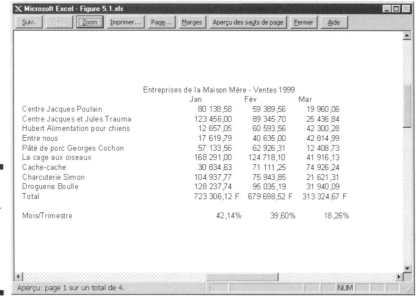

Figure 5.2
Zoom
effectué sur
la partie
supérieure
de la
première
page.

Lorsqu'une page est agrandie, vous accédez aux parties cachées en utilisant les barres de défilement ou les touches de direction du clavier ou PgUp, PgDn, Ctrl+PgUp et Ctrl+PgDn pour aller de haut en bas et de droite à gauche.

Pour revenir à une vue d'ensemble de la page, cliquez n'importe où dans la page ou sur le bouton Zoom, ou encore enfoncez la touche Entrée. Dans la barre d'état, Excel indique le nombre de pages contenues dans le rapport. S'il y a plus d'une page, les boutons Suiv. et Préc. vous permettent de passer d'une page à une autre. En appuyant sur la touche PgDn ou ↓, vous passez à la page suivante, et revenez à la page précédente en appuyant sur les touches PgUp ou ↑, à condition de se trouver en mode d'affichage pleine page et non en zoom.

Une fois la prévisualisation du rapport terminée, les options suivantes s'offrent à vous :

- Si l'apparence de la page est bonne, cliquez le bouton Imprimer pour afficher la boîte de dialogue Imprimer à partir de laquelle vous lancez l'impression (voir "Imprimer selon vos désirs" dans le présent chapitre).

- Si vous notez des problèmes dans la mise en page, tels que la taille de la page, l'ordre des pages, leur orientation, les marges, les en-têtes et les pieds de page, cliquez sur le bouton Page, afin de résoudre ce qui ne va pas via la boîte de dialogue Mise en page.

- Si vous décelez des problèmes susceptibles d'être réglés en modifiant les sauts de page, cliquez sur le bouton Aperçu des sauts de page. Vous revenez à la fenêtre de travail avec une vue en réduction de votre feuille de calcul. Vous pouvez ici modifier les sauts de page en faisant glisser les bords de page avec la souris. Une fois que vous avez réalisé vos ajustements, revenez à l'aperçu avant impression, en actionnant la commande Affichage/Normal. Imprimez ensuite votre travail en actionnant la commande Fichier/Imprimer ou en cliquant sur le bouton Imprimer dans la barre d'outils Standard.

- Si vous rencontrez des problèmes avec les marges ou la largeur des colonnes, cliquez sur le bouton Marges et faites glisser les marqueurs de marges jusqu'à la place désirée (pour plus de précisions, voir "Modifier les marges" dans ce présent chapitre).

- Si vous constatez n'importe quel autre problème, tel qu'une faute de frappe, cliquez sur le bouton Fermer afin de revenir à votre feuille de calcul normale ; vous ne pouvez faire aucune édition de texte dans la fenêtre Aperçu avant impression.

- Une fois toutes les corrections effectuées, vous pouvez passer du mode Aperçu avant impression au mode normal pour d'autres vérifications, ou lancer l'impression depuis l'un ou l'autre mode.

La page s'arrête ici...

Excel affiche automatiquement les sauts de page dans la fenêtre du classeur après un Aperçu avant impression du document. Ces sauts sont symbolisés par une ligne en pointillé située entre les colonnes et les lignes qui seront imprimées sur d'autres pages.

Pour supprimer les saut de page dans la fenêtre du document, choisissez Options du menu Outils. Dans la boîte de dialogue ouverte, cliquez sur l'onglet Affichage et désactivez la case à cocher Sauts de page. Cliquez sur OK ou appuyez sur Entrée pour valider votre changement.

Imprimer immédiatement

Si vous désirez utiliser les paramètres d'impression par défaut d'Excel, cliquez sur l'outil Imprimer de la barre d'outils Standard. Le programme imprime une copie de toutes les informations contenues dans la feuille de calcul active, incluant graphes et graphiques sans inclure les notes que vous avez ajoutées aux cellules. (Voir le Chapitre 6 pour apprendre comment ajouter des commentaires, le Chapitre 8 pour plus de précisions sur les graphes et les graphiques.)

Une fois le processus d'impression lancé, Excel affiche une boîte de dialogue qui vous tient informé de la progression de l'impression (par exemple Impression de la page 2 sur 3). Une fois cette boîte de dialogue disparue, vous pouvez à nouveau travailler dans Excel. Pour annuler l'impression avant qu'elle ne commence, cliquez sur le bouton Annuler de la boîte de dialogue Impression.

Pour annuler une impression en cours, faites ce qui suit :

1. **Cliquez, avec le bouton droit de la souris, sur l'icône de l'imprimante située à droite de la barre des tâches de Windows 95/98. Son menu contextuel est ainsi ouvert.**

   Lorsque vous posez le pointeur sur l'icône, une bulle vous indique où en est l'impression.

2. **Choisissez la commande Ouvrir les imprimantes actives du menu contextuel.**

   La boîte de dialogue de l'imprimante s'ouvre avec l'affichage des documents Excel en attente d'impression.

3. **Dans la liste des documents en attente, choisissez celui dont vous souhaitez annuler l'impression.**

4. **Dans le menu Document, choisissez Annuler impression.**

5. **Attendez que le document disparaisse de la liste d'attente avant de cliquer sur le bouton de fermeture de la boîte de dialogue de l'imprimante, et de revenir à Excel.**

Imprimer selon vos désirs

L'outil Imprimer limite vos choix d'impression. La boîte de dialogue Imprimer (Figure 5.3) vous permet de modifier les paramètres d'impression.

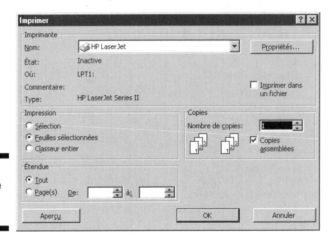

Figure 5.3
La boîte de
dialogue
Imprimer.

Voici les différentes manières d'ouvrir la boîte de dialogue Imprimer :

- Appuyez sur Ctrl+P.

- Sélectionnez la commande Imprimer du menu Fichier.

- Appuyez sur Ctrl+Maj+F12.

Particularités de l'impression

La boîte de dialogue Imprimer comprend deux zones nommées Impression et Étendue, où vous déterminez ce qui sera imprimé, et la zone Copies, où vous indiquez le nombre de copies à imprimer. Voici comment utiliser ces différentes zones :

- **Sélection :** Cette option vous permet d'imprimer uniquement les cellules sélectionnées de votre classeur.

- **Feuilles sélectionnées :** C'est la sélection par défaut. Excel imprime toutes les informations des feuilles de calcul sélectionnées de votre classeur. Normalement, seules les données de la feuille de calcul active seront imprimées. Pour sélectionner d'autres feuilles de calcul dans un même classeur, maintenez la touche Ctrl enfoncée tout en cliquant sur les onglets de feuille. Pour sélectionner un ensemble de feuilles, cliquez sur la première, pressez la touche Maj, puis cliquez sur la dernière devant être sélectionnée (Excel sélectionne automatiquement les feuilles situées entre les deux).

- **Classeur :** Avec cette option, Excel imprime toutes les données de chaque feuille de calcul de votre classeur.

- **Nombre de copies :** Pour imprimer plusieurs copies de votre rapport, indiquez le nombre désiré dans la boîte d'édition ou cliquez sur les boutons fléchés pour augmenter ou diminuer le nombre de copies.

- **Copies assemblées :** Permet de faire des piles séparées pour chaque copie d'un rapport, plutôt que d'imprimer d'abord toutes les premières pages, puis les secondes, etc. Cochez cette case pour activer l'option.

- **Tout :** Quand ce bouton est activé, toutes les pages de votre document seront imprimées. Il est actif par défaut.

- **Page(s) :** Normalement, Excel imprime toutes les pages. Cependant, vous pouvez parfaitement indiquer à Excel un groupe de pages à imprimer. Pour imprimer une seule page indiquez son numéro dans les boîtes d'édition De: et A:. Pour imprimer un groupe, entrez le numéro de la première page à imprimer dans De: et celui de dernière page dans A:.

Une fois vos paramètres définis, lancez l'impression en cliquant sur OK ou en appuyant sur Entrée.

Définir ou annuler la zone d'impression

Excel vous offre la possibilité de gérer la *zone d'impression*. Pour définir une zone d'impression, il suffit de sélectionner la ou les cellules à inclure dans cette zone, puis d'actionner la commande Fichier/Zone d'impression/Définir. Une fois que vous avez défini la zone d'impression, seule cette portion de la feuille de calcul sera imprimée (et ce, quelles que soient les options que vous réglez dans la fenêtre de dialogue d'impression).

Pour annuler la zone d'impression (et revenir ainsi aux réglages d'impression précédents), actionnez la commande Fichier/Zone d'impression/Annuler.

Vous avez en outre la possibilité de définir et annuler la zone d'impression via l'onglet *Feuille* de la fenêtre de dialogue *Mise en page* (pour des détails sur cette fenêtre, voir la section suivante). Pour définir la zone d'impression via cette fenêtre de dialogue, cliquez dans la case Zone d'impression de l'onglet Feuille, puis sélectionnez la zone désirée dans la feuille de calcul (rappelons que le bouton à droite de la case Zone d'impression sert à réduire la fenêtre de façon à dégager votre espace de travail). Pour l'opération inverse, c'est-à-dire pour annuler la zone d'impression, sélectionnez les références de cellules dans cette case, puis appuyez sur la touche Suppr.

Paramétrer la page

Comme je l'ai dit au début de ce chapitre, le plus compliqué est de savoir si les pages de la feuille de calcul vont être imprimées comme elles apparaissent. Heureusement, les options de la boîte de dialogue Mise en page vous permettent de mieux contrôler l'aspect de la page imprimée. Dans le menu Fichier, choisissez la commande Mise en page pour en ouvrir la boîte de dialogue. Si vous êtes en mode Aperçu avant impression, cliquez sur le bouton Page. La boîte de dialogue Mise en page comporte quatre onglets : Page, Marges, En-tête/Pied de page et Feuille.

Les options de l'onglet Page varient selon l'imprimante utilisée. La Figure 5.4 montre la boîte de dialogue lorsqu'une imprimante Epson Stylus Color est l'imprimante choisie par défaut.

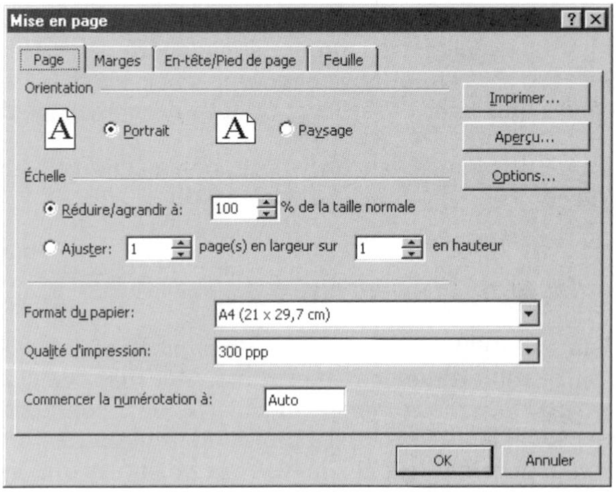

Figure 5.4
L'onglet
Page de la
boîte de
dialogue
Mise en
page.

Pour la majeure partie des imprimantes, les options de l'onglet Page sont : le changement d'orientation, l'échelle d'impression, le choix d'une taille de papier et d'une qualité d'impression :

- **Orientation :** En mode Portrait, l'impression se fait de haut en bas, verticalement. En mode Paysage, l'impression se fait de haut en bas, mais horizontalement (sur toute la largeur de la feuille).

- **Réduire/agrandir à :** Vous permet de diminuer ou d'augmenter la taille de l'impression en pourcentage. 100 représente la taille normale à partir de laquelle vous pouvez réduire ou agrandir.

- **Ajuster :** Vous permet d'ajuster une ou plusieurs pages à la taille du papier utilisé.

- **Taille du papier :** Vous permet d'indiquer la taille du papier utilisé par votre imprimante. Cette option propose, dans sa liste déroulante, des formats prédéfinis communément utilisés en imprimerie.

- **Qualité d'impression :** Les options proposées dépendent du type d'imprimante. Une imprimante matricielle vous proposera deux choix : brouillon ou graphique.

- **Commencer la numérotation à :** Vous permet de changer le numéro de la première page. Cette option ne vous est utile que si les numéros des pages sont imprimés en en-tête ou en pied de page.

- **Options :** Ouvre la fenêtre de dialogue Propriétés correspondant à votre imprimante. Cette fenêtre comporte des onglets comme Papier, Graphiques, Polices, Options du périphérique, etc., dépendant du type de votre imprimante. Les options accessibles via ces onglets servent à opérer des réglages fins comme le bac à papier à employer, la qualité d'impression des graphiques, le format de sortie PostScript, etc.

Opter pour l'orientation Paysage

La plupart des imprimantes permettent de choisir un mode d'impression *portrait* ou *paysage*, et la possibilité de réduire ou d'agrandir, en pourcentage, l'impression des informations d'une ou de plusieurs pages.

Souvent, les feuilles de calcul sont très larges, et si votre imprimante vous permet de passer du mode portrait au mode paysage, l'apparence du document imprimé n'en sera que meilleure.

La Figure 5.5 montre la fenêtre Aperçu avant impression d'un document en mode paysage. Le fait de passer en mode paysage a permis à Excel d'ajouter une colonne qui n'apparaissait pas en mode portrait. Le fait de choisir le mode paysage diminue le nombre de lignes imprimables (feuille moins longue) ce qui, dans certains cas, augmentera le nombre de pages du rapport devant être imprimé.

Figure 5.5
Un rapport
vu en mode
d'impression
paysage
dans la
fenêtre
Aperçu
avant
impression.

Tout rassembler sur une seule page

Si votre imprimante supporte les options de mise à l'échelle, vous êtes un sacré veinard. En activant le bouton radio Ajuster, Excel fait en sorte de réduire les informations pour les imprimer sur une seule page.

Si, lors de l'aperçu, il vous semble que les informations imprimées seront difficilement lisibles, ouvrez de nouveau l'onglet Page de la boîte de dialogue Mise en page, afin de modifier le nombre de pages à mettre en largeur et en hauteur (dans les deux boîtes d'édition attachées à l'option Ajuster). Par exemple, plutôt que de tout faire tenir sur une seule page, tentez de faire tenir deux pages sur la feuille imprimée : entrez **2** dans la boîte de texte "page(s) en largeur" et laissez 1 dans "en hauteur". Regardez dans Aperçu avant impression l'aspect de votre feuille de calcul, et n'hésitez pas à procéder à d'autres changements jusqu'à obtenir ce que vous souhaitez.

Si, après utilisation de l'option Ajuster, vous ne voulez plus mettre l'impression à l'échelle, cliquez sur le bouton radio Réduire/agrandir à fin de désactiver Ajuster, et entrez **100** comme pourcentage de la taille normale.

Modifier les marges

Excel utilise par défaut des marges haute et basse de 2,5 cm, et des marges gauche et droite de 2 cm pour toutes les pages d'un rapport.

Il vous suffit parfois de modifier la taille des marges droite et gauche pour intégrer une colonne qui n'aurait pas été imprimée, et haute et basse pour des lignes qui resteraient masquées.

Voici deux manières de modifier les marges :

- Ouvrez la boîte de dialogue Mise en page, par la méthode de votre choix, et sélectionnez l'onglet Marges (voir Figure 5.6). Là, entrez les nouveaux réglages dans les boîtes d'édition Haut, Bas, Gauche et Droite, ou faites-le en cliquant sur les boutons fléchés.

Figure 5.6
L'onglet
Marges de la
boîte de
dialogue
Mise en
page.

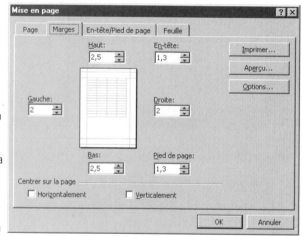

- Ouvrez la fenêtre Aperçu avant impression où vous cliquez sur le bouton Marges, puis faites glisser manuellement les marqueurs de marges à la position adéquate (voir Figure 5.7).

Vous pouvez utiliser les options Centrer dans la page de l'onglet Marges de la boîte de dialogue Mise en page pour centrer une sélection de données par rapport aux marges actuelles. Horizontalement centre les données par rapport aux marges gauche et droite. Verticalement centre les données par rapport aux marges haut et bas.

Marqueur de la marge d'en-tête   Marqueur de la marge droite

Marqueur de la marge haute   Marqueurs de colonne

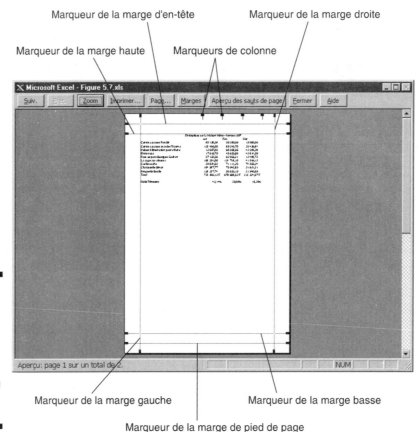

Figure 5.7
EPS
La fenêtre
d'Aperçu
avant
impression
après
sélection du
bouton
Marges.

Marqueur de la marge gauche   Marqueur de la marge basse

Marqueur de la marge de pied de page

Le bouton Marges de la fenêtre Aperçu avant impression permet aussi de modifier la largeur des colonnes. (La Figure 5.7 affiche les marqueurs de colonnes en haut de la feuille). Pour modifier la position des marges, il suffit de placer le pointeur de la souris sur un des marqueurs (le pointeur prend alors la forme d'une croix à deux flèches) et de le faire glisser jusqu'à la position désirée. Relâchez ensuite le bouton de la souris pour qu'Excel adapte la page. Vous pouvez gagner ou perdre des lignes et des colonnes selon l'importance de vos modifications. Pour modifier la largeur d'une colonne, procédez comme pour les marges, mais en utilisant les marqueurs de colonnes.

De la tête aux pieds

Les en-têtes et les pieds de page sont du texte standard apparaissant sur chaque page d'un rapport, et respectivement imprimés dans la marge d'en-tête et la marge de pied de page. Par défaut, Excel ne prévoit aucun en-tête, ni aucun pied de page.

Vous pouvez utiliser l'en-tête et le pied de page pour identifier le document, afficher le nombre total de pages ainsi que la date et l'heure de l'impression.

Modification du standard

Pour ajouter un en-tête et/ou un pied de page, ouvrez l'onglet les concernant dans la boîte de dialogue Mise en page (voir Figure 5.8). Dans les listes déroulantes, vous disposez d'un large choix d'informations affichables, incluant le nom de la feuille de calcul (voir au Chapitre 6 comment renommer un onglet de feuille), le nom de la personne qui a préparé la feuille de calcul, le nombre de pages, la date du jour, le nom du classeur, etc.

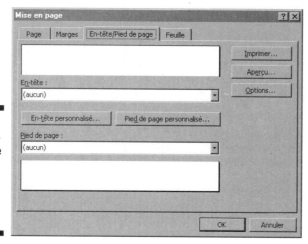

Figure 5.8
L'onglet En-tête/Pied de page de la boîte de dialogue Mise en page.

On pourrait imaginer l'en-tête suivant :

```
Préparé par Françoise 05/02/97 ; Page 1
```

Vous avez le nom de la personne qui a préparé la feuille de calcul, la date du jour, ainsi que le numéro de la page courante. Dans le menu déroulant Pied de page apparaît l'option suivante :

```
Page 1 de ?
```

Elle est également disponible dans la liste En-tête.

La Figure 5.9 affiche l'aspect de la première page du rapport en mode Aperçu avant impression. Vous y voyez les en-têtes et les pieds de page qui seront imprimés.

Figure 5.9
La première page du rapport avant impression, montrant l'en-tête et le pied de page tels qu'ils seront imprimés.

Si vous ne voulez ni en-tête ni pied de page, ouvrez leur onglet dans la boîte de dialogue Mise en page, et choisissez (aucun) dans leur liste déroulante respective.

Personnalisation du travail

Ce qui vous est proposé dans les listes d'en-tête et de pied de page s'avérera suffisant pour la plupart de vos rapports. Cependant, vous pouvez insérer des informations personnelles en cliquant sur les boutons En-tête personnalisé et Pied de page personnalisé du même onglet de la même boîte de dialogue.

La Figure 5.10 vous montre la boîte de dialogue En-tête qui apparaît lorsque vous cliquez sur En-tête personnalisé.

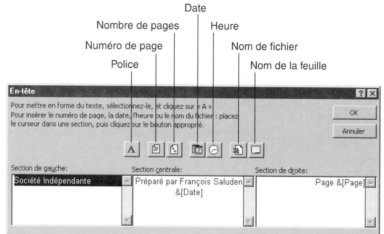

Figure 5.10
Créer un en-tête personnalisé dans la boîte de dialogue En-tête.

La boîte de dialogue En-tête est divisée en trois sections : Section gauche, Section centre et Section droite. La justification des informations entrées dans les trois sections se fait comme le nom de la section l'indique (à gauche, au centre et à droite par rapport aux marges).

Vous pouvez utiliser la touche Tab pour passer d'une section à une autre et ainsi en sélectionner le contenu. L'autre moyen consiste à appuyer sur la touche Alt + la lettre soulignée de la section. Pour exécuter un saut de ligne lors de l'édition d'un texte dans une section, appuyez sur la touche Entrée. Pour effacer le contenu d'une section, sélectionnez-le, puis appuyez sur la touche Suppr.

Comme le montre la Figure 5.10, Excel utilise des codes (par exemple &[Date]). Quand vous personnalisez un en-tête (ou un pied de page) rien ne vous empêche de mixer ces codes avec du texte standard (comme "Uniquement pour vos beaux yeux"). Pour insérer le code & dans une section d'en-tête (ou de pied de page), cliquez sur le bouton approprié :

- **Numéro de page :** insère le code &[Page] pour numéroter les pages.

- **Nombre de pages :** insère le code &[Page] pour indiquer le nombre total de pages. Excel affiche par exemple page 1 de 4 si vous tapez **Page**, appuyez ensuite sur la barre d'espace, puis cliquez le bouton numéro de page, appuyez à nouveau sur la barre d'espace, tapez **de**, appuyez encore sur la barre d'espace pour finalement cliquer sur le bouton Total de pages. Cela insère le code personnalisé suivant : Page &[Page] de &[Page].

- **Date :** insère le code &[Date] pour inscrire la date du jour.

- **Heure :** insère le code &[Heure], donc l'heure courante.

- **Nom de fichier :** insère le nom du classeur.

- **Nom de feuille :** insère le code &[Tab], donc le nom de l'onglet de la feuille courante.

Vous pouvez personnaliser la police de chacune des sections. Sélectionnez le contenu d'une section, puis cliquez sur le bouton Police. Excel ouvre la boîte de dialogue Police dans laquelle vous choisissez les options désirées.

Une fois votre en-tête définitivement personnalisé, cliquez sur le bouton OK.

Passons en revue les paramètres de l'onglet Feuille

L'onglet Feuille propose diverses options d'impression :

- **Zone d'impression :** Cette boîte affiche la plage de cellules à imprimer que vous avez définie via la commande Zone d'impression du menu Fichier. Utilisez cette boîte d'édition pour modifier la plage de cellules à imprimer. Soit vous sélectionnez la plage directement dans la feuille de calcul, soit vous en tapez les références ou le nom (comme expliqué au Chapitre 6). Les zones non adjacentes doivent être séparées par une virgule, comme ceci : A1:G72, K50:M75. Rappelons que vous pouvez, pour dégager l'espace de travail, réduire la fenêtre de dialogue Mise en page en cliquant sur le bouton de réduction se trouvant à droite de la case Zone d'impression.

  Utilisez cette option uniquement lorsque votre classeur contient une section que vous devez imprimer régulièrement. Cela vous évite d'aller sélectionner l'option Sélection dans la boîte de dialogue Imprimer.

- **Lignes à répéter en haut :** Utilisez cette option pour désigner des lignes devant être imprimées en haut de chaque page du rapport. Tapez les références des lignes (telles que 2:3) ou sélectionnez les lignes avec la souris. Vous pouvez, pour dégager l'espace de travail, réduire la fenêtre de dialogue Mise en page en cliquant sur le bouton de réduction se trouvant à droite de la case Lignes à répéter en haut.

- **Colonnes à répéter à gauche :** Utilisez cette option pour désigner des colonnes devant être imprimées à gauche de chaque page du rapport. Tapez les références des colonnes (telles que A:B) ou sélectionnez les colonnes avec la souris. Vous pouvez, pour dégager l'espace de travail, réduire la fenêtre de dialogue Mise en page en cliquant sur le bouton de réduction se trouvant à droite de la case Colonnes à répéter à gauche.

- **Quadrillage :** Imprime ou non le quadrillage d'aide à la saisie de données dans la feuille de calcul. (La Figure 5.5 montre un rapport sans quadrillage.)

- **Qualité brouillon :** Excel n'imprime pas le quadrillage, même si l'option a été cochée, ainsi que certains graphiques. Sélectionnez cette option lorsque vous voulez un aperçu rapide, sur papier, de votre rapport.

- **Impression en noir et blanc :** Tout ce qui est en couleur sera imprimé en noir et blanc.

- **En-tête de ligne et de colonne :** Excel imprime les lettres et les numéros des colonnes et des lignes. Sélectionnez cette option lorsque vous voulez rapidement retrouver une information imprimée.

- **Annotations :** Lorsque vous sélectionnez *A la fin de la feuille* ou *Tel que sur la feuille* dans la liste Annotations, Excel imprime le texte des annotations attachées aux cellules à imprimer. Si vous choisissez l'option A la fin de la feuille, le programme regroupe les notes au bas du document. Si, en revanche, vous optez pour Tel que sur la feuille, le programme imprime les notes dans la feuille (pour des détails sur les annotations, voir le Chapitre 6).

- **Vers le bas, puis à droite :** Cette option est sélectionnée par défaut. Elle demande au programme de numéroter les pages d'un rapport en prenant en compte d'abord les lignes de haut en bas, puis les colonnes situées à droite.

- **A droite, puis vers le bas :** Altère la manière de numéroter les pages d'un rapport. Excel numérote les pages en prenant d'abord en compte les colonnes situées à droite, puis les lignes de haut en bas.

Impression des titres

Excel permet d'imprimer des lignes et des colonnes en tant que titres, sur chaque page d'un rapport. On les appelle des *impressions de titres*. La différence entre ces titres et un en-tête réside dans le fait qu'un en-tête est imprimé dans la marge haute du rapport tandis que les impressions de titres apparaissent dans le corps du rapport - en haut pour les lignes, et à gauche pour les colonnes.

Pour choisir lignes et colonnes en tant que titre :

1. **Ouvrez la boîte de dialogue Mise en page en actionnant la commande Fichier/Mise en page.**

2. **Cliquez sur l'onglet Feuille.**

3a. **Placez le point d'insertion dans la boîte de texte Lignes à répéter en haut, puis, dans la feuille de calcul, sélectionnez les lignes dont les informations doivent apparaître en haut de chaque page. Vous pouvez, pour dégager l'espace de travail, réduire la fenêtre de dialogue Mise en page en cliquant sur le bouton de réduction se trouvant à droite de la case Lignes à répéter en haut.**

    Dans l'exemple de la Figure 5.11, j'ai fait glisser le pointeur de la souris sur les lignes 1 et 2 de la colonne A. Le code suivant s'est inscrit dans la boîte de texte correspondante : $1:$2.

    Dans la feuille de calcul elle-même, les lignes sélectionnées en tant que titre apparaissent entourées d'une ligne pointillée animée le temps de la sélection.

3b. **Procédez de la même façon qu'en 3a, mais cette fois en sélectionnant une ou plusieurs colonnes après avoir placé le point d'insertion dans la boîte de texte Colonnes à répéter à gauche. Vous pouvez, pour dégager l'espace de travail, réduire la fenêtre de dialogue Mise en page en cliquant sur le bouton de réduction se trouvant à droite de la case Colonnes à répéter à gauche.**

    Il se passe la même chose qu'avec les lignes.

4. **Cliquez sur OK ou appuyez sur Entrée.**

    Les lignes pointillées disparaissent une fois la boîte de dialogue Mise en page fermée.

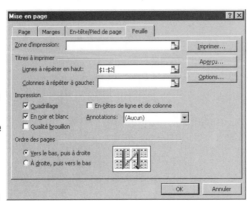

Figure 5.11
Paramétrage de l'impression des titres dans un rapport.

La Figure 5.12 affiche, dans la fenêtre Aperçu avant impression, la seconde page du rapport dans lequel chaque page affiche les titres.

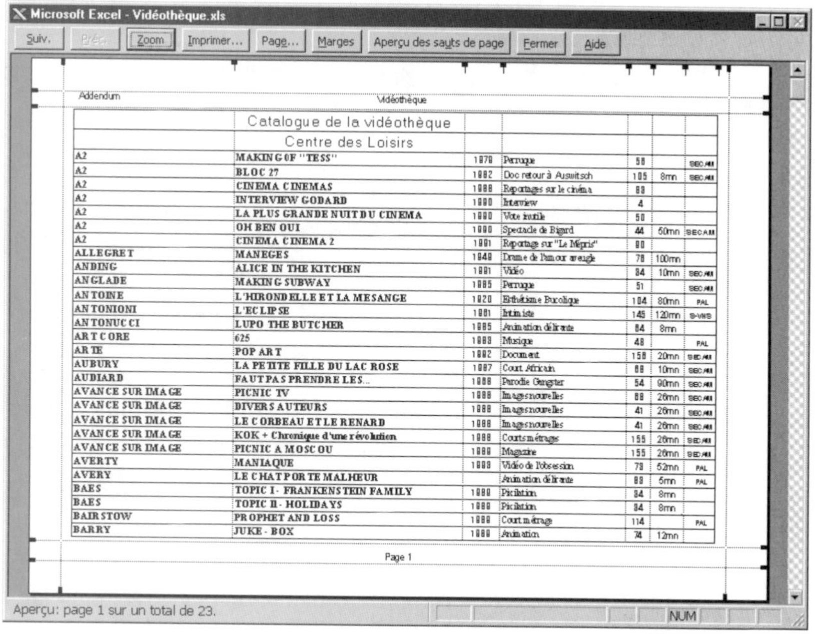

	Catalogue de la vidéothèque					
	Centre des Loisirs					
A2	MAKING OF "TESS"	1879	Perruque	58		SECAM
A2	BLOC 27	1882	Doc retour à Auswitsch	105	8mn	SECAM
A2	CINEMA CINEMAS	1888	Reportages sur le cinéma	88		
A2	INTERVIEW GODARD	1880	Interview	4		
A2	LA PLUS GRANDE NUIT DU CINEMA	1880	Vote inutile	50		
A2	OH BEN OUI	1880	Spectacle de Bigard	44	50mn	SECAM
A2	CINEMA CINEMA 2	1881	Reportage sur "Le Mépris"	80		
ALLEGRET	MANEGES	1848	Drame de l'amour aveugle	78	100mn	
ANDING	ALICE IN THE KITCHEN	1881	Vidéo	84	10mn	SECAM
ANGLADE	MAKING SUBWAY	1885	Perruque	51		SECAM
ANTOINE	L'HIRONDELLE ET LA MESANGE	1820	Esthétisme Bucolique	104	80mn	PAL
ANTONIONI	L'ECLIPSE	1881	Intimiste	145	120mn	S-VHS
ANTONUCCI	LUPO THE BUTCHER	1885	Animation délirante	84	8mn	
ART CORE	625	1883	Musique	48		PAL
ARTE	POP ART	1882	Document	158	20mn	SECAM
AUBURY	LA PETITE FILLE DU LAC ROSE	1887	Court Africain	88	10mn	SECAM
AUDIARD	FAUT PAS PRENDRE LES...	1888	Parodie Gangster	54	90mn	SECAM
AVANCE SUR IMAGE	PICNIC TV	1888	Images nouvelles	88	26mn	SECAM
AVANCE SUR IMAGE	DIVERS AUTEURS	1888	Images nouvelles	41	26mn	SECAM
AVANCE SUR IMAGE	LE CORBEAU ET LE RENARD	1888	Images nouvelles	41	26mn	SECAM
AVANCE SUR IMAGE	KOK + Chronique d'une révolution	1888	Courts métrages	155	26mn	SECAM
AVANCE SUR IMAGE	PICNIC A MOSCOU	1888	Magazine	155	26mn	SECAM
AVERTY	MANIAQUE	1888	Vidéo de l'obsession	78	52mn	PAL
AVERY	LE CHAT PORTE MALHEUR		Animation délirante	88	5mn	PAL
BAES	TOPIC I - FRANKENSTEIN FAMILY	1888	Pixilation	84	8mn	
BAES	TOPIC II - HOLIDAYS	1888	Pixilation	84	8mn	
BAIRSTOW	PROPHET AND LOSS	1888	Court métrage	114		PAL
BARRY	JUKE - BOX	1888	Animation	74	12mn	

Figure 5.12 La seconde page du rapport affiche les titres définis Figure 5.11.

Pour supprimer ces titres, effacez simplement le contenu de la boîte dont le texte ne doit plus servir de référence de titres. Ensuite, cliquez sur OK.

Comment puis-je insérer un saut de page ?

Il se peut que, malgré tous vos efforts, vous ne puissiez éviter qu'Excel effectue un saut de page.

La Figure 5.13 illustre, en mode Aperçu des sauts de page, un mauvais saut de page vertical auquel vous pouvez manuellement remédier en ajustant l'emplacement du saut de page. Suivant la taille de la page, son orientation et le paramétrage des marges, Excel a inséré un saut de page entre les colonnes G et H, de telle sorte qu'il manque la colonne du mois de juin ainsi que le total du second trimestre pour avoir une présentation imprimée cohérente.

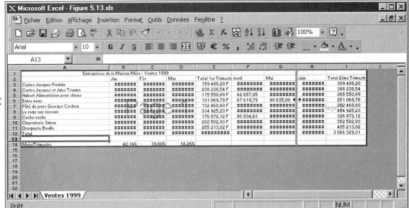

Figure 5.13
Déplacement
du saut de
page à la
souris pour
le placer
entre les
colonnes E
et F.

Vous allez donc déplacer le saut de page pour le positionner entre les colonnes E et F.

La Figure 5.13 illustre le début de la procédure présentée ci-dessous :

1. **Choisissez Affichage/Aperçu des sauts de page.**

    Vous passez en mode Aperçu des sauts de page. La feuille de calcul est affichée en réduction. Les numéros de page sont affichés en grand et les sauts de page sont matérialisés par des lignes plus épaisses que le quadrillage.

2. **Cliquez sur OK ou appuyez sur Entrée pour fermer la fenêtre du message Aperçu des sauts de page vous indiquant comment déplacer les sauts de page.**

3. **Positionnez le pointeur de la souris sur un repère de saut de page. Lorsque le pointeur prend la forme d'une double flèche, enfoncez le bouton de la souris et faites glisser le repère jusqu'à la colonne ou la ligne désirée. Relâchez le bouton de la souris.**

    Concernant l'exemple de la Figure 5.13, nous avons fait glisser l'indicateur de saut de page situé entre les colonnes G et H pour l'amener entre les colonnes E et F. Le résultat est visible sur la Figure 5.14.

4. **Lorsque vous avez fini d'ajuster les sauts de page en mode Aperçu des sauts de page, actionnez la commande Affichage/Normal pour retrouver le mode d'affichage ordinaire de la feuille de calcul.**

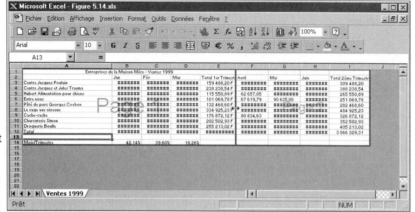

Figure 5.14
La feuille de
calcul après
déplacement
du saut de
page entre
les colonnes
E et F.

Gardez à l'esprit que vous pouvez aussi insérer des sauts de page à l'aide de
la commande Insertion/Saut de page depuis le mode Normal. (Cette commande n'est pas disponibles lorsque vous vous trouvez en aperçu des sauts
de page.) Quand vous insérez un saut de page manuel à l'aide de cette commande, ce sont les limites supérieure et gauche de la cellule active qui
déterminent l'emplacement exact du saut de page. Le bord supérieur de la
cellule indique l'emplacement horizontal du saut de page ; le bord gauche
détermine son emplacement vertical. Une fois que vous avez activé la cellule
servant de point de repère pour le placement du saut de page, actionnez la
commande Insertion/Saut de page. Excel insère une ligne en pointillé qui
indique l'existence du saut de page.

Une fois le saut de page manuel inséré, l'option du menu Insertion devient
Supprimer le saut de page. Si vous désirez placer votre saut de page manuel à
un autre endroit, supprimez-le d'abord en utilisant cette nouvelle commande.
Si vous avez inséré un saut de page vertical et horizontal, vous devez placer
le pointeur de cellule dans la cellule utilisée pour insérer le saut de page.
Ainsi, vous pourrez les supprimer tous les deux en une seule opération via la
commande Supprimer saut de page.

Conserver toutes les formules

Comment imprimer les formules d'une feuille de calcul et non leur résultat ?
Imprimer les formules vous permet de vérifier qu'aucune d'entre elles n'est
ridicule (comme remplacer une formule par un chiffre ou utiliser de mauvaises références de cellules), ce qui pourrait être embarrassant lors de l'envoi
de votre feuille de calcul à l'ensemble des services d'une société.

Avant d'effectuer l'impression, vous devez afficher les formules dans les cellules.

1. **Choisissez la commande Options du menu Outils.**

2. **Cliquez sur l'onglet Affichage.**

3. **Cochez la case Formules.**

4. **Cliquez le bouton OK ou appuyez sur Entrée.**

Si vous avez bien suivi ces quatre étapes, Excel affiche les formules là où il y en a. Vous noterez que toutes les valeurs perdent leur formatage et qu'Excel a agrandi les colonnes afin d'afficher les formules en entier. De même, les textes longs n'empiètent plus sur les cellules vierges voisines.

La combinaison de touches Ctrl+~ vous permet de passer de l'affichage normal des cellules à l'affichage de leur formule (et inversement).

Une fois les formules affichées, vous êtes prêt à imprimer. Vous pouvez inclure les lettres des colonnes et les numéros de lignes afin de localiser plus facilement une éventuelle erreur. Pour cela, cochez la case En-tête de ligne et de colonne de l'onglet Feuille de la boîte de dialogue Mise en page.

Troisième partie
Savoir s'organiser

Dans cette partie...

Savoir organiser une feuille de calcul créée dans Excel 2000 est aussi vital, et pas plus compliqué, que de savoir s'organiser dans l'existence.

Dans cette troisième partie, vous allez apprendre, au Chapitre 6, à gérer l'ensemble des informations contenues dans une feuille de calcul et, au Chapitre 7, comment jongler avec les informations de diverses feuilles de calcul ou de divers classeurs.

Chapitre 6

Oh ! Sur quelle feuille de calcul déchaînée naviguons-nous !

Dans ce chapitre :

Exécuter un zoom avant et arrière sur une feuille de calcul.

Fractionner la fenêtre du classeur en deux ou quatre volets.

Figer les titres des colonnes et des lignes.

Annoter les cellules.

Chercher et remplacer une information précise dans votre feuille de calcul.

Déterminer le moment où une feuille de calcul doit être recalculée.

Protéger vos feuilles de calcul.

Comme vous le savez déjà, la grandeur des feuilles de calcul d'Excel ne vous permet pas de voir, sur votre écran, toutes les informations qu'elles contiennent.

Si la désignation des cellules d'un document Excel répond à une certaine logique (cellule A1, B2, etc.), vous aurez malgré tout certaines difficultés à mémoriser l'emplacement d'une série de données pour vous y rendre en tapant les références dans la zone nom de la feuille de calcul. Tentez donc de vous souvenir que telle information se trouve dans la plage de cellule AC50:AN75... vous n'êtes pas Superman !

Dans ce chapitre, vous allez apprendre les techniques les plus efficaces pour atteindre une ou des informations précises.

Si cela s'avère insuffisant, vous verrez comment placer des commentaires dans des cellules, vous verrez également comment utiliser les commandes Rechercher et Remplacer du menu Édition pour retrouver et/ou remplacer des données dans vos feuilles.

Enfin, vous apprendrez à déterminer le moment précis où la feuille de calcul doit être recalculée, ainsi que la manière de limiter l'étendue des modifications effectuées.

De l'utilité du facteur de zoom

Comment faire pour bien voir (sans devenir aveugle ou fou de défilement), sur votre moniteur 14 pouces, les données d'une feuille de calcul que votre patron a conçu sur son moniteur 21 pouces ? La réponse : le zoom, qui agit comme une loupe sur votre feuille de calcul.

La Figure 6.1 vous montre un agrandissement de 200 % d'une feuille de calcul (soit deux fois plus que sa taille normale). Pour réaliser un tel zoom avant, déroulez le menu local Zoom de la barre d'outils Standard et choisissez dans la liste déroulée l'option 200 %. L'autre possibilité consiste à ouvrir le menu Affichage et d'y sélectionner la commande Zoom. Dans la boîte de dialogue Zoom qui s'ouvre, cliquez sur le bouton radio correspondant à l'agrandissement désiré. Le seul inconvénient d'un agrandissement à 200 % est qu'il diminue davantage l'affichage du nombre de cellules.

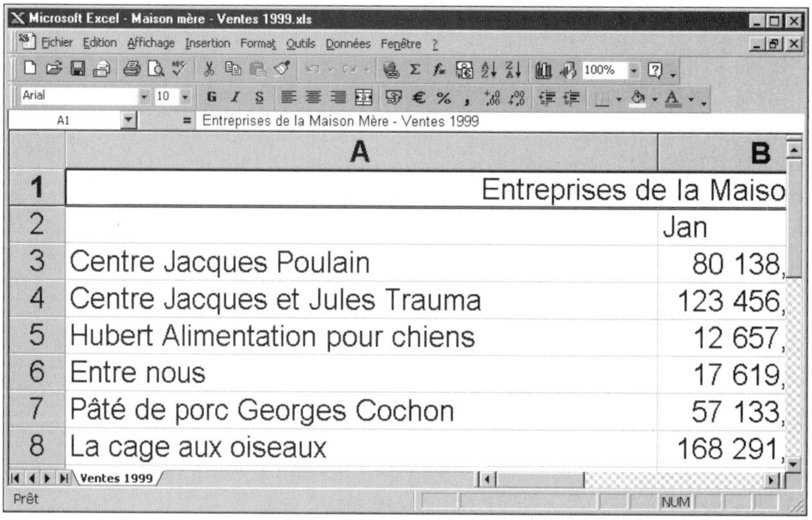

Figure 6.1
Aspect de la feuille de calcul après application d'un facteur de zoom de 200 %.

La Figure 6.2 montre la même feuille de calcul avec un facteur de zoom de 25 % (soit un quart de la taille normale du document).

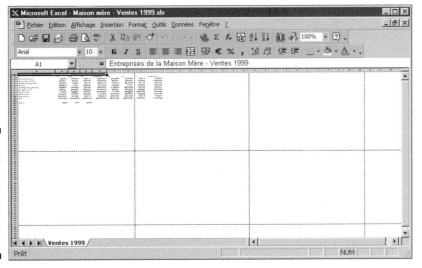

Figure 6.2
Aspect de la
feuille de
calcul après
application
d'un facteur
de zoom de
25 %.

Les facteurs de zoom prédéfinis sont 200, 100, 75, 50 et 25 %. Mais vous pouvez définir d'autres pourcentages :

- Pour utiliser un pourcentage d'agrandissement ou de réduction personnel, cliquez dans la boîte d'édition de l'outil Zoom et tapez le facteur de zoom adéquat (cela peut être 400 % ou 10 %), puis appuyez sur Entrée. Autre possibilité : entrez cette valeur dans la case Personnalisé de la fenêtre de dialogue Zoom (obtenue par la commande Affichage/Zoom).

- Si vous ignorez le pourcentage à entrer pour afficher une zone particulière de la feuille de calcul, sélectionnez la plage de cellules, puis soit avec l'outil Zoom, soit avec la commande Zoom du menu Affichage, choisissez l'option Ajusté à la sélection. Cliquez OK ou appuyez sur Entrée pour avoir la plage de cellule plein écran.

Vous pouvez utiliser le facteur de zoom pour vous déplacer vers une nouvelle plage de cellules. Sélectionnez un facteur de 50 %, puis repérez la plage de cellules qui vous intéresse, et sélectionnez une de ses cellules. Enfin, optez pour un zoom avant de 100 %. Quand Excel revient à l'affichage normal, la cellule sélectionnée et les cellules environnantes apparaissent à l'écran.

Les avantages du fractionnement de la fenêtre

Si le zoom vous aide à trouver votre chemin dans la feuille de calcul, il ne vous permet pas de faire des comparaisons au sein de cette même feuille.

D'où l'avantage de pouvoir séparer la fenêtre en deux sections distinctes que vous pouvez comparer.

La Figure 6.3 montre une liste de cassettes vidéo. La fenêtre de la feuille de calcul est séparée en deux. Chaque fenêtre dispose de sa propre barre de défilement qui vous permet de comparer différentes zones de la feuille de calcul.

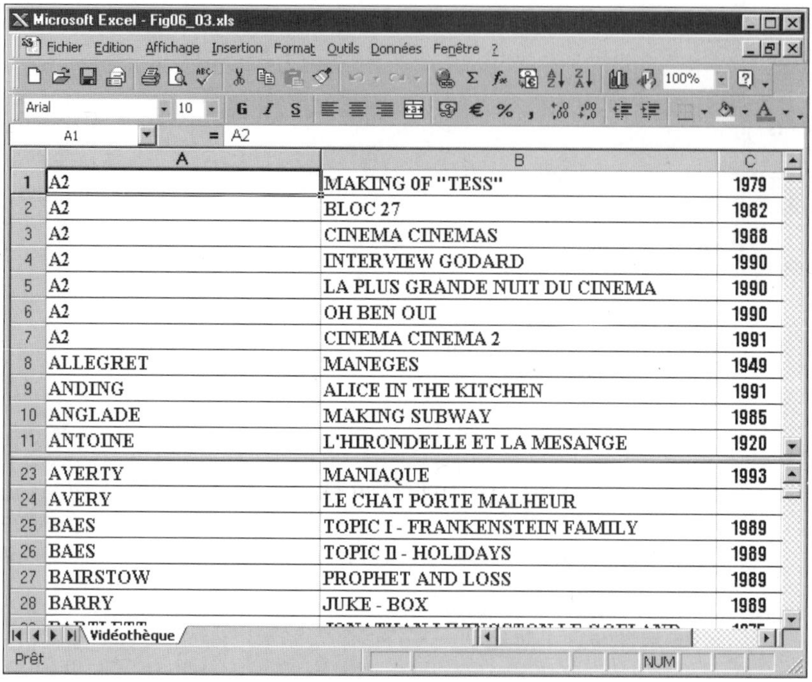

Figure 6.3 Aspect de la feuille de calcul après une opération de fractionnement de la fenêtre.

Pour fractionner la feuille de calcul en deux, suivez les étapes ci-dessous :

1. **Placez le pointeur de la souris sur le curseur de fractionnement (juste au-dessus de la barre de défilement vertical).**

   Le pointeur de souris prend la forme d'une double flèche divisée en deux.

2. **Maintenez enfoncé le bouton gauche de la souris et glissez vers le bas jusqu'à atteindre la ligne où vous souhaitez que la division s'opère.**

   Une ligne grisée apparaît dans la fenêtre du classeur servant ainsi de repère de fractionnement.

3. **Relâchez le bouton de la souris.**

   Excel divise alors la fenêtre en deux volets horizontaux et leur adjoint une barre de défilement qui leur est propre.

Vous pouvez également diviser la fenêtre verticalement, selon les étapes suivantes :

1. **Cliquez sur le curseur de fractionnement situé sur le bord droit de la barre de défilement horizontal.**

2. **Glissez vers la gauche jusqu'à atteindre la colonne où vous souhaitez que le fractionnement s'opère.**

3. **Relâchez le bouton de la souris.**

   Excel fractionne la fenêtre verticalement et ajoute une seconde barre de défilement horizontal au nouveau volet.

Pour faire disparaître rapidement les volets ainsi créés, cliquez deux fois sur la barre de fractionnement.

Vous pouvez aussi fractionner la fenêtre de votre feuille de calcul en utilisant la commande Fractionner du menu Fenêtre. C'est la position du pointeur de cellule qui déterminera l'emplacement des volets. Excel divise la fenêtre verticalement à gauche du pointeur et horizontalement au-dessus de lui. Pour fractionner la fenêtre en deux volets horizontaux, utilisez le bord supérieur du pointeur de cellule comme ligne de fractionnement, puis positionnez-le sur la première colonne de la ligne qui servira à déterminer l'emplacement de la barre de fractionnement. Pour fractionner la fenêtre en deux volets verticaux, utilisez le bord gauche du pointeur de cellule comme ligne de fractionnement, et placez-le sur la première ligne de la colonne servant de repère pour placer la barre de fractionnement.

Il n'y aura pas de fractionnement vertical lorsque le bord gauche du pointeur de cellule sera en contact avec le bord gauche (Colonne A) de la fenêtre du classeur. Idem pour un fractionnement horizontal quand le pointeur de cellule se trouve en haut (Ligne 1) de la fenêtre du classeur. Vous obtiendrez dans le premier cas un fractionnement horizontal et un vertical dans le second.

Maintenant, si le pointeur de cellule se trouve dans une autre cellule, Excel divisera la fenêtre en quatre volets. Par exemple, dans notre exemple de liste de cassettes vidéo, en plaçant le pointeur dans la cellule B6, puis en activant la commande Fractionner du menu Fenêtre, la fenêtre se présente comme illustrée Figure 6.4.

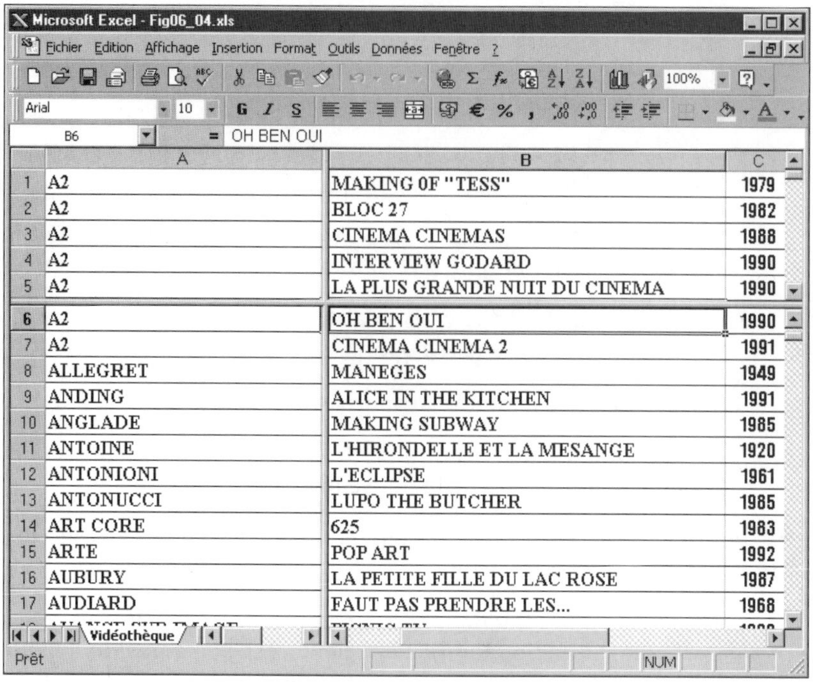

Figure 6.4
Aspect de la feuille de calcul après fractionne-ment de la fenêtre en quatre volets depuis la cellule B6.

Vous pouvez passer d'un volet à un autre en pressant la combinaison de touches Maj+F6. Pour supprimer le fractionnement de la fenêtre, utilisez la commande Supprimer le fractionnement du menu Fenêtre.

Fixer les en-têtes grâce à la commande Figer les volets

Cette commande vous permet de figer les en-têtes en haut des lignes et des premières colonnes. Ainsi, quels que soient les déplacements effectués dans la feuille de calcul, vous garderez toujours en vue ces en-têtes. Cette fonction sera particulièrement utile lorsque vous travaillerez dans un classeur qui contient des informations situées dans des zones non visibles de la feuille de calcul.

La Figure 6.5 illustre notre propos. Cette liste contient des lignes non visibles (sauf si vous faites une réduction par un facteur zoom de 25 %, mais alors les informations seront illisibles).

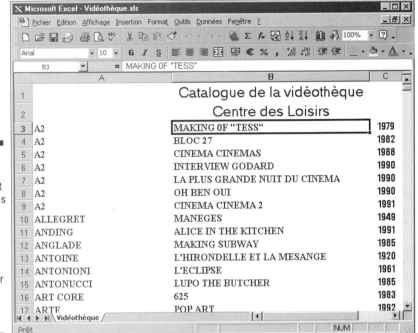

Figure 6.5
Les volets
sont figés et
les noms des
en-têtes de
colonnes
restent
visibles
quand vous
faites défiler
le contenu
de la feuille
de calcul.

Pour figer les volets, suivez les étapes ci-dessous :

1. **Placez le pointeur de cellule dans la cellule B3.**

2. **Choisissez la commande Figer les volets du menu Fenêtre.**

    Dans cet exemple, Excel fige ce qui est situé au-dessus de la ligne 3 et à gauche de la colonne B.

Les volets figés sont symbolisés par une ligne horizontale et verticale (qu'on voit très bien dans les Figures 6-5 à 6-7, car pour des raisons de lisibilité, j'ai enlevé le quadrillage de la feuille de calcul - voir au Chapitre 12 la marche à suivre pour supprimer le quadrillage).

La Figure 6.6 montre ce qui se passe lorsque vous faites défiler verticalement les informations de la feuille de calcul. Vous observez que le fait d'aller jusqu'à la cellule C24 n'empêche pas l'affichage constant des en-têtes des lignes 1 et 2 qui auraient disparu de votre champ de vision si les volets n'avaient pas été figés.

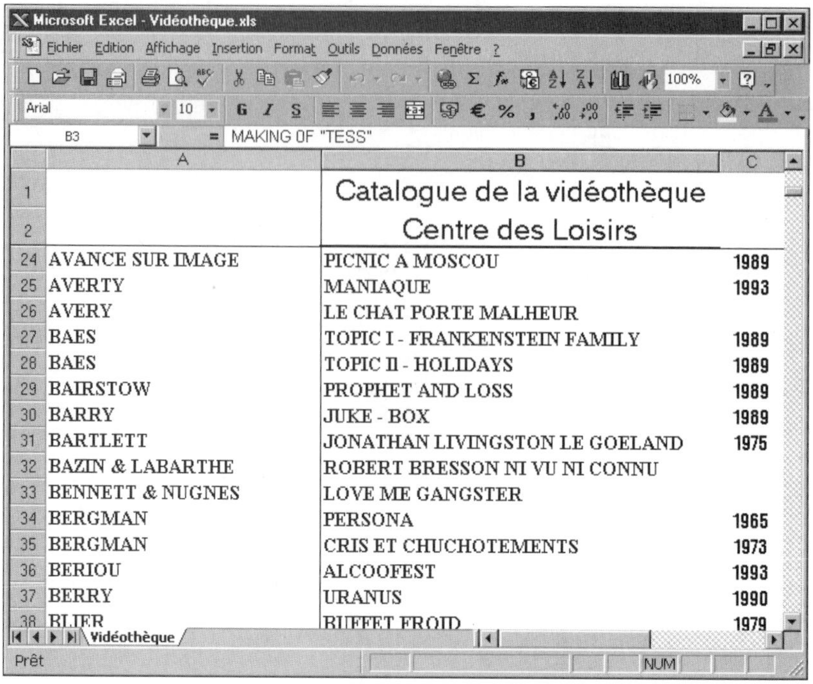

Figure 6.6
Aspect de la
feuille de
calcul après
défilement
vertical de la
base de
données du
classeur.

La Figure 6.7 illustre ce qui se passe lorsque vous effectuez un défilement horizontal gauche jusqu'à la colonne E. Comme la colonne A est figée, son contenu reste visible, ce qui vous permet de savoir à quoi se rapporte les informations auxquelles vous accédez maintenant.

Pense-bête

Ce serait l'équivalent électronique d'une annotation sur papier, mais que vous feriez ici dans des cellules spécifiques de la feuille de calcul. Par exemple, vous pouvez ajouter un commentaire (dans la précédente version d'Excel, le terme officiel était *annotation*) afin de vérifier une information particulière avant de lancer une impression, ou toute autre sorte de choses, par exemple un rappel pour l'anniversaire de votre tendre épouse.

Vous pouvez non seulement utiliser les commentaires pour vous rappeler qu'une chose a été faite ou reste à faire, mais aussi pour marquer votre position actuelle dans la feuille de calcul afin de vous y rendre plus vite que l'éclair.

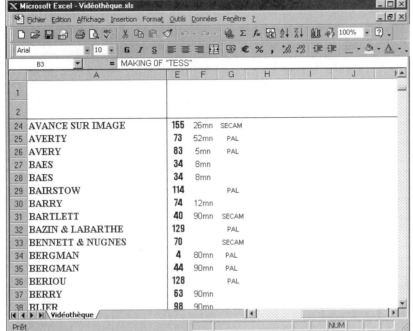

Figure 6.7
Aspect de la
feuille de
calcul après
défilement
horizontal
gauche
jusqu'à la
colonne E.

Ajouter un commentaire à une cellule

Pour ajouter un commentaire :

1. **Sélectionnez la cellule où doit être inséré le commentaire.**

2. **Dans le menu Insertion, choisissez la commande Commentaire.**

   Une petite fenêtre texte apparaît (voir la Figure 6.8). Elle comporte le nom de l'utilisateur tel qu'il est défini dans la case *Nom de l'utilisateur* de l'onglet Général de la fenêtre de dialogue Options. Le point d'insertion se trouve sur la ligne en dessous de ce nom d'utilisateur.

3. **Tapez votre note dans cette boîte.**

4. **Cliquez en dehors de la boîte pour valider votre commentaire.**

   Un petit triangle rouge s'inscrit dans le coin supérieur droit de la cellule.

5. **Pour afficher le commentaire, placez le pointeur (grosse croix blanche) sur la cellule contenant le petit triangle rouge, sans cliquer.**

Aussi longtemps que le pointeur restera sur cette cellule, Excel affichera
le commentaire.

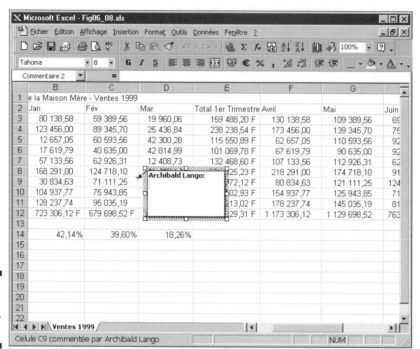

Figure 6.8
Une fenêtre
de commen-
taire.

Gestion des commentaires

Une fois votre classeur débordant de commentaires, vous aurez besoin d'un
moyen pour consulter et gérer vos notes sans avoir à positionner le pointeur
de la souris sur chaque triangle rouge. Actionnez la commande Affichage/
Commentaires pour afficher la totalité des commentaires du classeur, ainsi
que la barre d'outils Révision (voir la Figure 6.9). Cette barre propose des
icônes permettant de créer un commentaire, d'afficher ou de masquer un ou
tous les commentaires, de passer au suivant, de revenir au précédent, de
supprimer un commentaire.

Figure 6.9
La barre
d'outils
Révision.

Lorsque la barre d'outils Révision est affichée, vous pouvez naviguer de commentaire en commentaire en cliquant sur les boutons Commentaire précédent ou Commentaire suivant. Lorsque vous atteignez le dernier commentaire du classeur, une message vous demande si vous désirez recommencer à consulter les commentaires à partir du début. Lorsque vous avez terminé de travailler sur les commentaires de votre classeur, cliquez sur le bouton Masquer tous les commentaires dans la barre d'outils Révision, ou actionnez la commande Affichage/Commentaires si la barre d'outils Révision n'est plus visible.

Modification des commentaires

Il existe deux méthodes pour modifier un commentaire, selon qu'il est déjà ou non affiché à l'écran. Si le commentaire est déjà affiché, cliquez dedans avec le pointeur en forme de I. Du même coup, vous sélectionnez le cadre du commentaire (il est entouré d'une bordure hachurée et de poignées pour en régler les dimensions). Après vos modifications, cliquez en dehors du cadre du commentaire.

Si, en revanche, le commentaire n'est pas affiché, commencez par sélectionner sa cellule. Actionnez ensuite la commande Insertion/Modifier le commentaire dans la barre des menus ou la commande Modifier le commentaire dans le menu contextuel (obtenu en cliquant dans la cellule avec le bouton droit de la souris).

Pour déplacer un commentaire, sélectionnez-le en cliquant dedans, puis positionnez le pointeur de la souris sur son cadre. Lorsque le pointeur se transforme en quadruple flèche, faites glisser l'ensemble vers un autre emplacement dans la feuille de calcul (en maintenant enfoncé le bouton de la souris). Lorsque vous relâchez le bouton de la souris, Excel redessine la flèche allant de la cellule au cadre du commentaire.

Pour modifier la taille du cadre du commentaire, sélectionnez le commentaire, puis positionnez le pointeur de la souris sur une des poignées de dimensionnement. En maintenant enfoncé le bouton de la souris, faites glisser dans la direction appropriée (vers l'extérieur du cadre pour en augmenter le volume, vers l'intérieur pour le diminuer). Lorsque vous relâchez le bouton de la souris, Excel redessine le cadre avec ses nouvelles dimensions. De plus, le programme a le bon goût d'adapter la longueur des lignes à la nouvelle taille du cadre.

Pour changer de police de caractères, cliquez sur le commentaire, puis actionnez la commande Format/Commentaire (ou appuyez sur Ctrl+1). Vous obtenez la fenêtre Format de commentaire, qui comporte uniquement un onglet Police où on retrouve les mêmes options que dans l'onglet Police de la fenêtre de dialogue Format de cellule (voir au Chapitre 3 la Figure 3.15).

Choisissez les options qui vous plaisent pour formater le texte de votre commentaire.

Pour supprimer un commentaire, sélectionnez la cellule dans laquelle il se trouve, puis actionnez la commande Édition/Effacer/Commentaires. Ou encore actionnez la commande Effacer l'annotation dans le menu contextuel. Excel supprime le commentaire et le petit triangle rouge.

A noter qu'il est possible de changer la couleur du fond pour le cadre du commentaire ou de changer la forme de l'ombre portée, à l'aide des boutons de la barre d'outils Dessin (voir le Chapitre 8, à la section "Tout dire avec une zone de texte").

Impression des commentaires

Lors de l'impression d'une feuille de calcul, vous obtiendrez également celle des commentaires si vous avez choisi une des options de la liste Annotations de l'onglet Feuille de la fenêtre de dialogue Mise en page (voir la section *Passons en revue les paramètres de l'onglet Feuille* au Chapitre 5).

Donner des noms aux cellules

Donner des noms aux cellules simplifie l'accès direct à celles-ci. Vous n'avez plus à retenir les références d'une cellule ou d'une plage de cellules, mais uniquement son nom... Quel soulagement pour votre mémoire !

Ô cellule si je devais te nommer !

Nommer une cellule ou une plage de cellules répond à quelques impératifs :

*   Les noms doivent commencer par une lettre de l'alphabet. Vous écrirez *Profit01* et non pas *01Profit*.

*   Les noms ne doivent pas contenir d'espaces. Utilisez un trait de soulignement pour séparer les mots. Vous écrirez *Profit_01* et non pas *Profit 01*

*   Les noms ne doivent pas correspondre aux coordonnées de la cellule. La cellule *Q1* devra par exemple s'appeler *Q1_ventes*.

Voici comment nommer une cellule ou une plage de cellules :

1.   Sélectionnez la cellule ou la plage de cellules à nommer.

2. **Cliquez sur l'adresse de la cellule dans la Zone Nom de la barre des formules.**

3. **Tapez le nom désiré dans la Zone Nom.**

4. **Appuyez sur la touche Entrée.**

Pour sélectionner une cellule nommée, cliquez sur le nom dans la liste déroulante de la Zone Nom. Pour dérouler cette liste, cliquez sur le petit bouton fléché affiché à droite de la Zone Nom.

Vous obtiendrez le même résultat en appuyant sur F5 ou en actionnant la commande Édition/Atteindre qui ouvre la fenêtre Atteindre (voir la Figure 6.10). Double-cliquez sur le nom de la cellule ou plage de cellules à atteindre (ou sélectionnez le nom, puis cliquez sur le bouton OK ou appuyez sur Entrée). Excel place le pointeur de cellule directement sur la cellule concernée. S'il s'agit d'une plage de cellules, toutes les cellules de cette plage sont sélectionnées.

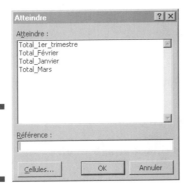

Figure 6.10
La boîte de
dialogue
Atteindre.

Nommer cette formule !

Donner un nom est également un moyen génial de connaître la fonctionnalité de vos formules. Admettons que la cellule K3 contiennent une formule destinée à calculer la facture d'un client, en fonction du nombre d'heures (en cellule I3) de travail et du tarif horaire (cellule J3). La formule en cellule K3 sera :

```
=I3*J3
```

Cependant, si vous avez donné à la cellule I3 le nom Heures et Taux_Horaire à la J3, vous pouvez entrer la formule suivante :

```
=Heures*Taux_Horaire
```

dans la cellule K3. Ce type de formule est plus facile à comprendre que celui basé sur les références des cellules.

Pour entrer une formule prenant en compte les noms des cellules plutôt que leurs références, suivez les étapes ci-dessous (si vous ne savez plus créer des formules, reportez-vous au Chapitre 2) :

1. **Nommez vos cellules comme nous l'avons vu plus haut.**

   Dans notre exemple, appelez Heures la cellule I3 et Taux_Horaire la cellule J3.

2. **Placez le pointeur de cellule dans la cellule où doit apparaître la formule.**

   Ici, dans la cellule K3.

3. **Tapez le signe = en début de formule.**

4. **Sélectionnez le nom de la première cellule dans la liste déroulante de la barre de formule.**

   Vous sélectionnez Heures à la place d'I3.

5. **Tapez l'opérateur arithmétique utilisé par la formule.**

   Le signe * pour notre exemple (voir, dans le Chapitre 2, la liste des opérateurs disponibles).

6. **Sélectionnez le nom de la seconde cellule dans la liste déroulante de la barre de formule.**

   Ici, Taux_Horaire en lieu et place de J3.

7. **Cliquez sur le bouton Entrée de la barre de formule ou appuyez sur la touche Entrée pour valider la formule.**

   Dans cet exemple, Excel affiche la formule =Heures*Taux_Horaire dans la cellule K3.

Sachez que vous pouvez employer la poignée de recopie pour copier, vers d'autres cellules, une formule qui utilise des noms de cellules (voir "Remplissage automatique des formules" au Chapitre 4). Lorsque vous copiez une formule originale qui utilise des noms à la place des adresses, Excel copie la formule sans ajuster de manière relative les références de cellules. Lisez la section suivante pour savoir comment agir dans ces conditions.

Emploi d'étiquettes de colonnes ou de rangées dans les formules

Dans Excel 2000, lorsque vous travaillez sur un tableau de données dotées d'étiquettes de colonnes et de lignes (voir l'exemple de la Figure 6.11), vous avez la possibilité d'employer les étiquettes à la place des références de cellules pour identifier les cellules que vous citez dans vos formules. Cette caractéristique élimine le besoin d'attribuer des noms aux cellules elles-mêmes.

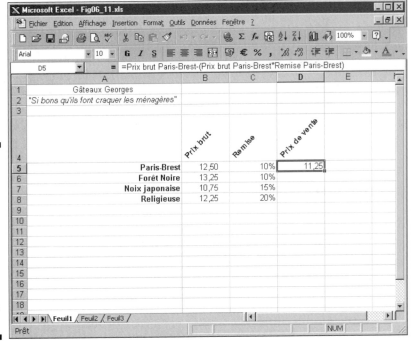

Figure 6.11
Création
d'une
formule
employant
des étiquet-
tes de
colonnes et
de lignes
comme
références
aux cellules
du tableau.

Excel permet de construire facilement une formule tout à fait descriptive en utilisant les noms des étiquettes de colonnes et de lignes, puis de recopier cette formule dans d'autres cellules. La Figure 6.11 montre un tableau tout simple qui calcule le prix de vente des gâteaux vendus par la boulangerie industrielle Gâteaux Georges. La première colonne du tableau contient les étiquettes de lignes qui identifient chaque gâteau commercialisé par l'entreprise. La deuxième colonne contient les prix bruts des articles. La troisième colonne renferme les montants de remise. La quatrième colonne comporte le prix de vente des gâteaux. Pour calculer le prix de vente de chaque gâteau, vous devez créer une formule qui soustrait du prix brut le montant de la remise (lui-même calculé en multipliant le prix brut par le pourcentage consenti).

Pour créer la première formule de calcul de prix dans la cellule D5, il faut taper le tout (pas moyen de pointer les étiquettes avec la souris, on obtient les adresses de cellules). A la place de l'adresse de la cellule comportant le prix brut, tapez l'étiquette de colonne, suivie d'un espace, puis de l'étiquette de ligne :

```
=Prix brut Paris-Brest-(Prix brut Paris-Brest*Remise Paris-Brest)
```

Il est d'ailleurs tout à fait possible de commencer par l'étiquette de ligne, ce qui donne :

```
=Paris-Brest Prix brut-(Paris-Brest Prix brut*Paris-Brest Remise)
```

La Figure 6.12 montre le tableau après recopie de la première formule dans les cases en dessous. Excel se charge de mettre à jour les noms d'étiquettes en fonction des cellules. Par exemple, pour le troisième type de gâteau, c'est-à-dire la Noix japonaise, la formule adaptée par Excel est :

```
=Prix brut Noix japonaise-(Prix brut Noix japonaise*Remise Noix japonaise)
```

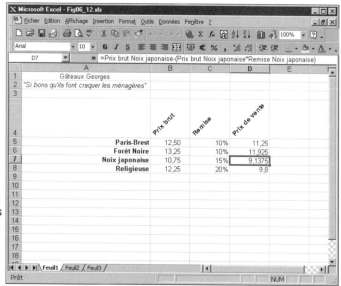

Figure 6.12
Après copie
des formules
exploitant les
noms
d'étiquettes
de colonnes
et de lignes.

"Eurêka, j'ai trouvé !"

Quand toutes vos tentatives pour trouver une information spécifique ont échoué, il ne vous reste plus qu'à exécuter la commande Rechercher du menu Édition, ou de presser Ctrl+F ou Maj+F5. S'ouvre alors la boîte de dialogue Rechercher (illustrée Figure 6.13). Dans sa boîte Rechercher, tapez le texte ou la valeur à atteindre, puis cliquez sur le bouton Suivant pour lancer la recherche.

Lorsque vous cherchez un texte, faites attention que le mot tapé n'ait pas de caractères communs avec d'autres entrées ou valeurs. Par exemple, dans la Figure 6.13, nous voyons que la recherche porte sur les caractères "la". Si vous n'avez pas coché la case Cellule entière, Excel s'arrêtera sur tous les mots comportant ces deux lettres. Cliquez sur Suivant et vous verrez.

Figure 6.13
La boîte de
dialogue
Rechercher.

Si la case en question est cochée, Excel ne s'arrêtera que sur la cellule contenant uniquement ces lettres.

Vous pouvez demander à Excel de respecter la casse (majuscules et minuscules) du texte recherché, en cochant la case s'y rapportant dans la boîte de dialogue Rechercher. Ainsi, la recherche sera plus précise.

La recherche d'une valeur peut entrer en conflit avec la formule qui a calculé cette valeur. Reprenons le classeur Maison Mère - ventes 1996 et admettons que vous vouliez atteindre la cellule B12. Si vous tapez **723 306,12** dans la boîte de dialogue Rechercher, Excel affiche le message suivant :

```
Microsoft Excel ne trouve pas les données que vous recherchez
```

Cela vient du fait que la valeur est calculée par la formule :

```
=SOMME(B3:B11)
```

Pour atteindre cette valeur, il vous faut taper la formule dans la boîte d'édition Rechercher, et sélectionner Formule dans la liste déroulante de la boîte Dans:. Cliquez alors sur Suivant et vous atteindrez la valeur recherchée.

Pour limiter votre recherche aux commentaires, sélectionnez l'option Commentaires de la boîte Dans.

Si vous ne connaissez pas exactement l'orthographe du mot que vous cherchez, utilisez des symboles à la place des caractères dont vous n'êtes pas sûr. Pour les caractères, utilisez un ?, et pour des chiffres, *. Supposons que, dans la boîte Rechercher, vous tapiez :

```
42***
```

Excel s'arrêtera sur les valeurs *42,14 %*, *42 300,28* et enfin *42 814,99* valeur que vous cherchiez... Formidable !

Si vous cherchez une formule de multiplication, elle utilisera le signe*. Dans ce cas, prenez comme substitut aux chiffres inconnus le signe ~, comme ceci :

```
~*4
```

L'entrée suivante trouvera la cellule qui contient *Jan* :

```
J?n
```

Si vous voulez étendre votre recherche à toutes les feuilles de calcul de votre classeur, sélectionnez-les avant de lancer la commande Rechercher. La sélection se fait en plaçant le pointeur de la souris sur un des onglets de feuille et en appuyant sur le bouton droit. Vous ouvrez un menu contextuel dans lequel vous choisissez Sélectionner toutes les feuilles. (Reportez-vous au Chapitre 7 pour apprendre à travailler avec plusieurs feuilles de calcul.)

Lorsque la donnée recherchée est localisée, Excel sélectionne la cellule qui la contient et laisse ouverte la boîte de dialogue Rechercher, au cas où vous voudriez atteindre l'occurrence suivante du texte en appuyant sur Suivant ou sur la touche Entrée.

La recherche d'Excel s'effectue de haut en bas, ligne par ligne. Si vous voulez qu'elle se fasse par les colonnes, choisissez l'option Par colonne dans la liste de la boîte Sens. Pour modifier le sens de la recherche, maintenez la touche Maj enfoncée lorsque vous cliquez sur le bouton Suivant.

Faire des remplacements

Si le but de votre recherche est de remplacer le contenu d'une cellule, choisissez la commande Remplacer du menu Édition (Ctrl+H). Dans la boîte de dialogue Remplacer, tapez d'abord le texte recherché, puis celui de remplacement dans Remplacer par.

Tapez le texte de remplacement exactement comme vous souhaitez qu'il apparaisse. Concrètement, si vous voulez remplacer *Jan* par *Janvier*, entrez le texte suivant dans la boîte Remplacer par :

```
Janvier
```

Il vous est possible de remplacer toutes les occurrences d'un mot dans la feuille de calcul, en cliquant sur le bouton Remplacer tout.

Méfiez-vous de ce type de remplacement global. Certaines valeurs, textes ou formules pourraient être modifiées alors que vous ne le souhaitez pas. Sachant cela, gardez la règle suivante à l'esprit :

> Ne jamais effectuer une opération rechercher-remplacer globale dans une feuille de calcul non préalablement enregistrée.

Si vous commettez une erreur, choisissez la commande Annuler remplacement du menu Édition (Ctrl+Z) pour restaurer votre feuille de calcul.

Pour ne pas commettre de remplacements inopportuns, effectuez-les un à un en appuyant sur Suivant, puis sur Remplacer. Pour laisser une cellule en l'état, cliquez uniquement sur le bouton Suivant pour ainsi poursuivre la recherche. Dès que toutes les occurrences voulues ont été remplacées, cliquez sur le bouton Fermer de la boîte de dialogue Remplacer.

Vous êtes parfois si calculateur !

Dans des classeurs contenant de nombreuses feuilles de calcul remplies, vous pouvez choisir le moment où les formules seront calculées. Vous opterez pour un tel choix lorsque le fait d'entrer ou de modifier des informations entraînera un nouveau calcul de toutes les formules, ralentissant considérablement la vitesse du programme, donc votre travail.

Pour vous placer en situation de calcul manuel, choisissez Options du menu Outils, puis cliquez sur l'onglet Calcul. Dans la zone Mode de calcul, activez l'option Sur ordre. Vous laisserez cochée la case Recalcule avant enregistrement, pour obliger Excel à recalculer toutes les formules du classeur lors de chaque enregistrement de ce dernier.

Après un tel choix, le message :

```
Calculer
```

s'affiche dans la barre de formule dès que vous modifiez une valeur. Calculer est là pour vous signaler de lancer le "recalcul" des formules avant d'enregistrer votre classeur.

Pour recalculer en mode manuel, appuyez sur F9 ou sur Ctrl+= ou enfin sur le bouton Calculer maintenant (F9) de l'onglet Calcul de la boîte de dialogue Options.

Excel ne recalcule alors que les formules des feuilles qui ont subi des modifications. Vous pouvez limiter le calcul à la feuille courante en cliquant sur le bouton Calculer document ou en appuyant sur la touche Maj+F9.

Protéger votre feuille de calcul

Après avoir laborieusement constitué une superbe feuille de calcul, vous ne souhaitez sans doute pas qu'on y apporte, par inadvertance, de quelconques modifications. Alors : protégez-la !

Par défaut, Excel *verrouille* toutes les cellules. Cependant, ce verrouillage ne sera efficace que si vous suivez les étapes ci-dessous :

1. **Dans le menu Outils, choisissez la commande Protection, puis Protéger la feuille.**

    Excel ouvre la fenêtre de dialogue Protéger la feuille où les cases Contenu, Objets et Scénarios sont déjà cochées.

2. **Si vous voulez assigner un mot de passe, qui devra être fourni avant de pouvoir supprimer la protection de la feuille de calcul, tapez-le dans la case Mot de passe (facultatif).**

3. **Cliquez sur OK ou appuyez sur Entrée.**

    Si vous avez tapé un mot de passe dans la case Mot de passe (facultatif), Excel ouvre la fenêtre de dialogue Confirmer le mot de passe. Tapez de nouveau votre mot de passe, exactement comme la première fois dans la fenêtre précédente. Cliquez ensuite sur OK ou appuyez sur Entrée.

Si vous désirez aller plus loin et protéger la mise en page des feuilles de calcul dans tout le classeur, protégez l'intégralité du classeur :

1. **Actionnez la commande Outils/Protection/Protéger le classeur.**

    Excel ouvre la fenêtre de dialogue Protéger le classeur où la case Structure est déjà cochée. Cette case étant cochée, Excel ne vous laissera pas réorganiser les feuilles du classeur (c'est-à-dire les supprimer ou les déplacer). Pour protéger la fenêtre du classeur (afin qu'elle ne puisse pas être déplacée, redimensionnée, masquée, affichée ou fermée), cochez la case Fenêtres.

2. **Pour affecter un mot de passe, qui devra être fourni avant de pouvoir annuler la protection du classeur, tapez-le dans la case Mot de passe (facultatif).**

3. **Cliquez sur OK ou appuyez sur Entrée.**

Si vous avez tapé un mot de passe dans la case Mot de passe (facultatif), Excel ouvre la fenêtre de dialogue Confirmer le mot de passe. Tapez de nouveau votre mot de passe, exactement comme la première fois dans la fenêtre précédente. Cliquez ensuite sur OK ou appuyez sur Entrée.

Une fois la feuille ou le classeur protégé, il n'est plus possible d'effectuer de modifications dans les cellules. Si vous tentez de le faire, Excel affiche le message suivant :

```
Cette feuille est protégée avec la commande Protection du menu Outils.

Pour modifier les cellules ou le graphique d'une feuille protégée, procédez de
la façon suivante :

1. Dans le menu Outils, sélectionnez Protection, et cliquez sur Oter la protec-
tion de la feuille. Si la feuille est protégée par un mot de passe, vous devez
taper le mot de passe pour ôter la protection.

...
```

Généralement, vous ne protégerez que certaines zones de la feuille de calcul, par exemple celles qui contiennent des formules. Pour laisser des cellules libres d'accès, effectuez les étapes suivantes avant de choisir une des commandes de protection du menu Outils :

1. **Sélectionnez les cellules devant rester déverrouillées.**

2. **Ouvrez la boîte de dialogue Format de cellule via la commande Cellule... du menu Format (Ctrl+1) ; cliquez ensuite sur l'onglet Protection.**

3. **Supprimez la marque dans la case Verrouillée (en cliquant dessus) et cliquez sur OK ou appuyez sur Entrée.**

4. **Activez la protection de la feuille ou du classeur dans le menu Outils commande Protection. Cliquez ensuite sur OK ou appuyez sur Entrée.**

Pour soustraire la feuille de calcul ou le classeur à la protection que vous venez d'établir, il vous suffit de choisir, dans le menu adjacent de la commande Protection, l'option Ôter la protection de la feuille (ou du classeur, selon le cas). Si vous avez affecté un mot de passe, il vous faut alors le reproduire exactement (attention également à la combinaison des majuscules et minuscules employées) dans la case Mot de passe de la fenêtre de dialogue Ôter la protection de la feuille ou Oter la protection du classeur.

Protéger et partager

Si vous préparez un classeur dont le contenu est appelé à être mis à jour par différents utilisateurs sur le réseau, vous pouvez utiliser la nouvelle commande Protéger et partager le classeur du sous-menu Protection du menu Outils. Cette commande demande à Excel de conserver la trace de toutes les modifications apportées aux données et d'empêcher tout utilisateur d'effacer, intentionnellement ou accidentellement, ces marques de révision. Pour ce faire, il suffit de valider l'option Partage avec suivi des modifications dans la fenêtre Protection lors du partage (Outils/Protection/Protéger et partager le classeur). Après validation de cette option, vous pouvez, si vous le souhaitez, introduire un mot de passe dans la case prévue à cet effet ; toutes les personnes souhaitant accéder au classeur devront connaître cette clé d'accès.

Chapitre 7
Gérer plusieurs feuilles de calcul

- -

Dans ce chapitre :

Se déplacer de feuilles en feuilles.

Ajouter des feuilles à un classeur.

Supprimer des feuilles.

Sélectionner un ensemble de feuilles pour une édition en groupe.

Renommer les onglets de feuille.

Modifier l'ordre des feuilles d'un classeur.

Afficher les zones de différentes feuilles sur un même écran.

Copier ou déplacer des feuilles d'un classeur à un autre.

Créer des formules qui se réfèrent à des valeurs appartenant à différentes feuilles de calcul d'un classeur.

- -

Au début, vous aurez un peu de mal à vous y retrouver dans une seule feuille de calcul. Cependant, avec l'expérience, vous verrez tous les avantages que procure le travail simultané avec plusieurs feuilles de calcul.

Ne pas confondre "classeur" et "feuille de calcul". Le classeur est un fichier qui contient, à la base, trois feuilles de calcul vierges ressemblant à celles d'un répertoire. Pour vous aider à gérer et à vous déplacer dans les feuilles d'un classeur, Excel met à votre disposition des onglets de feuille (feuilles 1 à 3).

Jongler avec les feuilles de calcul

Il vous faut savoir comment travailler avec plusieurs feuilles de calcul. La situation la plus courante, nous la rencontrons dans le classeur Entreprises Maison Mère - ventes 1999. Ce document contient neuf sociétés pour lesquelles le suivi des ventes annuelles pourrait vous conduire à créer un classeur pourvu d'une feuille de calcul pour chacune des neufs sociétés en question.

Voici les bénéfices que vous pouvez retirer en ayant les ventes de chaque société dans différentes feuilles d'un même classeur :

- Vous pouvez entrer les informations dans toutes les feuilles de calcul de ventes (si leurs onglets sont sélectionnés) en les tapant une seule fois dans la première feuille de calcul (voir "Éditer en masse" plus loin dans ce chapitre).

- Pour vous aider à constituer la feuille de calcul des ventes de la première société, vous pouvez créer des *macros* pour le classeur actif qui resteront disponibles pour la création des feuilles de calcul des autres sociétés. (Une macro est une séquence d'instructions que le programme exécute de manière automatique. Le Chapitre 11 vous en dit plus à ce sujet.)

- Vous pouvez rapidement comparer les ventes d'une société avec celles d'une autre (voir la section "Ouvrir des fenêtres sur vos feuilles de calcul" dans ce chapitre).

- En une opération unique, et par conséquent en un seul rapport, vous pouvez imprimer les informations des ventes de chaque société (voir le Chapitre 5 pour les spécificités d'impression).

- Vous pouvez aisément créer des représentations graphiques pour comparer les données de ventes des diverses feuilles de calcul (voir le Chapitre 8 pour plus de précisions).

- Vous pouvez facilement établir une feuille de calcul à base de formules qui calculent les ventes annuelles et trimestrielles des neuf compagnies.

Promenez-vous dans les feuilles

Chaque classeur contient trois feuilles de calcul. Pour passer d'une feuille à une autre, il vous suffit de cliquer sur l'onglet (en bas de la fenêtre du classeur) de la feuille que vous voulez consulter. Vous saurez toujours quelle feuille de calcul est active, car son nom apparaît en caractères gras dans son onglet qui lui-même fait partie intégrante de la feuille de calcul.

Néanmoins, si vous ajoutez de nombreuses feuilles, Excel ne pourra pas en afficher tous les onglets. Pour atteindre une feuille cachée, cliquez sur les boutons de défilement d'onglets (voir Figure 7.1).

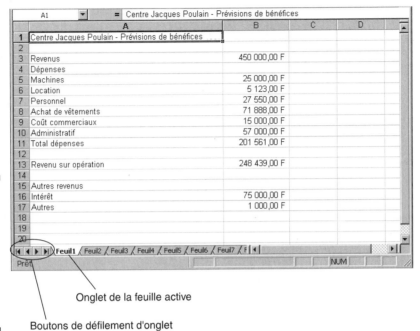

Figure 7.1
Cliquez sur les boutons de défilement d'onglets pour faire apparaître les onglets non visibles.

Onglet de la feuille active

Boutons de défilement d'onglet

- Pour accéder aux feuilles situées à droite, cliquez sur le bouton avec un triangle pointé vers la droite.

- Pour accéder aux feuilles situées à gauche, cliquez sur le bouton avec un triangle pointé vers la gauche.

- Pour passer à un groupe d'onglets situé à droite, cliquez sur le bouton avec un triangle pointé vers la droite agrémenté d'une petite barre verticale.

- Pour passer à un groupe d'onglets situé à gauche, cliquez sur le bouton avec un triangle pointé vers la gauche agrémenté d'une petite barre verticale.

Faire défiler les onglets de feuille ne veut pas dire les sélectionner. Pour cela, vous devez cliquer sur l'onglet qui vous intéresse.

Pour accéder plus rapidement aux onglets cachés, faites glisser le curseur de fractionnement (voir Figure 7.2) vers la droite. Sur un moniteur standard 14 pouces en résolution 640 x 480, il doit être possible d'afficher une douzaine d'onglets.

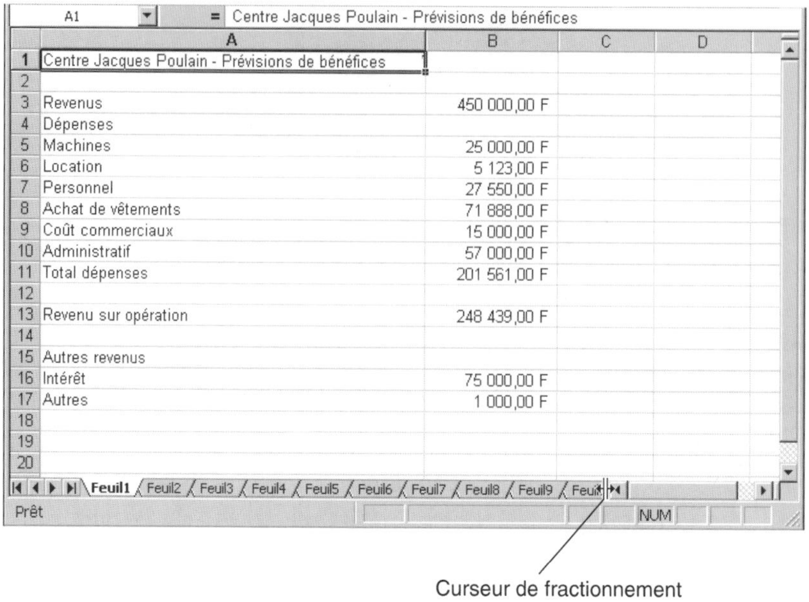

A1	▼	=	Centre Jacques Poulain - Prévisions de bénéfices				

	A	B	C	D
1	Centre Jacques Poulain - Prévisions de bénéfices			
2				
3	Revenus	450 000,00 F		
4	Dépenses			
5	Machines	25 000,00 F		
6	Location	5 123,00 F		
7	Personnel	27 550,00 F		
8	Achat de vêtements	71 888,00 F		
9	Coût commerciaux	15 000,00 F		
10	Administratif	57 000,00 F		
11	Total dépenses	201 561,00 F		
12				
13	Revenu sur opération	248 439,00 F		
14				
15	Autres revenus			
16	Intérêt	75 000,00 F		
17	Autres	1 000,00 F		
18				
19				
20				

◄ ◄ ► ►◄ \ **Feuil1** / Feuil2 / Feuil3 / Feuil4 / Feuil5 / Feuil6 / Feuil7 / Feuil8 / Feuil9 / Feuil ►◄

Prêt · · · · · · · · · · · · · · · NUM

Figure 7.2
Faites glisser le curseur de fractionnement pour rendre visibles les onglets cachés.

Curseur de fractionnement

En glissant vers la gauche, vous diminuez le nombre d'onglets visibles.

Aller de feuille en feuille via le clavier

Vous pouvez tout oublier sur les boutons de défilement des onglets de feuille si vous ne souhaitez utiliser que le clavier pour sauter de feuille en feuille. Pressez simplement la combinaison de touches Ctrl+PgDn pour passer à la feuille suivante, et Ctrl+PgUp pour revenir à la feuille précédente. Le déplacement dans un sens comme dans l'autre se fera, même si les onglets ne sont pas visibles à l'écran.

Éditer en masse

De la même manière que vous pouvez éditer les cellules d'une feuille de calcul, vous pouvez le faire pour plusieurs feuilles de calcul simultanément. Lorsque plusieurs feuilles de calcul sont sélectionnées, toute entrée ou modification de donnée dans une cellule affectera la même cellule des autres feuilles de calcul.

Admettons que vous souhaitiez modifier trois feuilles de calcul d'un nouveau classeur qui contiennent les douze mois de l'année, commençant colonne B ligne 3. Entrez d'abord janvier en B3, puis avec la fonction de Remplissage automatique, placez les onze autres mois sur la ligne 3. Excel insère les douze mois, à la même position dans les autres feuilles de calcul sélectionnées... Magique !

Pour sélectionner un groupe de feuilles de calcul dans un classeur, les choix suivants s'offrent à vous :

- Pour sélectionner un groupe de feuilles voisines, cliquez sur la première feuille, puis, en maintenant le bouton Maj enfoncé, cliquez sur la dernière feuille de la sélection. Les feuilles contenues entre les deux seront automatiquement sélectionnées.

- Pour des feuilles non voisines, cliquez sur le premier onglet de la feuille à sélectionner. Ensuite, maintenez la touche Ctrl et cliquez sur les onglets des feuilles que vous désirez joindre à la première.

Les feuilles sélectionnées prennent la couleur blanche. Par ailleurs, Excel affiche la mention [Groupe de travail] dans sa barre de titre.

Pour désélectionner un groupe de feuilles de calcul, cliquez simplement sur un onglet de feuille non sélectionné. Vous pouvez également obtenir le même résultat en ouvrant le menu contextuel d'un onglet et choisir la commande Dissocier les feuilles. Autre possibilité : cliquez sur l'onglet de la feuille active en maintenant enfoncée la touche Majuscule.

Ne m'amputez pas !

Pour la majeure partie d'entre vous, trois feuilles de calcul suffiront. Par contre, il se peut que dans certaines circonstances ce nombre de feuilles soit insuffisant ou trop important.

Excel vous permet d'insérer des feuilles de calcul supplémentaires ou d'en retirer, en suivant les étapes ci-dessous :

1. **Sélectionnez l'onglet de feuille où vous voulez insérer la nouvelle feuille de calcul.**

2. **Dans le menu Insertion, choisissez Feuille de calcul ou Insérer du menu contextuel de l'onglet.**

   Si vous actionnez la commande Insertion/Feuille de calcul, Excel insère directement une nouvelle feuille et donne comme nom d'onglet Feuil suivi du nombre disponible (par exemple, Feuil4). Ne suivez pas l'étape 3 de cette procédure.

Si, en revanche, vous choisissez la commande Insérer dans le menu contextuel, vous obtenez la fenêtre de dialogue Insérer où vous devez indiquer le type de la feuille à insérer (comme Feuille, Graphique, Macro MS Excel 4.0, Macro MS Excel 5.0), puis passez à l'étape 3.

3. **Sélectionnez l'icône feuille (si elle ne l'est pas) dans la boîte de dialogue Insérer. Cliquez sur OK ou appuyez sur Entrée.**

Pour insérer en une seule fois plusieurs nouvelles feuilles de calcul, sélectionnez un groupe contenant le même nombre d'onglets que de feuilles que vous souhaitez ajouter. Commencez par sélectionner l'onglet où les nouvelles feuilles seront insérées. Dans le menu Insertion, choisissez Feuille de calcul. Ou encore, actionnez la commande Insérer du menu contextuel d'un onglet de feuille sélectionné, puis cliquez sur OK dans la boîte de dialogue Insérer ou appuyez sur Entrée.

Pour supprimer une feuille de calcul dans un classeur :

1. **Cliquez sur l'onglet de la feuille à supprimer.**

2. **Choisissez la commande Supprimer une feuille dans le menu Édition ou Supprimer dans le menu contextuel de l'onglet concerné.**

   Excel affiche un message vous signalant que les feuilles sélectionnées seront définitivement supprimées.

3. **Cliquez sur OK ou appuyez sur Entrée si vous voulez réellement effacer la feuille visée.**

Sachez que pour une telle action, la fonction Annuler n'est pas disponible. Vous ne pourrez donc pas restaurer la feuille effacée.

Pour effacer un groupe de feuilles de calcul, sélectionnez-les, puis procédez selon les étapes ci-dessus.

Vous pouvez décider du nombre de feuilles que comporteront les nouveaux classeurs ouverts. Dans le menu Outils, cliquez sur l'onglet Général, et dans la boîte de texte Nombre de feuilles de calcul par nouveau classeur, entrez un nouveau chiffre (de 1 à 255) ou sélectionnez-le via les boutons à triangle haut ou bas.

Renommer une feuille...

Soyons plus originaux que ne l'est Excel en nommant les feuilles Feuil suivi d'un numéro d'ordre.

Voici comment changer le nom d'un onglet de feuille :

1. **Cliquez deux fois sur l'onglet avec le bouton gauche de la souris, ou choisissez la commande Renommer de son menu contextuel (en cliquant sur le bouton droit de la souris).**

   Cette action sélectionne le nom actuellement inscrit sur l'onglet.

2. **Remplacez le nom actuel par celui de votre choix (maximum 31 caractères).**

3. **Appuyez sur la touche Entrée.**

   Excel affiche le nouveau nom à la place de l'ancien.

Donner des noms courts aux feuilles de calcul

Excel vous permet d'écrire des noms comprenant 31 caractères (espaces inclus). Voici pourquoi vous utiliserez néanmoins des noms plus courts :

- L'onglet sera aussi long que le nom de la feuille de calcul. Dans le cas de noms trop longs, vous diminuez le nombre d'onglets visibles à l'écran.

- Puisque Excel considère les noms des feuilles de calcul comme partie intégrante des références des cellules d'une formule, si les noms donnés sont trop longs, vous aurez moins de souplesse d'utilisation avec les formules, qu'elles soient éditées dans les cellules ou dans la barre de formule, et qu'elles soient simples ou complexes.

Donc, souvenez-vous toujours de ceci : moins il y a de caractères, mieux c'est.

Ordonner vos feuilles

Pour votre travail, vous aurez peut-être besoin de changer l'ordre des feuilles de calcul de votre classeur. Pour cela, vous utiliserez la technique du glisser-déposer. Maintenez le bouton gauche de la souris enfoncé sur un onglet et faites glisser ce dernier. Pendant le déplacement, le pointeur de la souris prend la forme d'une petite feuille. Une fois la position atteinte, relâchez le bouton pour insérer la feuille de calcul (voir les Figures 7.3 et 7.4).

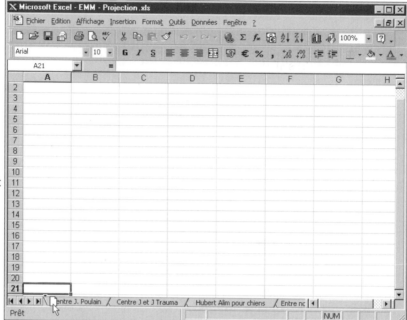

Figure 7.3
Déplacement
de l'onglet
Total des
revenus en
début de
feuille de
calcul par la
technique du
glisser-
déposer.

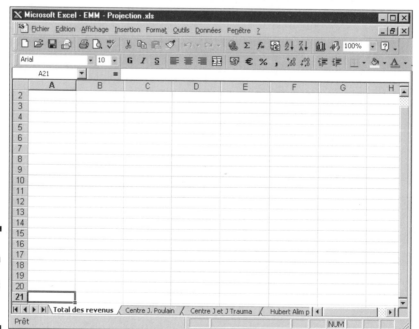

Figure 7.4
Aspect de la
feuille de
calcul après
le déplace-
ment.

Si vous associez la touche Ctrl au cliquer-glisser, Excel produit une *copie* de la feuille sélectionnée et place cette copie à l'endroit que vous désignez en relâchant le bouton de votre souris. Le pointeur, d'ailleurs, se dote d'un signe +, montrant bien par là qu'il s'agit d'une copie plutôt que d'un déplacement. La mention (2) s'ajoute à la suite du nom de la feuille originale ; modifiez ce nom si nécessaire.

Ouvrir des fenêtres sur vos feuilles de calcul

Il vous est possible d'ouvrir plusieurs feuilles de calcul de votre classeur sur un même écran.

Pour ouvrir les feuilles de calcul que vous voulez comparer, il vous suffit d'insérer les feuilles de calcul désirées, puis de sélectionner la feuille de calcul que vous voulez afficher. Veuillez suivre les étapes suivantes :

1. **Dans le menu Fenêtre, choisissez la commande Nouvelle fenêtre pour créer la fenêtre d'une feuille de calcul (elle est identifiée par :2 inscrit en fin du nom de fichier dans la barre de titre).**

2. **Faites la même opération afin de créer une troisième feuille de calcul. Cette fois c'est :3 qui l'identifie.**

3. **Maintenant, cliquez sur l'onglet de la feuille de calcul dont vous voulez faire apparaître le contenu dans une des nouvelles fenêtres.**

4. **Dans le menu Fenêtre, choisissez la commande Réorganiser et choisissez une des options proposées dans la boîte de dialogue Réorganiser (comme nous le décrivons ci-après) ; puis cliquez sur OK ou appuyez sur la touche Entrée.**

Voici les options de la boîte de dialogue Réorganiser :

- **Le bouton radio Mosaïque :** Excel arrange les fenêtres côté par côté dans l'ordre de leur ouverture (voir Figure 7.5).

- **Le bouton radio Horizontal :** Excel place les fenêtres horizontalement les unes en dessous des autres (voir Figure 7.6).

- **Le bouton radio Vertical :** Excel dimensionne de façon égale les fenêtres et les place verticalement les unes à côté des autres (voir Figure 7.7).

- **Le bouton radio Cascade :** Excel dimensionne les fenêtres et les place les unes par-dessus les autres en laissant visible la barre de titre de chacune d'elles (voir Figure 7.8).

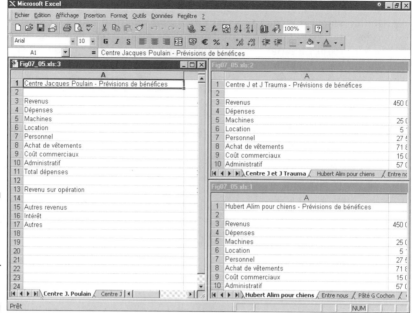

Figure 7.5
La feuille de
calcul après
application
de l'arrange-
ment
Mosaïque.

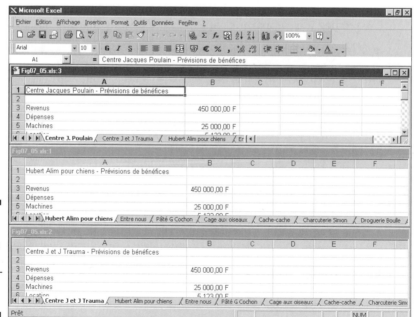

Figure 7.6
La feuille de
calcul après
application
de l'arrange-
ment
Horizontal.

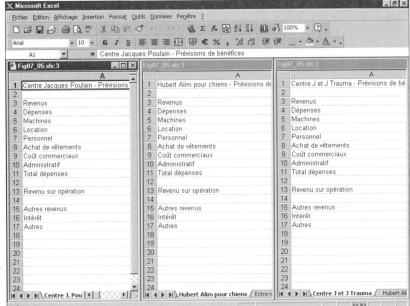

Figure 7.7
La feuille de calcul après application de l'arrangement Vertical.

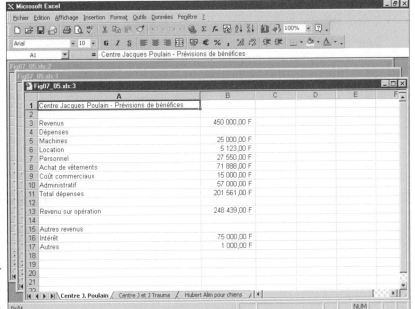

Figure 7.8
La feuille de calcul après application de l'arrangement Cascade.

• **La case à cocher Fenêtres du classeur actif :** Excel affiche uniquement les fenêtres ouvertes du classeur actif. (Si votre ordinateur possède suffisamment de mémoire, vous pouvez ouvrir plusieurs classeurs en même temps, ainsi que plusieurs fenêtres dans chacun d'eux).

Pour activer une fenêtre donnée, cliquez dedans. (En cas de disposition en cascade, vous devez cliquer sur la barre de titre.) Vous pouvez aussi agir au niveau des boutons de la barre des tâches de Windows.

Quand vous cliquez sur une des fenêtres de la feuille de calcul arrangée verticalement ou horizontalement, sa barre de titre se met en surbrillance et Excel lui ajoute des barres de défilement, montrant par là qu'elle est active. Dans un type d'arrangement en cascade, cliquer sur la barre de titre d'une fenêtre la place en début de pile, barre de titre en surbrillance et ajout de barres de défilement.

Vous pouvez cliquer sur le bouton d'agrandissement de la fenêtre afin d'y faire plus facilement des modifications, puis la réduire pour retrouver l'affichage de toutes les fenêtres ouvertes sur votre feuille de calcul.

Pour passer d'une fenêtre à une autre via le clavier et quel que soit le type d'arrangement choisi, appuyez sur Ctrl+F6. Pour revenir sur la fenêtre précédente, appuyez sur Ctrl+Maj+F6. Ces combinaisons fonctionnent même lorsque les fenêtres sont agrandies.

Que vous fermiez ou ajoutiez une fenêtre, Excel ne redimensionne pas et ne réorganise pas automatiquement les fenêtres.

Pour que la réorganisation s'opère, vous devez ouvrir la boîte de dialogue Réorganiser et cliquer sur OK ou appuyez sur Entrée. (Le dernier bouton radio que vous avez sélectionné reste actif quand vous ouvrez la boîte de dialogue Réorganiser).

Ne tentez pas de fermer une fenêtre particulière via la commande Fermer du menu Fichier, car vous fermeriez tout le classeur.

Quand vous enregistrez votre classeur, Excel sauve aussi l'organisation des fenêtres. Si vous ne désirez pas enregistrer cet arrangement, fermez toutes les fenêtres sauf une, en cliquant sur leur bouton de fermeture (ou en sélectionnant la fenêtre et en pressant Ctrl+W) ; ensuite, cliquez sur le bouton d'agrandissement de la fenêtre restante, puis sur l'onglet de la feuille de calcul que vous voulez afficher lors de la prochaine ouverture du classeur en question.

Copier ou déplacer des feuilles

Dans certaines situations, vous aurez besoin de déplacer une feuille de calcul particulière ou de la copier d'un classeur à un autre. Veuillez vous conformer aux étapes suivantes :

1. **Ouvrez les classeurs dont vous voulez copier ou déplacer une ou plusieurs feuilles de calcul.**

   Utilisez l'outil Ouvrir de la barre d'outils Standard ou la commande Ouvrir du menu Fichier (Ctrl+O).

2. **Sélectionnez le classeur qui contient les/la feuille(s) que vous voulez déplacer ou copier.**

   Pour sélectionner le bon classeur, vous pouvez choisir son nom dans le menu déroulant Fenêtre.

3. **Sélectionnez la feuille de calcul à copier ou à déplacer.**

   Pour sélectionner une seule feuille de calcul, cliquez sur son onglet. La sélection d'un groupe de feuilles se fait en cliquant sur l'onglet de la première feuille, puis, en maintenant enfoncé le bouton Maj, cliquez sur l'onglet de la dernière feuille à sélectionner. L'ensemble des feuilles comprises entre les deux onglets cliqués sera sélectionné.

4. **Choisissez la commande Déplacer ou copier une feuille... dans le menu Édition. L'autre possibilité consiste à choisir la commande Déplacer ou copier du menu contextuel de l'onglet.**

   Excel ouvre alors la boîte de dialogue Déplacer ou copier (voir Figure 7.9) dans laquelle vous choisissez la(les) feuille(s) à déplacer ou copier, ainsi que la destination de cette opération.

5. **Dans la liste déroulante Dans le classeur, sélectionnez le nom du classeur vers lequel vous voulez effectuer la copie ou le déplacement.**

   Si vous souhaitez que la copie ou le déplacement se fasse vers un nouveau classeur, choisissez cette option dans la liste évoquée ci-avant.

6. **Dans la boîte à liste Avant la feuille, sélectionnez le nom de la feuille avant laquelle vous voulez insérer la feuille de calcul copiée ou déplacée.**

7. **Cochez la case Créer une copie pour copier la feuille de calcul sélectionnée plutôt que de la déplacer.**

8. **Cliquez sur OK ou appuyez sur Entrée pour terminer l'opération.**

Figure 7.9
La boîte de dialogue Déplacer ou copier dans laquelle vous sélectionnez le classeur et l'emplacement vers lequel va s'effectuer la copie ou le déplacement.

Une approche plus directe de la copie et du déplacement consiste à utiliser la méthode du glisser-déposer d'un classeur à l'autre. Cette méthode fonctionne aussi bien avec une feuille de calcul qu'avec un ensemble de feuilles de calcul.

Pour glisser-déposer une feuille de calcul sur un autre classeur, ouvrez les deux classeurs et réorganisez les fenêtres horizontalement ou verticalement (commande Réorganiser du menu Fenêtre). Avant de fermer la boîte de dialogue Réorganiser, assurez-vous que la case Fenêtres du classeur actif *n'est pas cochée*.

Une fois les fenêtres organisées, faites glisser l'onglet de la feuille de calcul d'un classeur à un autre. Pour copier, maintenez la touche Ctrl enfoncée en même temps que vous faites glisser l'icône en forme de feuille. Pour localiser la feuille de calcul où doit s'opérer la copie, positionnez le triangle pointant vers le bas sur l'onglet de la feuille de destination. Relâchez la souris et la copie se fait automatiquement.

Les Figures 7.10 et 7.11 montrent combien il est facile de déplacer ou de copier une feuille de calcul vers un autre classeur en utilisant la technique du glisser-déposer.

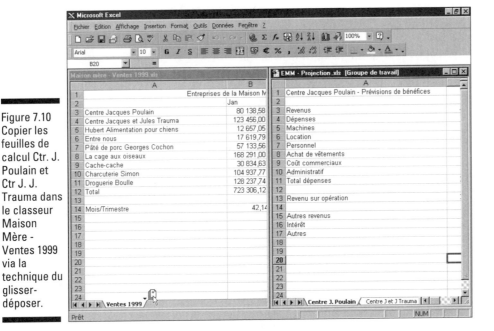

Figure 7.10
Copier les
feuilles de
calcul Ctr. J.
Poulain et
Ctr J. J.
Trauma dans
le classeur
Maison
Mère -
Ventes 1999
via la
technique du
glisser-
déposer.

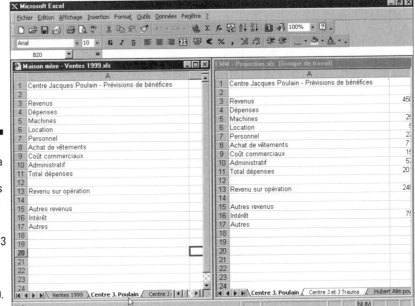

Figure 7.11
Aspect de la
feuille de
calcul après
insertion de
la copie
entre les
feuilles 2 et 3
du classeur
Maison
Mère -
Ventes 1999.

Dans la Figure 7.10, vous voyez que pour copier les feuilles de calcul Ctr. J. Poulain et Ctr J. J. Trauma, il a d'abord fallu les sélectionner par la méthode conventionnelle de sélection multiple, puis, en cliquant sur un des onglets sélectionnés et en maintenant la touche Ctrl enfoncée, l'opération de glisser-déposer s'est faite jusqu'au classeur Maison Mère - Ventes 1999.

La Figure 7.11 montre l'aspect de ce même classeur après relâchement du bouton de la souris. L'insertion de la copie s'est faite après la feuille Ventes 1999.

Totaliser...

Nous allons aborder un sujet fascinant : la création d'une *feuille de calcul sommaire* qui récapitule ou totalise les valeurs stockées dans les feuilles de calcul d'un classeur.

Le meilleur moyen d'en parler est d'en créer une pour le classeur Maison Mère - Estimation des revenus 2000, qui comprend les estimations de toutes les sociétés rattachées à la maison mère.

Pour créer une feuille de calcul sommaire, il faut suivre les étapes suivantes :

1. **Commençons par insérer une nouvelle feuille de calcul au tout début du classeur. Nommons cette feuille Total des revenus.**

2. **Dans la cellule A1 de cette feuille de calcul, je tape son titre "Entreprises de la Maison Mère - Estimation des revenus 2000".**

3. **Enfin, je copie les en-têtes de ligne de la colonne A (contenant les intitulés des revenus et des dépenses) en les prenant dans la feuille de calcul nommée Ctr. J. Poulain.**

   Il faut pour cela sélectionner la cellule A3 dans la feuille Total des revenus et ensuite cliquer sur l'onglet Ctr. J. Poulain et sélectionner la plage de cellules A3:A17. Puis, il faut appuyer sur la combinaison Ctrl+C, revenir dans la feuille de calcul Total des revenus et appuyez sur Entrée.

Je suis prêt, à présent, à créer une formule globale SOMME qui totalisera les revenus des neufs compagnies dans la cellule B3 de l'onglet Total des revenus :

1. **Je commence par cliquer sur la cellule B3, puis j'enchaîne en cliquant sur l'outil Somme automatique de la barre d'outils Standard.**

   Excel inscrit alors =SOMME() dans la cellule avec le point d'insertion placé entre les deux parenthèses.

2. **Ensuite, je clique sur l'onglet Ctr. J. Poulain et y sélectionne la cellule B3 (revenus).**

   La barre de formule affiche =SOMME('Ctr. J. Poulain'!B3).

3. **Je tape ensuite un point-virgule (qui permet d'ajouter un nouvel argument) et clique sur l'onglet Ctr. J.J Trauma où je sélectionne la cellule B3.**

   La barre de formule affiche =SOMME('Ctr. J. Poulain'!B3;'Ctr. J. J Trauma').

4. **Je continue de la même manière pour les autres compagnies (sans oublier le signe ";").**

   La formule SOMME doit ressembler à la Figure 7.12.

5. **Pour terminer la fonction SOMME dans la cellule B3 de l'onglet Total des revenus, il faut soit cliquer sur le bouton Entrer de la barre de formule, soit appuyez sur la touche Entrée.**

   La somme de 4 050 000 apparaissant dans la cellule B3 (Figure 7.12) représente la somme des revenus des neufs sociétés qui sont inscrites dans la colonne B3 de leur feuille de calcul respective.

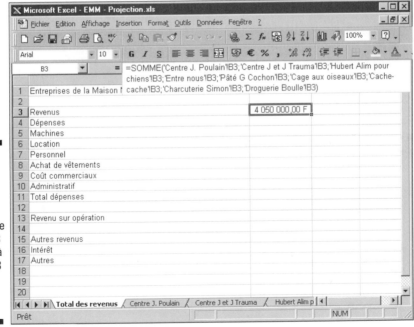

Figure 7.12
Total des revenus après application de la formule créée en B3 et étendue à la cellule B3 des neufs autres sociétés.

Nous allons utiliser le Remplissage automatique pour copier les formules depuis la cellule B3 jusqu'à B17 :

1. **Sélectionnez la cellule B3. Étirez le pointeur de cellule par sa poignée de recopie jusqu'à la cellule B17 pour copier les formules de calcul des neufs sociétés.**

2. **Effacez maintenant les formules des cellules B4, B12, B14 (puisqu'elles ne contiennent aucune valeur calculée).**

Dans la Figure 7.13, vous avez l'aspect de la feuille de calcul après application des deux étapes énoncées ci-dessus.

Figure 7.13 Aspect de la feuille de calcul après copie des formules et effacement du contenu des cellules non concernées par les formules en question.

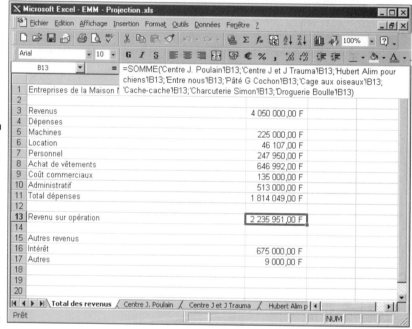

Quatrième partie
Il y a une vie au-delà de la feuille de calcul

"C'est exact, Mlle Baleizomme, il touche des royalties de chacun d'entre nous sur la planète et on ne peut rien y faire."

Dans cette partie...

Excel 2000 vous permet, avant tout, de créer et de gérer vos feuilles de calcul. Mais ses fonctionnalités ne s'arrêtent pas là !

Cette quatrième partie vous apprend à créer des graphiques (Chapitre 8), ajouter des images, créer et éditer des bases de données (Chapitre 9), ou encore établir des liens hypertextes et convertir vos feuilles Excel en documents HTML.

Chapitre 8
L'art de créer
des graphiques

Dans ce chapitre :

Création de superbes graphiques avec l'Assistant Graphique.

Modification du type de graphique avec la barre d'outils des graphiques.

Ajout et personnalisation des axes de graphique.

Ajout d'une boîte de texte.

Changement d'orientation des graphiques 3D.

Utilisation de la barre de dessin pour ajouter à la feuille de calcul des objets graphiques.

Utilisation de la fonction Données géographiques pour représenter géographiquement des données.

Impression d'un graphique.

Comme disait Confucius : "Un petit dessin vaut mieux qu'une longue explication." (ou, en ce qui nous concerne, de nombres). En ajoutant des graphiques à vos feuilles de calcul vous allez donner un second souffle à votre travail, son apparence fera oublier quelque peu l'ennui d'une suite de chiffres disgracieux. Excel permet une grande facilité dans la mise en place de vos éléments graphiques ; vous pourrez ainsi expérimenter les différents types de dessins pour déterminer celui ou ceux qui s'accordent le mieux à vos données.

Juste un mot à propos des graphiques avant que vous ne les utilisiez. Rappelez-vous vos cours de mathématiques au lycée, lorsque le professeur essayait tant bien que mal de vous apprendre comment représenter graphiquement une équation en définissant un point à chaque valeur sur les axes x et y. Bien sûr, vous étiez à l'époque trop occupé à des choses bien plus importantes pour prêter attention à cela. Vous vous êtes sans doute dit, "Je n'aurai jamais besoin de ce charabia plus tard !"

Heureusement, Excel automatise pratiquement la totalité de la mise en graphique de vos données. Vous aurez peut-être, dans certains cas, besoin de lui indiquer respectivement les axes x et y, juste au cas où il ne représenterait pas correctement vos données. Pour rafraîchir votre mémoire, l'axe *x* est l'axe horizontal localisé en bas des graphiques ; l'axe *y* est l'axe vertical sur le côté gauche des graphiques.

Dans la plupart des graphiques qui utilisent ces deux axes, Excel représente les catégories de données le long de l'axe *x* et leur valeur sur l'axe *y*. L'axe *x* est souvent référencé comme l'axe de temps car certains graphiques s'en servent pour définir une ou plusieurs périodes comme les mois, les trimestres ou les années.

Constituer des graphiques avec l'Assistant graphique

Excel permet la création d'un nouveau graphique dans une feuille de calcul de la manière la plus simple possible grâce à l'Assistant Graphique. Il vous aidera tout au long de la procédure.

Avant de commencer, il faut sélectionner les cellules contenant les informations que vous voulez représenter. Celles-ci doivent être sous une forme standard de manière à être traitées sans problème (voir Figure 8.1).

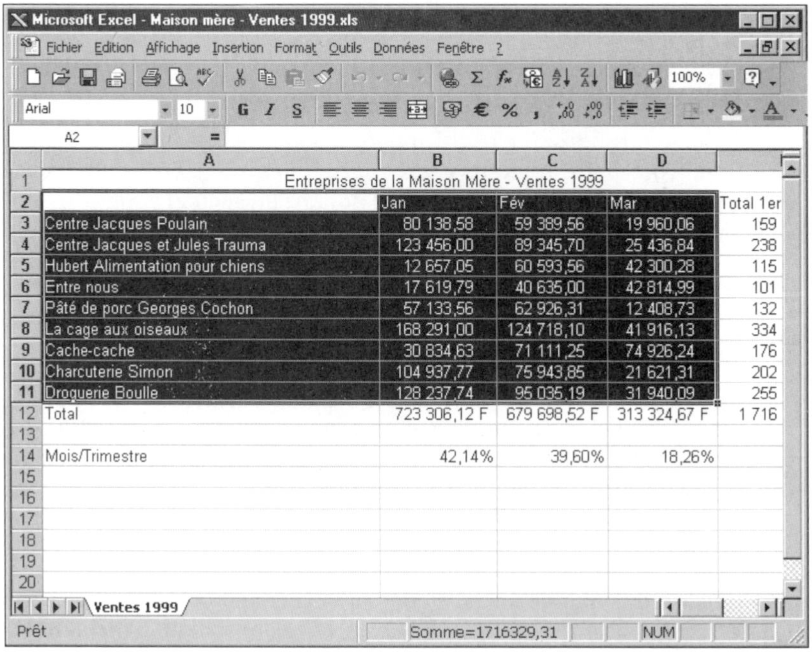

	A	B	C	D	
1	Entreprises de la Maison Mère - Ventes 1999				
2		Jan	Fév	Mar	Total 1er
3	Centre Jacques Poulain	80 138,58	59 389,56	19 960,06	159
4	Centre Jacques et Jules Trauma	123 456,00	89 345,70	25 436,84	238
5	Hubert Alimentation pour chiens	12 657,05	60 593,56	42 300,28	115
6	Entre nous	17 619,79	40 635,00	42 814,99	101
7	Pâté de porc Georges Cochon	57 133,56	62 926,31	12 408,73	132
8	La cage aux oiseaux	168 291,00	124 718,10	41 916,13	334
9	Cache-cache	30 834,63	71 111,25	74 926,24	176
10	Charcuterie Simon	104 937,77	75 943,85	21 621,31	202
11	Droguerie Boulle	128 237,74	95 035,19	31 940,09	255
12	Total	723 306,12 F	679 698,52 F	313 324,67 F	1 716
13					
14	Mois/Trimestre	42,14%	39,60%	18,26%	

Figure 8.1
Sélection
des données
pour leur
mise en
graphique.

Si vous créez un graphique utilisant les axes *x* et *y*, l'Assistant graphique représentera le long de l'axe *x* les rangées de colonnes sélectionnées où se trouvent les en-têtes. Si votre feuille de calcul a une rangée d'en-têtes, ceux-ci seront représentés en tant que légendes du graphique (si vous décidez de l'inclure). La *légende* identifie chaque point, colonne ou barre représentant les différentes valeurs de votre feuille de calcul.

Une fois les données à traiter sélectionnées, suivez ces étapes pour créer le graphique :

1. **Cliquez sur le bouton de l'Assistant Graphique dans la barre d'outils Standard.**

   Le bouton de l'Assistant Graphique se trouve à droite de l'écran, il représente un graphique. Quand vous cliquez dessus, Excel ouvre la fenêtre de dialogue Assistant graphique - Étape 1 sur 4 - Type de graphique (voir la Figure 8.2).

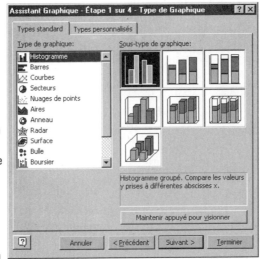

Figure 8.2
La fenêtre de dialogue Assistant graphique - Étape 1 sur 4 - Type de graphique.

2. **Si vous désirez employer un type de graphique différent du type par défaut Histogramme, sélectionnez les type et sous-type via les onglets Types standard et Types personnalisés.**

   Pour sélectionner un autre type de graphique, cliquez sur son échantillon dans la liste Type de graphique. Pour sélectionner un sous-type de graphique, cliquez sur sa représentation dans la partie Sous-type de graphique. Pour afficher un aperçu du graphique, enfoncez le bouton Maintenir appuyé pour visionner.

3. **Cliquez sur le bouton Suivant ou appuyez sur Entrée pour passer à la fenêtre Assistant graphique - Étape 2 sur 4 - Données source du graphique.**

    La fenêtre de dialogue Assistant graphique - Étape 2 sur 4 - Données source du graphique (voir la Figure 8.3) sert à modifier la plage de données à tracer (ou à la sélectionner si vous ne l'avez pas fait avant de démarrer l'assistant). C'est également ici que vous définissez les séries de données dans la plage.

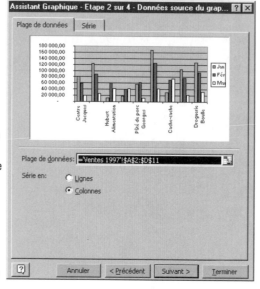

Figure 8.3
La fenêtre de dialogue Assistant graphique - Étape 2 sur 4 - Données source du graphique.

La place de cellules que vous avez sélectionnée dans la feuille de calcul avant de démarrer l'assistant est entourée d'une marquise de sélection. Elle est inscrite sous forme de formule (avec des références absolues) dans la case Plage de données. Pour modifier cette plage (par exemple pour y inclure la ligne d'étiquettes de colonnes ou la colonne d'étiquettes de lignes), sélectionnez à la souris la nouvelle plage directement dans la feuille de calcul ou encore modifiez les références dans la case Plage de données. Si la fenêtre de dialogue vous gêne, n'oubliez pas que vous la réduirez à sa simple expression en cliquant sur le bouton de réduction se trouvant à droite de la case Plage de données. Pour lui redonner sa taille normale, cliquez sur le bouton d'agrandissement (il se trouve à la même place que le bouton de réduction).

4. **Vérifiez la plage de cellules inscrite dans la case Plage de données. Si nécessaire, sélectionnez une autre plage ou modifiez les références dans la case.**

   Normalement, l'Assistant Graphique génère des *séries de données* pour chaque colonne de valeurs sélectionnées. La *légende* (la partie encadrée affichant les couleurs ou motifs utilisés dans le graphique) identifie chaque série de données.

   Dans l'exemple des ventes 1999 des Entreprises de la Maison Mère concernant le premier trimestre (voir la Figure 8.1), Excel va utiliser chacune des barres de l'histogramme pour représenter les ventes des différents mois de chacune des entreprises. Si vous le voulez, vous pouvez changer la disposition des séries de données en lignes, en cliquant sur le bouton Lignes. Ce changement entraînera alors la représentation des ventes du premier trimestre des neuf entreprises par les barres de l'histogramme.

   L'Assistant graphique utilise les données contenues dans la première colonne (les en-têtes des cellules A3 à A11) pour déterminer les rubriques sur l'axe des x, et utilise les données de la première ligne (les cellules B2 à D2) pour la légende.

5. **Si vous désirez que l'Assistant se serve des lignes de la plage de données comme séries de données (au lieu d'employer les colonnes), cliquez sur le bouton radio Lignes de la zone *Série en*.**

   Pour apporter des modifications individuelles aux noms ou aux cellules utilisés dans les séries de données, cliquez sur l'onglet Série de la fenêtre de dialogue.

6. **Cliquez sur le bouton Suivant ou appuyez sur Entrée pour ouvrir la fenêtre de dialogue Assistant graphique - Étape 3 sur 4 - Options de graphique.**

   La fenêtre de dialogue Assistant graphique - Étape 3 sur 4 - Options de graphique (voir la Figure 8.4) donne accès à de nombreux réglages : par exemple, choisir le titre du graphique, afficher un quadrillage, une légende, les étiquettes de données, tracer un tableau reprenant les valeurs utilisées pour tracer le graphique.

7. **Sélectionnez l'onglet qui vous intéresse (Titres, Axes, Quadrillage, Légende, Étiquettes de données, Table de données), puis effectuez vos réglages.**

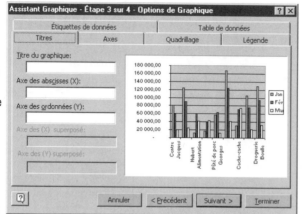

Figure 8.4
La fenêtre de dialogue Assistant graphique - Étape 3 sur 4 - Options de graphique.

8. **Cliquez sur le bouton Suivant dans la fenêtre de dialogue ou appuyez sur Entrée pour ouvrir la fenêtre de dialogue Assistant graphique - Étape 4 sur 4 - Emplacement du graphique.**

La fenêtre Assistant graphique - Étape 4 sur 4 - Emplacement du graphique (voir la Figure 8.5) sert à demander le placement du graphique sur une nouvelle feuille à part ou comme objet graphique dans une feuille existante du classeur.

Figure 8.5
La fenêtre de dialogue Assistant graphique - Étape 4 sur 4 - Emplacement du graphique.

9a. **Pour placer le graphique sur sa propre feuille, cliquez sur le bouton radio Sur une nouvelle feuille. Puis, si vous le souhaitez, tapez le nom de cette nouvelle feuille (à la place de Graph1) dans la case à droite.**

9b. **Pour placer le graphique sur une des feuilles existantes de votre classeur, vérifiez que l'option En tant qu'objet dans soit sélectionnée, puis choisissez la feuille de destination dans la liste déroulante.**

10. **Cliquez sur le bouton Terminer ou appuyez sur Entrée pour fermer la fenêtre de cette dernière étape de l'Assistant graphique.**

Si vous avez sélectionné l'option Sur une nouvelle feuille, votre nouveau graphique apparaît sur sa propre feuille, ainsi que la barre d'outils Graphique. Si vous avez sélectionné l'option En tant qu'objet dans, le résultat apparaît sous forme d'un graphique, sélectionné, sur la feuille désignée (voir la Figure 8.6).

Figure 8.6
Le graphique terminé, représentant les résultats du premier trimestre des Entreprises de la Maison Mère.

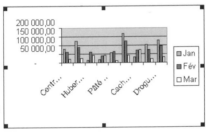

Graphique instantané

Si vous n'avez pas même le temps de suivre les quatre étapes de l'Assistant graphique, vous avez la possibilité d'obtenir instantanément un graphique à colonnes en sélectionnant les cellules comportant les valeurs et les étiquettes à représenter, en activant l'icône Assistant Graphique de la barre d'outils Standard, puis en cliquant directement sur Terminer.

Pour que le graphe apparaisse sur sa propre feuille, sélectionnez les valeurs et les étiquettes, puis enfoncez la touche F11. Excel crée une nouveau graphique à colonnes sur une feuille graphique (Graph1) qu'il place avant les feuilles existantes du classeur courant.

Déplacer et redimensionner un graphique placé sur une feuille de calcul

Vous pouvez facilement déplacer ou redimensionner le graphique après sa création, car il reste sélectionné (une fenêtre est sélectionnée présente toujours des poignées sur son contour.)

- Pour déplacer le graphique, positionnez le pointeur de la souris quelque part à l'intérieur de sa fenêtre et faites-le glisser à l'emplacement choisi.

- Pour redimensionner le graphique, positionnez le pointeur sur une des poignées. Le curseur de la souris se transforme alors en double flèche, vous indiquant que vous pouvez agrandir ou réduire la fenêtre.

Une fois que la position et la dimension du graphique vous conviennent, désélectionnez sa fenêtre (il suffit pour cela de cliquer n'importe où dans la feuille de calcul. Les poignées disparaîtront, indiquant qu'elle n'est plus sélectionnée).

Modification du graphique avec la barre d'outils Graphique

Une fois le graphique créé, vous avez accès aux boutons de la barre Graphique (voir la Figure 8.7) pour y apporter divers changements.

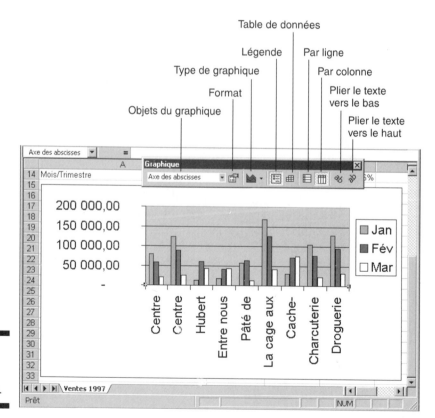

Figure 8.7
La barre
d'outils
Graphique.

Voici les fonctions des outils de la barre Graphique :

- **Objets du graphique :** Pour sélectionner la zone du graphique à modifier, cliquez sur la liste déroulante Objets du graphique, puis cliquez sur le nom de l'objet concerné. Ou encore, cliquez directement sur l'objet dans le graphique. Lorsque vous cliquez sur un objet dans le graphique, son nom est automatiquement affiché dans la liste Objets du graphique.

- **Format :** Pour modifier le formatage de l'objet sélectionné (dont le nom apparaît dans la liste Objets du graphique), cliquez sur ce bouton pour ouvrir une fenêtre de dialogue adaptée afin de modifier le formatage de cet objet en particulier. Notez que le nom de ce bouton (affiché sur l'info-bulle obtenue lorsque vous laissez le pointeur de la souris un instant sur ce bouton) change en fonction de l'objet sélectionné. Si la mention Zone de graphique est affichée dans la liste des objets du graphique, alors le nom de ce bouton devient Format de la zone de graphique. Si c'est Légende qui est affiché dans la liste, alors le bouton porte le nom Format de la légende.

- **Type de graphique :** Pour changer de type de graphique, cliquez sur ce bouton pour afficher la palette des types de graphiques, puis choisissez le type qui vous convient.

- **Légende :** Cliquez sur ce bouton pour afficher ou masquer la légende du graphique.

- **Table de données :** Cliquez sur ce bouton pour ajouter ou supprimer un tableau de données affichant les valeurs représentées par le graphique (la Figure 8.8 montre un exemple de table de données ajoutée en dessous d'un graphique).

- **Par ligne :** Cliquez sur ce bouton si vous désirez que les séries de données du graphique représentent les lignes de la plage de données sélectionnée dans la feuille de calcul.

- **Par colonne :** Cliquez sur ce bouton si vous désirez que les séries de données du graphique représentent les colonnes de la plage de données sélectionnée dans la feuille de calcul.

- **Plier le texte vers le bas :** Ce bouton est accessible uniquement lorsque l'objet Axe des abscisses ou Axe des ordonnées est sélectionné. Lorsque vous cliquez sur ce bouton, le texte est incliné de 45 degrés vers le bas, comme l'indique la position des lettres *ab* sur le bouton.

- **Plier le texte vers le haut :** Ce bouton est accessible uniquement lorsque l'objet Axe des abscisses ou Axe des ordonnées est sélectionné. Lorsque vous cliquez sur ce bouton, le texte est incliné de 45 degrés vers le haut, comme l'indique la position des lettres *ab* sur le bouton.

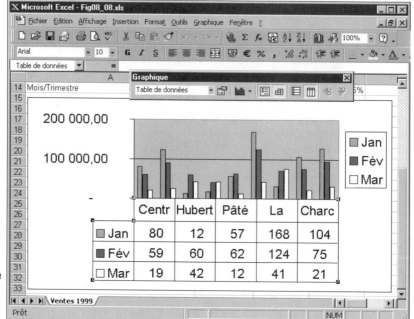

Figure 8.8
Le graphique
et sa table
de données.

Modification du graphique directement dans la feuille de calcul

Il est parfois nécessaire d'apporter des modifications à certaines parties seulement du graphique, par exemple, choisir une nouvelle police pour les étiquettes du graphique ou encore déplacer la légende. Pour réaliser ce genre de correction, commencez par double-cliquer sur l'objet concerné (légende, zone de graphique, etc.). Excel le sélectionne et affiche une fenêtre de dialogue propre à l'objet sélectionné. Par exemple, si vous avez double-cliqué sur la légende, vous obtenez la fenêtre de dialogue Format de légende (voir la Figure 8.9). A vous d'effectuer ensuite les réglages nécessaires pour personnaliser votre légende.

Voici d'autres modifications réalisables :

- Pour sélectionner une partie du graphique, cliquez tout simplement dessus. Utilisez l'info-bulle qui s'affiche à proximité de votre pointeur pour identifier cet élément.

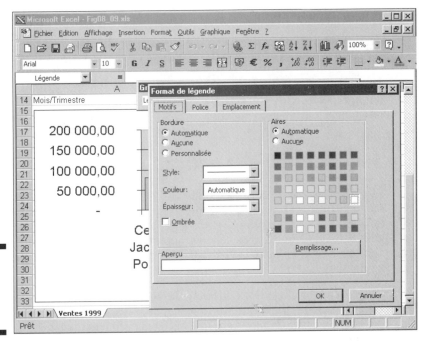

Figure 8.9
La boîte de
dialogue
Format de
légende.

- La partie sélectionnée apparaît avec les poignées sur son contour (Figure 8.9). Vous pourrez les utiliser pour redimensionner ou réorienter certains éléments.

- Pour déplacer l'élément choisi, positionnez le curseur directement sur la bordure du cadre et faites glisser celui-ci à l'endroit souhaité.

- Dans le menu contextuel de l'élément sélectionné, choisissez la commande désirée.

- Pour supprimer la portion sélectionnée, appuyez sur la touche Suppr.

Une fois une partie sélectionnée, vous pouvez en choisir une autre avec les touches de direction ; en pressant la touche ↑, vous sélectionnez l'élément suivant, avec la touche ↓ l'élément précédent. → sélectionne l'objet suivant ; ← sélectionne l'objet précédent.

Toutes les parties de la fenêtre graphique comportent un menu qui leur est propre. Pour accéder à ce menu, il suffit de cliquer avec le bouton droit de la souris sans qu'il soit nécessaire de sélectionner l'élément au préalable.

En plus de ces fonctions vous pouvez fragmenter le titre en plusieurs lignes pour des raisons d'esthétique ou de place. L'onglet Alignement permet de définir la justification et l'orientation des lignes composant un titre.

Pour diviser un titre en plusieurs lignes, cliquez à l'endroit du texte où vous désirez séparer le titre. Le curseur doit normalement se transformer en point d'insertion. Une fois que le curseur est correctement positionné, pressez Ctrl+Entrée pour démarrer la nouvelle ligne.

Les fonctions disponibles pour le titre le sont également pour les séries de données, la légende et les axes x et y en sélectionnant la commande appropriée dans leur menu respectif.

Modification des options de graphique

Si vous pensez apporter des modifications importantes à votre graphique, ouvrez la fenêtre de dialogue Options du graphique (qui contient les mêmes onglets que la fenêtre vue à l'étape 3 de l'Assistant graphique ; voir la Figure 8.4). Pour ouvrir cette fenêtre, actionnez la commande Graphique/ Options du graphique ou la commande Options du graphique dans le menu contextuel.

La fenêtre de dialogue Options du graphique contient jusqu'à six onglets, selon le type du graphique sur lequel vous travaillez. Par exemple, les graphiques sectoriels ne comportent que les trois premiers onglets. Voici le rôle de ces onglets :

- **Titres :** Les options de cet onglet servent à ajouter ou modifier le titre du graphique (qui apparaît en haut du graphique), le titre de l'axe des abscisses et le titre de l'axe des ordonnées.

- **Axes :** Pour masquer ou afficher les graduations et étiquettes de l'axe des abscisses ou des ordonnées.

- **Quadrillage :** Pour masquer ou afficher les lignes de quadrillage générées à partir de l'axe des abscisses ou des ordonnées.

- **Légende :** Pour masquer ou afficher la légende, et pour choisir son emplacement par rapport au graphique en choisissant une des option bas, coin supérieur droit, haut, droite, gauche.

- **Étiquettes de données :** Pour masquer ou afficher les étiquettes identifiant les séries de données du graphique. Vous pouvez aussi modifier leur apparence en choisissant une des options Afficher la valeur, Afficher le pourcentage, Afficher l'étiquette, Afficher étiquette et pour-cent, Afficher la taille des bulles.

- **Table de données :** Pour masquer ou afficher la table de données (voir la Figure 8.8).

Tout dire avec une zone de texte

La Figure 8.10 illustre un autre changement que vous pouvez apporter à votre graphique. On y voit le graphique concernant les ventes 1999 des Entreprises de la Maison Mère après l'ajout d'une zone de texte pointant par une flèche la société La Cage aux oiseaux, ayant effectué les meilleures ventes du trimestre. On remarquera également que les valeurs de l'axe *y*, c'est-à-dire le résultat des ventes, ont été modifiées dans leur présentation.

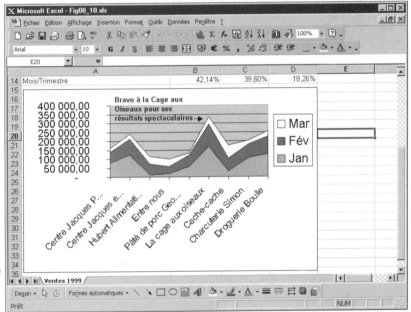

Figure 8.10
Ajout d'une zone de texte et d'une flèche.

Pour ajouter une zone de texte, affichez la barre d'outils Dessin (voir la Figure 8.11) en cliquant sur le bouton Dessin situé dans la barre d'outils Standard d'Excel, puis cliquez sur le bouton Zone de texte (celui qui comporte une feuille de texte). Le curseur prend l'apparence d'une fine ligne verticale, barrée en bas (le tout ressemble à une petite épée), qui vous permet de créer votre zone de texte, aussi bien dans un graphique que dans une feuille de calcul. Cliquez avec le bouton gauche de la souris à l'endroit où vous souhaitez insérer la zone, puis, tout en gardant le bouton enfoncé, faites glisser le curseur de manière à obtenir une fenêtre de taille satisfaisante, après quoi relâchez le bouton. Le point d'insertion apparaîtra dans la zone créée. Il vous suffit de taper le texte souhaité. Celui-ci remplira de façon automatique l'ensemble de la surface (rappelez-vous que vous pouvez passer à la ligne suivante en appuyant sur la touche Entrée). Quand vous aurez fini de saisir le message, cliquez n'importe où à l'extérieur de la zone de texte pour la désélectionner.

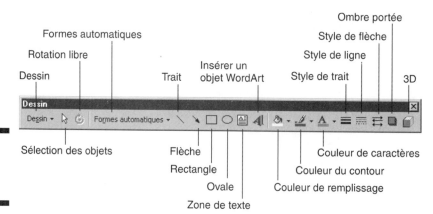

Figure 8.11
La barre
d'outils
Dessin.

Après l'ajout d'une zone de texte, vous pouvez modifier cette zone de la manière suivante :

- Vous pouvez déplacer la zone en cliquant dessus et en la faisant glisser.

- Vous pouvez la redimensionner en cliquant-glissant sur une de ses poignées.

- Changez ou enlevez le cadre autour de la zone en ouvrant la fenêtre de dialogue Format de la zone de texte, en actionnant la commande Format/ Zone de texte (Ctrl+1) ou la commande Format de la zone de texte de son menu contextuel. Affichez ensuite l'onglet Couleurs et traits. Pour faire disparaître la bordure de la zone, cliquez sur Aucun trait dans la liste Couleur de la zone Bordure.

- Pour ajouter un effet d'ombre, cliquez sur le bouton Ombre portée dans la barre d'outils de dessin (celui avec une ombre derrière un rectangle), puis choisissez le style d'ombre portée dans la palette obtenue.

- Pour créer un effet tridimensionnel, cliquez sur le bouton 3D dans la barre d'outils Dessin, puis choisissez la forme qui vous plaît dans la palette obtenue.

Lorsque vous cliquez la première fois sur une zone de texte afin de la sélectionner pour pouvoir la modifier, son périmètre est hachuré oblique. Lorsque c'est le cas, vous pouvez modifier la zone et son contenu, mais vous ne pouvez pas la supprimer. De fait, une zone de texte ne peut être supprimée (par la touche Suppr.) que lorsque son périmètre se présente sous la forme d'une bordure épaisse pointillée. Pour activer cette bordure, cliquez une seconde fois sur la zone (ne confondez pas ces deux clics successifs avec un double clic).

Après la création d'une zone de texte, il est possible de lui ajouter une flèche indiquant l'endroit ou les éléments que vous décrivez. Pour cela, cliquez sur le bouton Flèche de la barre de dessin. Pressez le bouton gauche de la souris à l'endroit où vous voulez que votre flèche démarre. Ensuite faites glisser la souris jusqu'à la zone à pointer et relâchez le bouton. Vous voilà désormais avec une magnifique flèche.

Vous pouvez modifier la flèche :

- Pour la déplacer, faites-la glisser avec la souris.

- Pour changer sa taille, cliquez sur une des poignées et faites glisser jusqu'à obtention de la taille souhaitée.

- En modifiant la taille, vous pouvez aussi agir sur l'orientation.

- Si vous désirez changer la forme de la flèche, sélectionnez la flèche, puis cliquez sur le bouton Style de flèche dans la barre d'outils Dessin (ce bouton est orné de trois flèches). Choisissez la forme dans la palette obtenue. Pour modifier son épaisseur, sa couleur ou le style de trait, ou encore si vous désirez créer une pointe de flèche personnalisée, choisissez l'option Autres flèches en bas de la palette des formes de flèches. Vous obtenez ainsi la fenêtre de dialogue Options de formes (que vous pouvez ouvrir également en actionnant la commande Format/Options de formes dans la barre de menus ou encore en appuyant sur Ctrl+1).

Configurer les axes x ou y

Quand les données à représenter en graphique sont nombreuses, Excel les affiche de manière un peu arbitraire comme il le ferait pour n'importe quel graphique. Il peut arriver que vous ne soyez pas entièrement satisfait par leur disposition et leur apparence sur les axes *x* et y. Vous pouvez modifier le format de ces axes comme ceci :

1. **Double-cliquez sur l'axe des x ou des y dans le graphique concerné. Ou cliquez sur l'axe, puis actionnez la commande Format/Axe sélectionné (ou appuyez sur Ctrl+1).**

   Excel ouvre la fenêtre de dialogue Format de l'axe, qui contient les onglets suivants : Motifs, Échelle, Police, Nombre, Alignement.

2. **Pour modifier l'apparence des graduations le long de l'axe, travaillez sur les options dans l'onglet Motifs.**

3. **Pour modifier l'échelle de l'axe sélectionné, cliquez sur l'onglet Échelle et agissez sur les options disponibles.**

4. **Pour modifier la police des étiquettes affichées au niveau des graduations, cliquez sur l'onglet Police et sélectionnez les options qui vous intéressent.**

5. **Pour modifier le formatage des valeurs qui apparaissent au niveau des graduations sur l'axe sélectionné, sélectionnez l'onglet Nombre, puis choisissez les options qui vous conviennent dans la liste Catégorie, dans la case Nombre de décimales et dans la liste Symbole.**

    Par exemple, pour sélectionner le format Monétaire sans décimale, sélectionnez Monétaire dans la liste Catégorie, puis entrez 0 dans la case Nombre de décimales (en tapant la valeur ou en la réglant à l'aide du compteur).

6. **Pour modifier l'orientation des étiquettes affichées au niveau des graduations sur l'axe sélectionné, sélectionnez l'onglet Alignement, puis indiquez la nouvelle orientation en la tapant dans la case Degrés ou en agissant sur le losange rouge dans le cadran de réglage.**

7. **Cliquez sur le bouton OK ou appuyez sur Entrée pour fermer la fenêtre de dialogue Format de l'axe.**

Lorsque vous fermez la fenêtre de dialogue Format de l'axe, Excel redessine l'axe pour se conformer aux réglages que vous avez opérés.

Changements de valeurs, changements de graphiques

Lorsque vous avez terminé de modifier des éléments d'un graphique, vous pouvez revenir à la feuille de calcul en cliquant tout simplement en dehors du graphe. Une fois qu'un graphique n'est plus sélectionné, vous pouvez de nouveau déplacer le pointeur de cellules. Si vous vous servez des touches de direction pour le déplacer, il disparaît de la feuille de calcul, car il est masqué par le graphique.

Gardez en mémoire que les valeurs d'une feuille de calcul représentées graphiquement dans une fenêtre restent attachées à leurs cellules et que, si vous modifiez l'une d'elles, Excel réajustera le graphique en tenant compte de ces changements.

Modification de la perspective

La Figure 8.12 montre notre exemple de la Maison Mère illustrée par un graphique de type aire 3D. Quand vous choisissez cette sorte de graphique, son affichage comporte désormais un axe z pour une vue en perspective. Ici, il contient les mois, situés en profondeur du graphique.

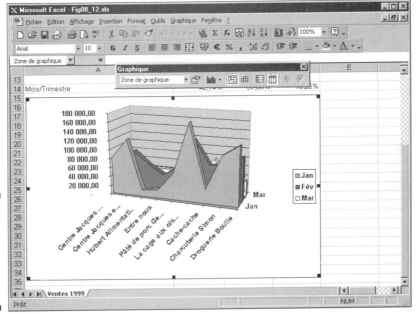

Figure 8.12
Les informations de ventes avec la nouvelle représentation en 3D.

Ces trois axes forment une sorte de boîte ouverte. Vous pouvez modifier l'angle de vue de ce graphique 3D en effectuant une rotation sur l'ensemble de sa forme.

Pour cela, cliquez sur le graphique (double-cliquez sur le graphe se trouve sur une feuille de calcul plutôt que sur une feuille graphique), puis cliquez sur un de ses angles en gardant le bouton de la souris enfoncé. (Vous devriez voir le mot Coins s'afficher à proximité du pointeur de votre souris.) L'ensemble du graphique cède la place à une boîte en fil de fer. C'est elle qui représente l'angle de vue du graphique (voir la Figure 8.13).

Tout en gardant appuyé le bouton de la souris, vous pouvez déplacer le coin de la boîte pour la réorienter dans l'espace. Quand sa position vous convient, relâchez le bouton de la souris. Excel redessine toutes les données du graphique en tenant compte de son nouvel angle de vue. La Figure 8.13 illustre le déplacement d'une boîte en fil de fer. La Figure 8.14 montre l'aspect final du graphique.

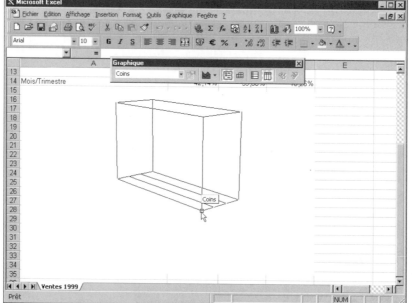

Figure 8.13
Modification
de l'angle de
vue du
graphique 3D
par la
rotation de
sa boîte
englobante.

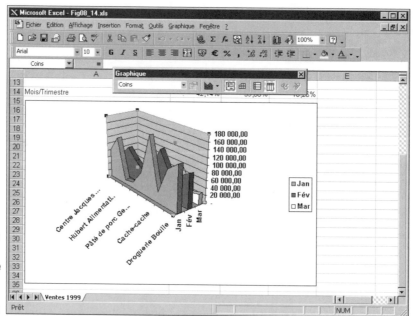

Figure 8.14
Le graphique
3D après sa
rotation.

Vous remarquez que le changement d'orientation oblige le programme à réajuster de façon logique la disposition des catégories (les noms des entreprises se retrouvent à droite de la fenêtre).

Dessinez !

Les graphiques ne sont pas les seules sortes de dessins que vous pouvez ajouter à vos feuilles de calcul. Excel permet d'inclure à votre travail des images provenant de sources diverses, comme des images numérisées, des dessins vectoriels créés à partir d'autres logiciels ou des illustrations téléchargées depuis Internet.

Pour insérer une image de la bibliothèque fournie avec Office 2000, actionnez la commande Insertion/Image/Images de la bibliothèque, puis sélectionnez l'image dans l'onglet Images de la boîte de dialogue Insérer un élément (voir la Figure 8.15). Commencez par désigner une catégorie, puis faites votre choix : cliquez sur l'image à introduire dans la feuille de calcul, puis choisissez Insérer le clip dans le menu contextuel qui se déroule alors à droite de l'illustration désignée. Fermez la fenêtre en cliquant dans sa case de fermeture.

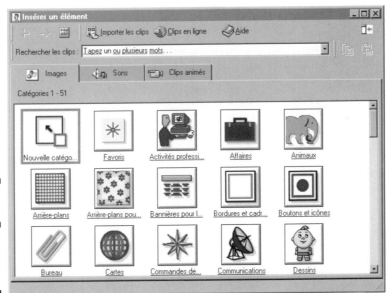

Figure 8.15
L'onglet
Images de la
boîte de
dialogue
Insérer un
élément.

Pour importer une image créée dans un autre programme et enregistrée dans son propre format, choisissez Insertion/Image/A partir du fichier. Sélectionnez l'image souhaitée dans la fenêtre Insérer une image, puis cliquez sur Insérer. (Cette fenêtre fonctionne de la même manière que la fenêtre d'ouverture classique d'Excel 2000.)

Si le type de fichier que vous désirez insérer ne figure pas dans la liste de filtres d'importation, vous pouvez le copier dans le presse-papiers à partir du programme où vous l'avez créé. Importez-le ensuite dans Excel via la commande Coller du menu Édition.

Se procurer des images sur Internet

Si les images de la bibliothèque ne vous suffisent pas, partez donc en glaner d'autres sur Internet (à condition de pouvoir établir la connexion). Pour ce faire :

1. **Choisissez Insertion/Image/Images de la bibliothèque.**

2. **Cliquez sur Clips en ligne.**

   Dès que vous activez ce bouton, une fenêtre intitulée Se connecter au Web pour obtenir davantage d'images s'affiche. Dès que vous cliquerez sur OK, le programme établira la connexion avec une page Web spéciale sur laquelle il vous suffira de cliquer sur les illustrations que vous souhaitez ajouter à votre bibliothèque classique.

3. **Cliquez sur OK.**

   Excel lance votre navigateur Web ; celui-ci établit la connexion Internet et affiche la page Microsoft contenant ces illustrations.

4. **Cliquez sur Accept et, si un message d'alerte s'affiche, cliquez sur Oui pour ouvrir la page.**

5. **Cliquez sur le lien hypertexte de la catégorie qui vous intéresse afin de visualiser les images disponibles.**

6. **Lorsque vous avez trouvé une image, cliquez dans sa case pour l'ajouter au Selection Basket.**

   Pour télécharger une seule image, il suffit de cliquer sur l'icône de téléchargement (le carré avec la flèche pointant vers le bas).

7. **Cliquez dans les cases des autres images à importer.**

8. **Une fois votre sélection terminée, cliquez sur Selection Basket dans la partie supérieure de la fenêtre afin d'afficher une nouvelle fenêtre ne recensant que les images sélectionnées.**

   Si, à ce stade, vous décidez que telle ou telle image ne vous intéresse plus, excluez-la de la liste en désactivant sa case.

9. **Cliquez sur le lien hypertexte Download situé dans la partie supérieure de la fenêtre pour lancer le téléchargement.**

   Votre navigateur charge alors une nouvelle page, dans laquelle il vous indique le nombre d'images que vous vous préparez à importer, ainsi que la taille globale des fichiers et la durée approximative du transfert.

10. **Cliquez sur Download Now !**

    Les images téléchargées sont introduites dans la zone de dialogue Insérer un élément.

11. **Cliquez dans la case de fermeture de votre navigateur Web pour regagner votre feuille de calcul Excel.**

12. **(Facultatif) Pour ajouter une image téléchargée à une catégorie bien spécifique de la ClipArt Gallery, sélectionnez l'image, puis choisissez Ajouter le clip aux Favoris ou à une autre catégorie dans le sous-menu de la troisième icône.**

    Le menu se développe afin de vous permettre de sélectionner une catégorie, Favoris étant le choix proposé par défaut. Cliquez ensuite sur Ajouter.

13. **Pour introduire l'image dans votre feuille de calcul, sélectionnez-la, puis choisissez Insérer le clip dans le menu contextuel (première icône).**

Dessinez vos propres images

En plus des images importées, vous pouvez créer vos propres petits dessins grâce aux nombreuses fonctions de la barre d'outils Dessin.

Outre ces outils pour dessiner des lignes et formes ordinaires, la barre d'outils Dessin comporte un bouton baptisé Formes automatiques, qui donne accès à une profusion de formes et de lignes spéciales. Pour sélectionner une forme ou un trait, cliquez sur le bouton Formes automatiques, puis sur une de ces catégories : Lignes, Connecteurs, Formes de base, Flèches pleines, Organigramme, Étoiles et bannières, Bulles et légendes. Dans la palette obtenue, cliquez sur l'élément désiré.

Cliquez sur Autres formes automatiques pour ouvrir une fenêtre dans laquelle Excel vous propose des formes supplémentaires.

Travailler avec WordArt

Si vous ne trouvez pas votre bonheur parmi les multiples formes automatiques que vous propose la barre d'outils Dessin, utilisez donc le bouton WordArt de cette même barre d'outils pour créer des effets texte saisissants. Voici la procédure à suivre :

1. **Sélectionnez la cellule dans la partie de la feuille de calcul où vous désirez placer le texte WordArt.**

   Du fait que le texte WordArt sera créé sous forme d'objet graphique dans la feuille, vous aurez ensuite possibilité de le redimensionner ou le déplacer à votre guise, en le manipulant comme n'importe quel autre graphique.

2. **Cliquez sur le bouton WordArt (celui orné d'un A en 3D et incliné vers la droite) dans la barre d'outils Dessin.**

   Lorsque vous cliquez sur ce bouton, Excel affiche la fenêtre de dialogue Effets prédéfinis (Figure 8.16).

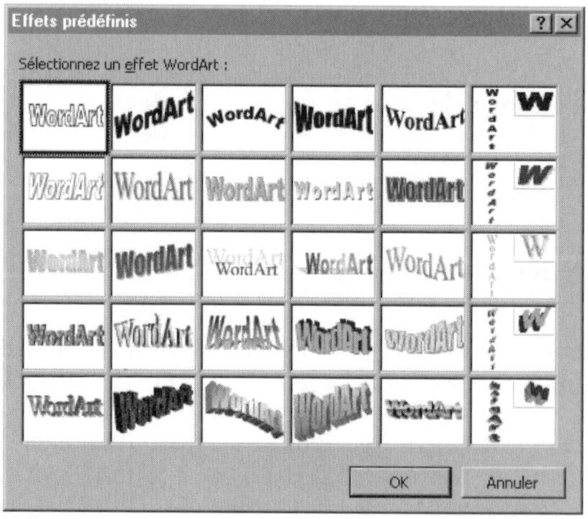

Figure 8.16
La fenêtre
Effets
prédéfinis
WordArt.

3. **Cliquez sur l'effet qui vous convient, puis cliquez sur OK ou appuyez sur Entrée.**

   Excel ouvre la fenêtre de dialogue Modifier le texte WordArt (voir la Figure 8.17), où vous allez taper votre texte.

Figure 8.17
La boîte de
dialogue
Modifier le
texte
WordArt.

4. **Dans la case Texte, tapez le texte que vous voulez afficher dans votre feuille de calcul.**

   Dès que vous commencez à taper, Excel remplace la phrase *Votre texte ici* par ce que vous entrez au clavier.

5. **Sélectionnez la police à employer dans la liste Police, ainsi que la taille de caractère dans la liste Taille.**

6. **Cliquez sur OK ou appuyez sur Entrée.**

   Excel insère le texte WordArt dans la feuille de calcul, ainsi que la barre d'outils WordArt (voir la Figure 8.18). Les boutons de cette barre d'outils servent à modifier le texte que vous venez de créer.

7. **Une fois réalisés vos derniers ajustements en matière de taille, forme et formatage du texte WordArt, cliquez sur une cellule en dehors du texte WordArt afin de le désélectionner.**

   Lorsque vous cliquez en dehors du texte WordArt, Excel désélectionne le graphique et la barre d'outils WordArt est masquée (si vous désirez qu'elle réapparaisse, vous avez juste à cliquer de nouveau sur le texte WordArt pour le sélectionner).

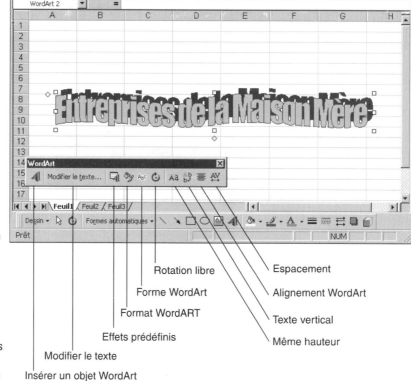

Figure 8.18
Le texte après insertion dans la feuille de calcul et la barre d'outils WordArt.

Rotation libre

Forme WordArt

Format WordART

Effets prédéfinis

Modifier le texte

Insérer un objet WordArt

Espacement

Alignement WordArt

Texte vertical

Même hauteur

L'un sur l'autre...

Vous avez peut-être remarqué que les objets flottent par-dessus la feuille de calcul. La plupart d'entre eux (les graphiques notamment) sont opaques, ce qui signifie qu'ils marquent les informations contenues dans les cellules sous-jacentes. Si vous placez un élément opaque au-dessus d'un autre, celui du haut masque celui du bas. Évitez donc que vos objets graphiques ne se chevauchent, ou ne cachent les données de la feuille située en arrière-plan.

Vous pourrez, dans certaines circonstances, produire des effets visuels intéressants en positionnant un élément transparent (un cercle, par exemple) par-dessus un élément opaque. Si l'opaque passe devant le transparent, permutez leur ordre de superposition en choisissant Ordre/Mettre en arrière-plan dans le menu contextuel de l'élément masquant. Pour réaliser l'opération inverse, c'est-à-dire faire avancer un élément situé à l'arrière-plan, c'est la commande Mettre au premier plan qu'il faut utiliser.

Dans certains cas, il peut être intéressant de grouper plusieurs objets de façon à pouvoir, ensuite, les traiter solidairement (déplacement ou redimensionnement, par exemple). Pour constituer un groupe, sélectionnez les objets appelés à en faire partie (par Majuscule+clic), puis opérez un clic droit sur le dernier sélectionné et choisissez Groupe/Grouper dans le menu contextuel. Désormais, une seule série de poignées de sélection apparaît : elle correspond au groupe.

Pour rendre à chaque membre son individualité, opérez de nouveau un clic droit sur le groupe et choisissez Groupe/Dissocier.

Quand vous avez besoin de cacher les graphiques

Ajouter des graphiques à une feuille de calcul peut considérablement ralentir le rafraîchissement de l'écran, tout simplement parce que le programme a besoin d'un certain temps pour redessiner chaque élément, notamment lorsque vous faites défiler. Si vous travaillez sur une machine peu puissante et que vous ne voulez pas devenir fou à chaque rafraîchissement d'écran, vous pouvez masquer les objets graphiques ou n'afficher que leurs contours.

Pour cacher toutes les fenêtres graphiques, choisissez la commande Options du menu Outils, puis cliquez sur l'onglet Affichage. Là, cliquez sur le bouton Masquer tout dans la zone Objets. Pour n'afficher temporairement qu'une fenêtre grisée sans son contenu, cliquez sur le bouton Indicateurs de position. Cette commande n'a aucun effet sur les dessins que vous avez créés avec la barre d'outils Dessins ou importés dans votre feuille de calcul.

Avant d'imprimer votre travail, n'oubliez pas d'afficher tous les graphiques avec le bouton Afficher tout de l'onglet Affichage.

Imprimer uniquement les graphiques

Il vous arrivera de souhaiter imprimer un graphique particulier. Pour ce faire, assurez-vous d'abord que les graphiques masqués ou grisés sont visibles. Pour réactiver l'affichage des graphiques masqués, validez l'option Afficher tout de la rubrique Objets de l'onglet Affichage de la commande Outils/ Options. Pour réactiver l'affichage des graphiques grisés via l'activation de l'option Indicateurs de position, contentez-vous de cliquer dans le graphe (utilisez le Majuscule+clic pour en sélectionner plusieurs). Ensuite, choisissez Fichier/Imprimer, enfoncez les touches Ctrl+I ou encore activez l'icône Imprimer de la barre d'outils Standard.

Si vous avez choisi la commande Imprimer du menu Fichier, le bouton Graphique est sélectionné par défaut. Excel imprimera le graphique dans sa totalité. Il se peut qu'une simple page ne soit pas suffisante pour son impression. Par prudence utilisez la fonction Aperçu avant impression pour être sûr que le graphique tiendra sur une page.

Si dans la fenêtre Aperçu avant impression vous avez besoin de changer la taille ou l'orientation d'impression du graphique, cliquez sur le bouton Page, pour modifier les options contenues dans les onglets de la fenêtre Mise en page. Une fois que tout vous semble correct, lancez l'impression via le bouton Imprimer.

Chapitre 9
Créer
une base de données

. . . .

Dans ce chapitre :

Mise en place d'une base de données dans Excel.

Création d'une grille de données pour entrer et éditer les enregistrements de la base de données.

Insertion d'un enregistrement via la grille de données.

Recherche, édition et suppression d'un enregistrement à partir de la grille de données.

Trier des enregistrements de la base de données.

Filtrer des enregistrements pour n'avoir que les données que vous voulez afficher.

Définir des critères personnalisés pour filtrer les enregistrements.

. . . .

Un tableur sert, comme nous l'avons vu, au traitement de calculs, et à leur représentation sous une forme compréhensible. Mais vous pouvez concevoir une autre sorte de travail sous Excel : une base de données. L'utilisation d'une base de données ne consiste pas à appliquer de multiples opérations sur des séries de chiffres, mais à rassembler de nombreuses informations de manière logique afin d'en faciliter le traitement. Par exemple vous pouvez créer un fichier contenant les noms et adresses de tous vos clients.

La création d'une base de données n'est pas très éloignée de celle d'une feuille de calcul. Vous commencez par entrer les en-têtes dans une plage de cellules pour identifier chaque rubrique (cela peut être les noms, prénoms, adresses, numéros de téléphone, ville, etc.). Ensuite, il ne reste plus qu'à saisir les informations dans leur colonne et lignes appropriées. Chaque colonne devant être associée à la rubrique à laquelle elle se rapporte.

Les colonnes contenant les différents noms de catégories (noms, adresses, villes...) sont souvent appelées *rubriques*. On les trouve en général en haut de la base de données. Les lignes qui contiennent toutes les données associées à ces rubriques sont appelées *enregistrements*. Ils se suivent les uns les autres en dessous de la rangée des rubriques (en admettant que la base de données comprenne plusieurs *fiches*).

Avoir une grande quantité de données sous une forme spécifique n'est pas le seul but du programme. Excel propose en effet un certain nombre de fonctions très puissantes et pratiques pour organiser ces données et afficher les informations dont vous avez besoin. Pour le moment, supposons que vous ayez entré, par ordre alphabétique, les noms et les informations concernant vos clients. Vous pourrez sans problème afficher cette liste exactement comme vous l'avez conçue.

Si vous ne voulez afficher que vos clients habitant Paris, il vous suffit de choisir la commande Filtre dans le menu Données, puis dans le sous-menu qui s'affiche de cliquer sur Filtre automatique pour ajouter une boîte de liste déroulante à chacune des rubriques (appelées aussi contrôles du filtre automatique). Pour n'afficher que les enregistrements souhaités, il vous suffit de choisir, dans la liste déroulante des rubriques concernées, les conditions requises à leur affichage (dans l'exemple il suffit de choisir Paris dans la liste de la rubrique Ville). Vous pouvez bien sûr cumuler les conditions de filtrage (ville, adresse, pays particulier).

Création de la grille de données

Mettre en place la structure d'une base de données est très facile sous Excel. Vous utiliserez une grille de données pour ajouter, effacer ou éditer les enregistrements. Pour créer cette grille, vous devez d'abord entrer dans les lignes des en-têtes de colonnes tous les textes utilisés pour nommer chaque rubrique, en prenant soin de les saisir dans l'ordre où elles doivent apparaître. Ensuite, entrez les premières données ou les en-têtes qui s'y rapportent (voir la Figure 9.1). Puis sélectionnez les deux lignes créées et, dans le menu Données, choisissez la commande Grille.

Excel analyse alors les noms des rubriques et leur contenu pour créer la grille de données qu'il affiche aussitôt. Cette grille comporte, sur la gauche, le nom de chacune des rubriques suivie d'une boîte de dialogue. La Figure 9.1 montre l'exemple de la base de données des clients de l'agence de détectives "Lafouine". La grille pour le moment affiche le premier enregistrement saisi. Elle possède sur son côté droit également une série de boutons qui vous permettront d'effectuer diverses opérations sur l'enregistrement en cours. En haut du bouton Nouvelle est inscrit le numéro de l'enregistrement affiché, suivi du nombre total d'enregistrements de la base de données.

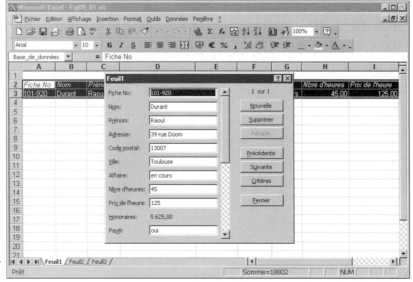

Figure 9.1
La grille de
données
avec ses
rubriques
suivies de
leurs
informations.

Si vous n'appliquez pas, aux cellules devant jouer le rôle de noms de champs, un formatage différent du formatage par défaut appliqué automatiquement par Excel, le logiciel sera incapable de faire la distinction entre d'une part la ligne représentant les noms de champs et d'autre part la ligne représentant la première ligne de données. Excel affichera alors un message vous indiquant qu'il ne peut déterminer quelle est la ligne représentant les étiquettes de colonnes (c'est-à-dire les noms de champs). Pour qu'Excel emploie la première ligne pour les noms de champs, cliquez alors sur le bouton OK ou appuyez sur Entrée.

Pour éviter de tomber sur cette fenêtre de dialogue, veillez à appliquer un formatage supplémentaire à la ligne contenant les noms de champs ou, au choix, à la ligne de données. Par exemple, appliquez de l'italique.

Créer une grille de données à partir de rubriques séparées

Vous pouvez créer votre grille de données après avoir entré uniquement le nom des rubriques ; sélectionnez celles-ci, puis choisissez la commande Grille du menu Données. Excel affichera une fenêtre d'alerte vous indiquant qu'il ne peut déterminer quelle est la ligne représentant les étiquettes de colonnes (c'est-à-dire les noms de champs). Afin d'employer pour les noms de champs la première ligne sélectionnée, cliquez sur OK ou pressez Entrée. Le programme affiche une grille de données vierge qui comporte les noms des rubriques.

Créer une grille vierge à partir de noms de rubriques séparées est très facile tant que votre base de données ne contient aucune rubrique calculée. Si c'est le cas, vous aurez besoin de reconstituer leur formule dans les rubriques appropriées du premier enregistrement. Ensuite, sélectionnez le nom de la rubrique et son en-tête avec la formule indiquant quelles données sont calculées, avant de choisir la commande Grille du menu Données. Excel repérera les rubriques qui sont calculées et celles qui ne le sont pas.

Ajouter des enregistrements à la base de données

Pour ajouter un enregistrement à la base de données, cliquez sur le bouton Nouvelle. Vous obtenez une grille dont les champs sont vierges (voir la Figure 9.2). Remplissez le premier champ, puis pressez la touche Tab pour passer à la rubrique suivante.

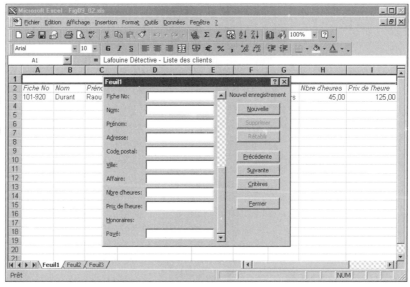

Figure 9.2
Un clic sur le bouton Nouvelle affiche une grille avec des champs vierges pour créer un nouvel enregistrement.

Attention ! Ne pressez pas la touche Entrée pour passer d'une rubrique à l'autre car cela ajoutera votre enregistrement incomplet au reste de la base de données.

Continuez toujours à utiliser la touche Tab pour passer à la rubrique suivante.

- Si vous commettez une erreur et que vous voulez revenir à la rubrique précédente, appuyez sur les touches Maj+Tab.

- Pour remplacer la donnée erronée, tapez directement la modification.

- Pour changer seulement un ou plusieurs caractères, utilisez les touches de direction ou cliquez directement sur la partie à modifier avec le pointeur.

Quand vous éditez les informations d'une rubrique particulière, vous pouvez copier les données précédentes en pressant les touches Ctrl+' (apostrophe). C'est très utile lorsque vous avez à entrer de nombreuses données identiques.

Si vous avez à entrer des dates dans une rubrique, essayez toujours de les éditer sous une forme qu'Excel connaît (par exemple **19/2/99**). Quand vous entrez un code postal précédé d'un ou de plusieurs zéros et que vous voulez qu'ils soient affichés (car Excel les interprète comme des chiffres quelconques et les efface par défaut), choisissez le type de format Code postal pour la première entrée (voir "Le format numérique Spécial" dans le Chapitre 3). Aux autres nombres commençant par des zéros, vous pouvez ajouter une apostrophe avant le premier zéro. Celle-ci indique à Excel de traiter ces nombres comme du texte.

Pressez la touche ↓ quand vous avez fini de saisir les informations ; pour passer à un nouvel enregistrement, vous pouvez presser la touche Entrée ou cliquer sur le bouton Nouvelle. Excel insère alors l'enregistrement terminé à la suite de la base de données et affiche une nouvelle grille vierge (Figure 9.3).

Quand vous aurez fini d'entrer tous les enregistrements, pressez la touche Echap ou cliquez sur le bouton Fermer. Ensuite, sauvegardez le classeur avec la commande Enregistrer du menu Fichier ou cliquez sur l'outil de sauvegarde situé dans la barre d'outils standard.

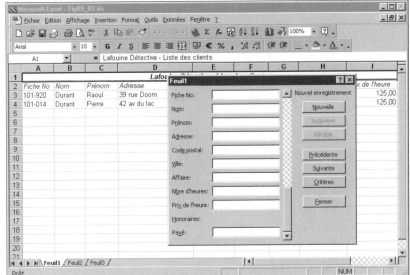

Figure 9.3
La base de
données
après le
deuxième
enregistre-
ment saisi
dans la grille
de données.

Calculs dans les rubriques

Si vous voulez qu'Excel effectue le calcul d'une donnée particulière dans une rubrique, vous devrez entrer la formule dans la rubrique voulue du premier enregistrement, puis sélection-ner la cellule comprenant le nom de la rubrique et celle du premier enregistrement au moment de la création de la grille de données. Excel copiera la formule de calcul pour chacun des nouveaux enregistrements que vous ajouterez à la grille.

Dans l'exemple des clients du détective Lafouine, la rubrique Honoraires de la cellule J3 est calculée à partir de la formule : nombre d'heures * prix (la cellule H3 pour le nombre d'heures et la cellule I3 pour le prix). Cette formule calcule ce que devra payer le client en multipliant les heures effectuées au prix pratiqué en fonction de l'affaire, et Excel ajoute le résultat dans la rubrique Honoraires (il n'y a pas pour cette rubrique de boîte d'édition dans la grille de données, les résultats de calculs ne pouvant être édités). Désormais cette formule s'appli-quera pour tous les enregistrements que vous entrerez.

Ajouter une adresse e-mail ou Web à un champ lien hypertexte

Si vous souhaitez introduire une adresse e-mail ou celle d'un site Web dans les cellules de la feuille de calcul, ajoutez des liens hypertextes à n'importe quel champ de la base. Dès que vous avez introduit l'adresse dans la cellule, Excel la convertit en lien hypertexte actif (le texte de l'adresse apparaît désormais souligné en bleu). Certes, pour que le programme puisse créer ces liens actifs, vous devez entrer l'adresse électronique dans un format qu'il est capable de reconnaître :

```
Jacques969@aol.com
```

Il en va de même des adresses Web :

```
http://www.dummies.com
```

Excel n'est pas capable de savoir si l'adresse est *correcte*. En d'autres mots, ce n'est pas parce que le programme convertir votre texte en lien hypertexte susceptible d'être activé par clic que le lien s'établira avec la destination souhaitée. A vous d'entrer des adresses correctes.

Une fois que vous avez introduit vos adresses e-mail et Web dans un champ lien hypertexte, vous pouvez utiliser ces liens pour envoyer un message électronique à une personne donnée ou pour gagner un site Web spécifique. Étant donné que ces liens sont actifs, il vous suffit, pour envoyer un message de cliquez sur l'adresse dans la base de données. Excel lance alors votre programme de messagerie électronique (Outlook Express 2000 en général).

Pensez à introduire les adresses des sites Web sur lesquels vous faites régulièrement des achats. Vous vous connecterez ainsi rapidement et pourrez prendre connaissance des nouveautés. Ajoutez aussi des liens hypertextes comportant des adresses e-mail vers une base de données clients pour contacter facilement les clients avec lesquels vous correspondez régulièrement.

Le seul problème en matière d'entrée de données dans un champ lien hypertexte, c'est que la saisie ne peut se faire depuis le formulaire. De fait, lorsque vous introduisez une adresse e-mail ou Web dans un champ lien hypertexte depuis ce mode formulaire, Excel 2000 n'assure pas la conversion en lien actif. Vous devez alors réaliser une étape supplémentaire : choisir Insertion/Lien hypertexte (Chapitre 10) et transformer l'adresse en hyperlien.

Déplacer, changer et effacer un enregistrement

Vous voilà avec votre base de données terminée et il n'est pas impossible que vous ayez à y apporter quelques modifications. Par exemple vous pouvez utiliser la grille de données pour trouver un enregistrement dont vous désirez changer certaines informations. Vous pouvez également vous servir de la grille pour localiser un enregistrement que vous voulez effacer de la base de données.

• Définissez l'enregistrement que vous désirez éditer via la grille de données (voir Tableau 9.1 ainsi que les sections qui suivent "Défilements de folie !" et "Traquez vos données" pour localiser l'enregistrement).

• Pour éditer les rubriques, évoluez avec les touches Tab ou Maj+Tab.

• Alternativement, utilisez les touches de direction ← ou → ou cliquez sur le curseur pour éditer le contenu des rubriques.

• Pour effacer entièrement une donnée, utilisez la touche Suppr.

Pour effacer la totalité d'un enregistrement d'une base de données, cliquez sur le bouton Supprimer. Excel affiche une fenêtre d'alerte avec l'avertissement suivant :

```
L'enregistrement affiché sera supprimé définitivement.
```

Cliquez sur le bouton OK si vous êtes sûr de vous, sinon cliquez sur Annuler.

N'oubliez pas que vous ne pourrez pas utiliser la fonction d'annulation si vous effacez un enregistrement avec le bouton Supprimer et qu'Excel ne plaisante pas quand il parle de "suppression définitive". Par précaution, faites une sauvegarde de votre classeur avant d'utiliser cette procédure.

Défilements de folie !

Une fois la grille de données sélectionnée, et positionné le pointeur de cellule dans une partie quelconque de votre base de données, vous pouvez utiliser la barre de défilement, à droite de la fenêtre, ou vous servir des touches décrites dans le Tableau 9.1 pour évoluer à travers l'ensemble des enregistrements existants.

• Pour passer à l'enregistrement suivant : utilisez les touches ↓ ou Entrée ou cliquez sur le bouton ↓ de la barre de défilement.

• Pour revenir à un enregistrement précédent : utilisez les touches ↑ ou Maj+Entrée ou cliquez le bouton ↑ de la barre de défilement.

• Pour revenir au premier enregistrement : utilisez les touches Ctrl+↑ ou Ctrl+PgUp ou faites glisser la barre de défilement jusqu'en haut.

• Pour aller au dernier enregistrement : utilisez les touches Ctrl+↓ ou Ctrl+PgDn ou faites glisser la barre de défilement jusqu'en bas.

Tableau 9.1
Méthodes pour obtenir un enregistrement particulier.

Touches ou technique de la barre de défilement	Résultat
Pressez ↓ ou Entrée, ou cliquez sur le bouton de défilement ↓ ou le bouton Suivante.	Déplacement à l'enregistrement suivant en gardant la rubrique sélectionnée.
Pressez ↑ ou Maj+Entrée, ou cliquez sur le bouton de défilement ↑ ou le bouton Précédente.	Déplacement à l'enregistrement précédent et gardant la rubrique sélectionnée.
Pressez PgDn.	Déplacement de dix enregistrements en avant.
Pressez PgUp.	Déplacement de dix enregistrements en arrière.
Pressez Ctrl+↑ ou Ctrl+PgUp, ou faites glisser la barre de défilement à son sommet.	Déplacement au premier enregistrement de la base de données.
Pressez Ctrl+↓ ou Ctrl+PgDn, ou faites glisser la barre de défilement à sa base.	Déplacement au dernier enregistrement de la base de données.

Traquez vos données

Dans des bases de données très importantes, trouver un enregistrement particulier en se déplaçant comme nous l'avons vu précédemment peut prendre beaucoup de temps. Afin de gagner en efficacité il est possible, et même recommandé, d'utiliser le bouton Critères situé dans la grille de données.

Après avoir cliqué sur ce bouton, Excel vide toutes les boîtes de dialogue des rubriques (et remplace le numéro d'enregistrement par le mot *Critères*). Vous pouvez dès lors entrer un critère de recherche dans une des boîtes.

Par exemple, supposons que nous ayons besoin d'éditer la rubrique Affaire de Vincent Rebillard (une enquête que vous venez de terminer). Hélas, son dossier ne comporte pas le numéro de la fiche ni l'orthographe exacte du nom de ce client. Vous savez seulement que la rubrique Affaire contient "en cours" puisque vous venez de la terminer, et que le nom propre commence par un R.

Pour trouver cet enregistrement, vous pouvez utiliser les informations dont vous disposez pour minimiser la recherche dans la base de données. Ouvrez la grille de données et cliquez le bouton Critères, puis entrez ce qui suit dans la boite de la rubrique Nom :

R*

Entrez également dans la boîte de la rubrique Affaire (voir Figure 9.4) :

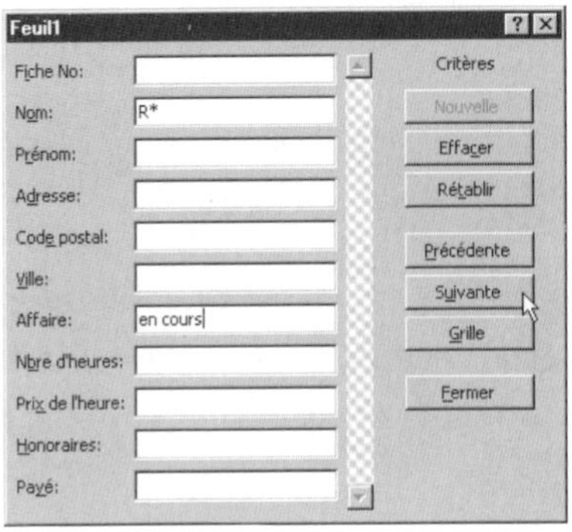

Figure 9.4
Édition des
critères de
recherche
dans la grille
de données.

en cours

Dans les informations que vous entrez pour la recherche, vous pouvez utiliser les signes ? et *. Ces caractères, remplaçant une ou plusieurs lettres permettent d'ignorer le reste d'un mot (voir le Chapitre 6 pour les détails sur leur utilisation).

Maintenant, cliquez sur le bouton Suivante. Excel va afficher le premier enregistrement dont le nom commence par R et dont l'affaire est toujours en cours ; le premier qui corresponde à cela est celui de Lucien Reureu (Figure 9.5). Pour trouver la fiche souhaitée, cliquez de nouveau sur Suivante. Vous pouvez maintenant éditer la rubrique Affaire comme vous le souhaitez (La Figure 9.6 montre l'enregistrement de Vincent Rebillard avant sa modification). Après quoi, cliquez sur le bouton Fermer pour sortir de la grille de données. Vous remarquerez que le changement est correctement affiché dans sa cellule.

Figure 9.5
Le premier
enregistre-
ment
correspon-
dant aux
critères est
affiché.

Figure 9.6
Eurêka !
L'enregistre-
ment
Rebillard est
trouvé.

Quand vous utilisez la fonction Critères, vous pouvez utiliser les opérations
suivantes pour localiser un enregistrement spécifique :

Opération	Signification
=	Égal à
>	Supérieur à
>=	Supérieur ou égal à
<	Inférieur à
<=	Inférieur ou égal à
<>	Différent de

Par exemple, pour afficher seulement les enregistrements où les honoraires sont supérieurs ou égaux à 10 000 F, entrez dans la boîte de dialogue des Honoraires >=**5000** avant de cliquer sur le bouton Suivante.

Tous les enregistrements correspondant à la condition s'afficheront dans la grille en commençant par le premier. Vous n'aurez qu'à cliquer sur le bouton Suivantes pour passer au suivant.

Pour changer les critères de recherche, vous pouvez cliquer sur le bouton Effacer afin de supprimer le ou les précédents critères. Puis sélectionnez la rubrique appropriée et entrez votre nouvelle donnée. Vous pouvez aussi remplacer l'ancien critère par le nouveau s'il se trouve dans la même rubrique.

Pour revenir à l'enregistrement en cours sans lancer la recherche, cliquez sur le bouton Grille (ce bouton remplace celui de Critères dès que vous êtes dans la fenêtre Critère).

Triez-les tous

Tous les éléments que contient une base de données peuvent très bien avoir un ordre préféré d'apparition. Cela dépendra de la nature et du contenu de la base en question. Vous pouvez vouloir afficher tous les enregistrements dans l'ordre alphabétique des noms. Cela peut être, pour un autre type de données, l'affichage de noms de sociétés d'une même ville. Dans notre exemple du détective Lafouine, l'ordre de base est celui des numéros de fiches qui détermine chacun des clients.

Quand vous saisissez vos informations, il est possible que vous ne puissiez pas les entrer directement dans l'ordre ou que vous ayez des enregistrements à ajouter avec le bouton Nouvelle de la grille de données. Dans ce cas-là, Excel insérera le nouvel enregistrement à la fin de la base de données.

Cela signifie que, même si vous essayez d'entrer vos données dans l'ordre, le seul fait d'insérer de nouveaux enregistrements chamboulera très rapidement la structure de votre base de données.

La plupart du temps, l'ordre d'entrée des données représente l'ordre où elles apparaîtront à l'écran. Mais que se passera-t-il lorsque vous voudrez voir l'ensemble ou une rubrique précise dans un ordre différent ?

Par exemple, au lieu de travailler avec des numéros de fiches, vous pouvez avoir besoin des noms de vos clients dans l'ordre alphabétique pour localiser rapidement l'un d'eux, ou encore pour faciliter l'envoi de votre courrier et de vos factures, avoir besoin de classer vos clients par ville, adresse ou code postal.

C'est précisément ce que la commande Trier du menu Données va vous permettre de faire.

Pour qu'Excel trie correctement les enregistrements dans l'ordre que vous voulez, vous devez spécifier à quelles rubriques doit s'appliquer ce classement et dans quel sens. Il y a deux ordres possibles : *croissant*, qui range les textes par ordre alphabétique (de A à Z) et les valeurs de la plus petite à la plus grande, et *décroissant*, qui agit à l'inverse du précédent.

Lors d'un tri vous pouvez spécifier jusqu'à trois rubriques à trier (et vous avez le choix entre l'ordre croissant et décroissant pour chacune d'elles). Si une des rubriques que vous voulez trier contient des données identiques, choisissez-en une seconde (si vous triez à partir d'une seule rubrique et qu'elle contient des données semblables, Excel triera celles-ci en fonction de l'ordre où elles ont été entrées).

Un cas typique est celui où la base de données comprend un certain nombre de noms identiques. Dans notre exemple, nous avons deux personnes portant le même nom de famille : Raoul et Pierre Durant. Si on effectue un tri sur la rubrique du nom de famille uniquement, Raoul se trouvera avant Pierre (ayant été saisi le premier lors de la création de la base de données). Alphabétiquement, il devrait se situer après. Pour remédier à ce problème, choisissez dans la deuxième clé de tri la rubrique Prénom. Après cela vous aurez bien Pierre devant Raoul.

Pour trier les enregistrements, suivez ces étapes :

1. **Positionnez le pointeur de cellules sur le premier nom de rubrique de la base de données.**

2. **Choisissez la commande Trier dans le menu Données.**

   Excel sélectionne alors tous les enregistrements et ouvre la fenêtre Trier comme le montre la Figure 9.7. Par défaut, la première rubrique apparaît dans liste déroulante de la boîte 1re clé. Le bouton Croissant est lui aussi sélectionné.

3. **Choisissez le nom de la première rubrique déterminant l'ordre de tri de la base de données parmi la liste proposée par la 1re clé.**

   Si vous voulez un tri décroissant, n'oubliez pas de cliquer sur le bouton qui s'y rapporte.

4. **Si la première rubrique contient des doubles et que vous désirez avoir un tri correct pour l'ensemble des enregistrements, choisissez une seconde rubrique à traiter dans le menu déroulant de la 2e clé. N'oubliez pas de déterminer l'ordre croissant ou décroissant.**

5. **Si nécessaire, spécifiez une troisième rubrique dans la liste de la 3e clé.**

6. **Cliquez OK ou pressez sur Entrée.**

Excel trie les enregistrements et les affiche aussitôt après. Si vous commettez une erreur dans la sélection d'une des rubriques ou du type d'ordre pour le tri, choisissez la commande Annuler Trier dans le menu Édition ou pressez les touches Ctrl+Z.

Les hauts et les bas des ordres croissant et décroissant

Si vous utilisez le tri croissant avec une rubrique contenant de nombreux éléments de natures diverses, Excel place d'abord les nombres (du plus petit au plus grand), puis les textes (dans l'ordre alphabétique), suivis des valeurs logiques (VRAIES et FAUSSES), des valeurs erronées, et finalement des cellules vides. Avec l'ordre décroissant vous vous retrouvez avec les nombres toujours en premier (mais cette fois du plus grand au plus petit), puis les textes (de Z à A), et les valeurs logiques FAUSSES avant les VRAIES.

La Figure 9.7 montre la fenêtre de tri avec la première clé contenant le Nom et la seconde le Prénom ; pour les deux rubriques l'ordre de tri est croissant. La Figure 9.8 représente la base de données de l'agence de détectives, après le tri (remarquez que les Durant sont dans l'ordre alphabétique de leurs prénoms).

Figure 9.7
Édition du tri
avec les
deux
rubriques
Nom et
Prénom.

![Capture d'écran Microsoft Excel - Lafouine Détective.xls]

	A	B	C	D	E	F	G	H	I
1				*Lafouine Détective - Liste des clients*					
2	*Fiche No*	*Nom*	*Prénom*	*Adresse*	*Code postal*	*Ville*	*Affaire*	*Nbre d'heures*	*Prix de l'heure*
3	106-213	Bidaufont	Stéphane	13 rue Desse	94120	Montrouge	terminée	32,00	200,00
4	101-023	Blayre	Paul	117 rue de la Civilisation	94325	Vincennes	terminée	115,00	325,00
5	102-352	Brossard	Eric	32 av. des Indes	75002	Paris	terminée	24,00	85,00
6	105-089	Chevalier	Patricia	22 rue Barbe	12723	Nice	en cours	96,00	455,00
7	101-014	Durant	Pierre	42 av du lac	91094	St Thaise	terminée	20,00	125,00
8	101-920	Durant	Raoul	39 rue Doom	13007	Toulouse	terminée	45,00	125,00
9	104-050	Fabre	Patrice	132 rue de la martinique	69320	Lyon	terminée	21,00	315,00
10	104-031	Fauchon	Franck	14 av Jeannette Darque	45007	Orléans	terminée	6,00	55,00
11	105-100	Gandalf	Olivier	125 rue Pert	78011	Jeseplu	terminée	56,00	200,00
12	101-001	Lambert	Georges	210 av. de Versailles	22323	Plougnac	terminée	4,00	125,00
13	103-004	Laplante	Philippe	25 rue Chezlui	77450	St Paul	terminée	48,00	200,00
14	106-060	Lemming	Michel	174 rue de la mer	13258	Toulouse	terminée	39,00	85,00
15	102-020	Mazé	Pascal	14 rue Plonge	75011	Paris	terminée	210,00	215,00
16	103-006	Morlick	Guillaume	43 rue du Printemps	75015	Paris	en cours	8,00	315,00
17	101-013	Nodenot	Laurent	33 rue Lamarck	75018	Paris	terminée	80,00	125,00
18	101-026	Popoulos	Renato	1003 Mt Olympe	325	Grèce	en cours	10,00	200,00
19	106-022	Porte	Bill	95 rue de la fenêtre	95095	Graz	en cours	43,00	125,00
20	106-056	Rebillard	Vincent	56 rue Vaugouje	69110	Lyon	terminée	47,00	125,00
21	101-103	Reureu	Lucien	1 bis rue Emile Zola	93270	Sevran	en cours	100,00	100,00

Figure 9.8
La base de données des clients triée dans l'ordre alphabétique de leurs noms et prénoms.

Vous pouvez utiliser les outils de tri situés dans la barre d'outils Standard pour trier directement les données d'une seule rubrique.

- Pour trier une rubrique particulière de la base de données dans l'ordre croissant, positionnez le pointeur de cellule sur celle contenant son nom et cliquez sur le bouton Trier dans l'ordre croissant.

- Pour trier une rubrique particulière dans l'ordre décroissant, positionnez le pointeur de cellule sur celle contenant son nom et cliquez sur le bouton Trier dans l'ordre décroissant.

Filtrer une base de données pour voir les données qui vous intéressent

Le Filtre automatique d'Excel est très efficace pour cacher toutes les données, excepté celles qui vous intéressent. Tout ce que vous avez à faire est de positionner le pointeur de cellule quelque part dans la base de données et de choisir, à partir de la commande Filtre du menu Données, le sous-menu Filtre automatique. Excel ajoute un bouton à chacune des cellules contenant le nom d'une rubrique (comme sur la Figure 9.9).

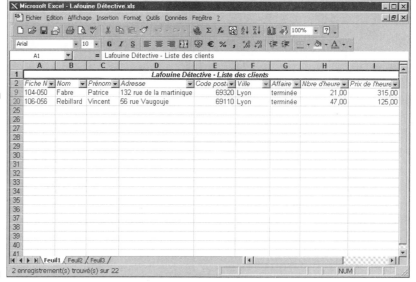

Figure 9.9
La base de données Lafouine après avoir filtré ses enregistrements pour n'afficher que ceux de la ville de Lyon.

Le filtrage s'effectuera après avoir choisi, dans les menus déroulants des boutons, les paramètres que vous voulez afficher ; Excel ne fera apparaître que les enregistrements correspondant à ces paramètres (les autres seront temporairement cachés).

Par exemple, dans la Figure 9.9, nous avons filtré la base de données Lafouine pour n'afficher que les clients habitant la ville de Lyon en cliquant sur le bouton de la rubrique Ville et en choisissant Lyon dans la liste du menu déroulant.

Une fois vos données filtrées, vous pouvez travailler plus simplement avec les données restantes et les copier à différents endroits de la feuille de calcul, voire dans une autre feuille ou un autre classeur. Il suffit pour cela de sélectionner les cellules concernées et de choisir la commande Copier du menu Édition (Ctrl+C), puis de positionner le pointeur de cellule à l'endroit où vous désirez effectuer la copie et de presser la touche Entrée. Par la suite, vous pourrez réafficher l'ensemble de la base de données ou appliquer un autre type de filtre.

Si vous trouvez que filtrer la base de données en ne choisissant qu'un seul paramètre affiche encore trop d'enregistrements, vous pouvez sélectionner un second paramètre.

Quand vous souhaiterez réafficher la totalité des enregistrements, choisissez dans le menu donnée la commande Filtre, puis, dans le sous-menu qui s'affiche, sélectionnez Afficher tout.

Si vous n'avez appliqué qu'un filtre à une rubrique, vous pouvez aussi cliquer sur le bouton qui lui est associé et choisir dans la liste déroulante l'option (Tout). Cette opération est équivalente de la commande Afficher tout.

Trier quelque chose en dehors des bases de données

La commande de tri ne se contente pas de remettre en ordre vos enregistrements. Vous pouvez l'utiliser pour des données financières ou les en-têtes de vos feuilles de calcul. Si vous avez à trier ce genre d'éléments soyez sûr de sélectionner toutes les cellules contenant les données à trier (et seulement celles-ci).

Excel exclut automatiquement du tri la première rangée des cellules choisies (en présumant que cette rangée ne doit pas être incluse, du fait qu'elle contient les noms des rubriques). Pour l'inclure avec le reste, assurez-vous que le bouton Non de la partie Ligne de titre est sélectionné avant de lancer le tri.

Pour trier les données d'une feuille par colonnes, cliquez sur le bouton Options de la boîte de dialogue Trier. Validez l'option De la gauche vers la droite dans la fenêtre Options de tri, puis confirmez en cliquant sur OK. Vous pouvez à présenter spécifier le numéro de la ligne (ou des lignes) à trier dans la boîte de dialogue Trier.

Comment afficher 10 enregistrements

Excel contient une option de Filtre automatique appelée 10 premiers. Vous pouvez l'utiliser pour visualiser un certain nombre d'enregistrements (comme ceux d'une rubrique ayant les dix valeurs les plus grandes ou les plus petites). Pour se servir de cette fonction, suivez les étapes suivantes :

1. **Choisissez la commande Filtre du menu Données, puis cliquez sur Filtre automatique dans le sous-menu qui s'affiche.**

2. **Cliquez sur le bouton à liste dans la cellule de la rubrique que vous désirez utiliser pour le filtrage.**

3. **Choisissez l'option (10 premiers) dans la liste déroulante qui apparaît.**

    Excel ouvre à ce moment la fenêtre Les 10 premiers comme le montre la Figure 9.10.

Figure 9.10
La fenêtre de
dialogue Les
10 premiers.

Par défaut, cette fenêtre choisit d'afficher les dix plus grands éléments de la rubrique. Vous pouvez modifier la configuration par défaut avant de filtrer la base de données.

4. **Pour ne voir que les 10 plus basses valeurs, choisissez l'option Basse dans la boîte prévue à cet effet.**

5. **Pour afficher plus de 10 enregistrements avec cette fonction, entrez la nouvelle valeur dans la boîte située au milieu de la fenêtre ou utilisez les boutons fléchés pour diminuer ou augmenter la valeur.**

6. **Pour afficher les enregistrements qui correspondent aux 10 plus hautes ou aux 10 plus basses données ou même à ce *pourcentage*, choisissez l'option Pourcentage à la place de l'option Éléments.**

7. **Choisissez OK ou pressez la touche Entrée pour démarrer le filtrage des 10 premiers (ou derniers).**

La Figure 9.11 montre notre exemple Lafouine Détective après avoir appliqué ce type de filtre sur la rubrique Honoraires.

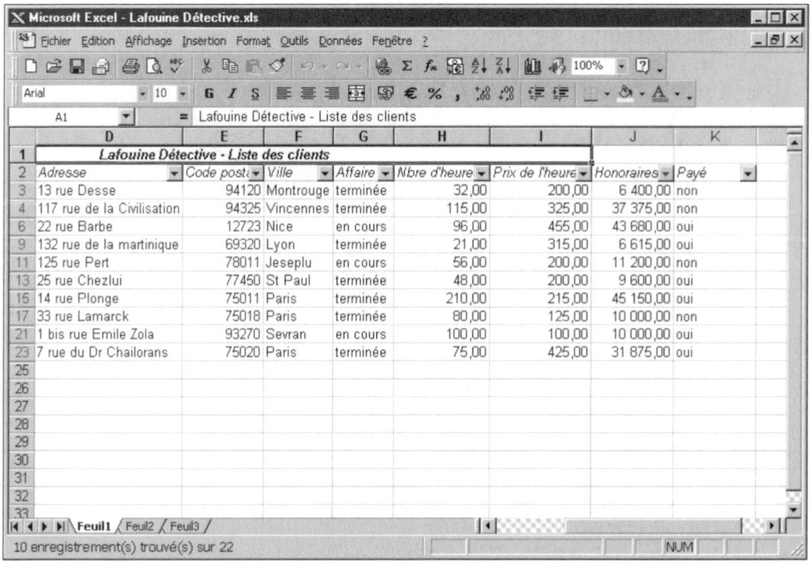

Figure 9.11
Les 10
honoraires
les plus
importants
révélés par
la fonction 10
premiers du
Filtre
automatique.

Adresse	Code postal	Ville	Affaire	Nbre d'heure	Prix de l'heure	Honoraires	Payé
13 rue Desse	94120	Montrouge	terminée	32,00	200,00	6 400,00	non
117 rue de la Civilisation	94325	Vincennes	terminée	115,00	325,00	37 375,00	non
22 rue Barbe	12723	Nice	en cours	96,00	455,00	43 680,00	oui
132 rue de la martinique	69320	Lyon	terminée	21,00	315,00	6 615,00	oui
125 rue Pert	78011	Jeseplu	en cours	56,00	200,00	11 200,00	non
25 rue Chezlui	77450	St Paul	terminée	48,00	200,00	9 600,00	oui
14 rue Plonge	75011	Paris	terminée	210,00	215,00	45 150,00	oui
33 rue Lamarck	75018	Paris	terminée	80,00	125,00	10 000,00	oui
1 bis rue Emile Zola	93270	Sevran	en cours	100,00	100,00	10 000,00	oui
7 rue du Dr Chailorans	75020	Paris	terminée	75,00	425,00	31 875,00	oui

10 enregistrement(s) trouvé(s) sur 22

Soyez créatif avec le Filtre automatique personnalisé

En plus des filtres qui s'appliquent sur les enregistrements avec des données préalablement choisies dans les rubriques, vous pouvez créer un Filtre automatique personnalisé en tenant compte de critères spéciaux (par exemple les prénoms commençant par la lettre M) ou une plage de valeurs (comme un salaire compris entre 65 000 et 85 000 par an).

Pour créer un filtre personnalisé, cliquez sur le bouton de la rubrique voulue et choisissez dans sa liste déroulante l'option Personnalisé (elle se trouve juste en dessous de celle des 10 premiers). La fenêtre Filtre automatique personnalisé s'affiche aussitôt après (Figure 9.12).

Figure 9.12
Le Filtre automatique personnalisé pour n'afficher que les honoraires compris entre 5 000 F et 35 000 F.

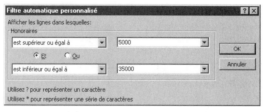

Dans cette fenêtre, vous avez à choisir, dans la liste déroulante du bouton en haut à gauche, la condition que vous souhaitez (voir le Tableau 9.2 pour les détails) ; juste à sa droite, vous entrerez la valeur (cela peut aussi bien être un texte qu'un nombre) dont dépendra la nature du filtre. Toutes les entrées de la rubrique sont disponibles via un menu déroulant.

Si vous voulez seulement filtrer une rubrique particulière avec une des conditions souhaitées, entrez l'opération suivie du texte ou de la valeur de filtre dans la première partie de la fenêtre (celle du haut) et cliquez sur le bouton OK pour appliquer le filtre à la base de données.

Pour déterminer une plage de valeurs, utilisez l'opération "est supérieur à" ou "est supérieur ou égal à" pour la valeur la plus basse, dans la première partie. Puis vérifiez que le bouton Et est bien sélectionné et choisissez l'opération "est inférieur à" ou "est inférieur ou égal à" suivie de la valeur la plus haute dans la seconde partie de la fenêtre.

Tableau 9.2
Opérations disponibles pour la création d'un Filtre automatique personnalisé.

Opérateur	Exemple Ce qu'elle va localiser dans la base de données
égal	Prénom égal D* Les enregistrements dont la rubrique Prénom commence par la lettre D.
différent de	Pays différent de Italie Les enregistrements dont la rubrique Pays n'est pas l'Italie.
est supérieur à	Code postal est supérieur à 42000 Les enregistrements dont la rubrique Code postal est supérieure à 42000.
est supérieur ou égal à	Location est supérieur ou égal à 5/11/99 Les enregistrements dont la rubrique Date de location se situe le ou après le 5 novembre 1999.
est inférieur à	Salaire est inférieur à 55000 Les enregistrements dont la valeur de la rubrique Salaire ne dépasse pas 55 000 par an.
est inférieur ou égal à	Arrivée est inférieur ou égal à15/2/99 Les enregistrements dont la rubrique Date d'arrivée se situe le ou avant le 15 février 1999.
commence par	Nom commence par D Les enregistrements dont le nom commence par la lettre D.
ne commence pas par	Nom ne commence pas par D Les enregistrements dont le nom ne commence pas par la lettre D.
se termine par	Nom se termine par t Les enregistrements dont le nom se termine par la lettre t.
ne se termine pas par	Nom ne se termine pas par t Les enregistrements dont le nom ne se termine par la lettre t.

Les Figure 9.12 et 9.13 illustrent comment filtrer la base de données des clients Lafouine pour que soient affichés uniquement les enregistrements dont les honoraires sont compris entre 5 000 et 30 000 F. la Figure 9.12 décrit les entrées qui doivent être effectuées dans la fenêtre du Filtre automatique personnalisé pour définir la plage de valeurs (5 000 étant la valeur minimale et 35 000 la valeur maximale). La Figure 9.13 montre le résultat de l'emploi du filtre dans la base de données.

Vous pouvez aussi déterminer une condition pour que des enregistrements aux données différentes soient tout de même affichés.

Par exemple, si vous voulez filtrer uniquement les enregistrements dont la ville est Paris ou Toulouse, vous aurez à choisir pour la première opération "égal" suivi de la ville de Paris. Ensuite, avant d'éditer la seconde partie, vous devrez sélectionner le bouton Ou, puis "égal" pour la seconde opération et enfin la ville de Toulouse. Cliquez sur OK et Excel affichera comme convenu seulement les enregistrements contenant, dans leur rubrique Ville, Paris ou Toulouse.

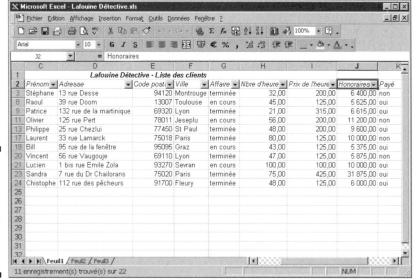

Figure 9.13
La base de
données
après
l'application
d'un filtre
personna-
lisé.

Chapitre 10

Liens hypertextes et pages Web

. . . .

Dans ce chapitre :

Créer un hyperlien vers un autre document Office, un autre classeur Excel, une autre feuille de calcul ou une autre plage de cellules.

Créer un hyperlien vers une page Web.

Changer les styles Lien hypertexte et Lien hypertexte visité.

Transformer un tableau ou un graphique Excel en page Web statique.

Créer des pages Web avec des tableaux et des graphes interactifs.

Éditer des pages Web avec votre éditeur HTML favori ou avec Word 2000.

Copier des tableaux depuis une page Web vers une feuille de calcul par glisser-déposer.

Prévisualiser vos pages Web Excel dans votre navigateur Web.

Créer des dossiers Web et des emplacements FTP dans lesquels vous pourrez publier vos pages Web Excel.

Expédier vos feuilles de calcul par e-mail.

. . . .

Nombreux sont maintenant ceux qui ont la fièvre Internet et on voit bien que le World Wide Web est la plus grande invention depuis le fil à couper le beurre. Il n'est donc pas étonnant que Excel 2000 se soit vu adjoindre une flopée de caractéristiques spéciales Web. En première position dans ces nouveautés pointent la possibilité de mettre en place des *hyperliens* dans les cellules d'une feuille de calcul et la faculté de transformer les données d'une feuille de calcul en pages Web, susceptibles d'êtres publiées sur vos serveurs Web.

Un hyperlien placé dans une feuille de calcul permet d'ouvrir en un seul clic de souris un autre document Office, un autre classeur Excel, une autre feuille de calcul (que ces documents se trouvent sur votre disque dur ou sur un serveur de votre réseau local), ou bien des pages Web se trouvant sur Internet ou sur l'intranet de votre entreprise. Vous pouvez également créer des liens hypertextes de courrier électronique qui envoient automatiquement des messages aux collègues avec lesquels vous avez coutume de correspondre de la sorte ; vous pouvez attacher à ces hyperliens des classeurs Excel ou tout autre document Office.

Les pages Web que vous créez à partir de vos feuilles de calcul Excel mettent vos données, calculs, listes et graphes à la disposition de toute personne disposant d'un navigateur Web et d'un accès Internet (c'est-à-dire pratiquement tout le monde) et ce, indépendamment du type d'ordinateur que ces utilisateurs possèdent et du fait qu'ils disposent ou non d'Excel. Lorsque vous enregistrez vos feuilles de calcul en tant que pages Web dans Excel 2000, vous pouvez choisir le statut de vos données : statique ou interactif.

Dans le premier cas, les utilisateurs pourront afficher les données, mais ne pourront pas les modifier. Dans le deuxième cas, à condition de disposer de Microsoft Internet Explorer 4.0 ou postérieur, ils pourront éditer ces données. Ainsi, si vous enregistrez une commande qui calcule totaux et sous-totaux sous la forme d'une page Web interactive, vos collègues pourront modifier les quantités commandées ; la page Web recalculera automatiquement les totaux. Autre exemple : vous enregistrez en tant que page Web interactive une liste de base de données (Chapitre 9) : vos collègues pourront appliquer des tris et des filtres dans leur navigateur Web, exactement comme ils le feraient dans Excel !

Ajout d'hyperliens à une feuille de calcul

Les hyperliens utilisables dans une feuille de calcul Excel sont de trois types :

- **Texte** qui s'affiche normalement en bleu souligné.

- **Image** que vous avez insérée dans la feuille de calcul.

- **Image** que vous avez dessinée grâce aux outils de la barre d'outils Dessin. Cette action a pour effet de transformer les images en boutons de commande.

Lorsque vous créez un lien hypertexte, vous pouvez établir la liaison avec un autre classeur Excel ou un autre document Office, l'adresse d'un site Web (l'adresse URL ou *Uniform Resource Locator*), un emplacement nommé dans le même classeur, voire une adresse de courrier électronique. L'emplacement nommé peut être une référence de cellule ou une référence de plage (Chapitre 6).

Pour créer un hyperlien, il faut commencer par créer le texte ou l'image où vous allez placer le lien.

Pour créer le texte qui va représenter l'hyperlien, suivez ces étapes :

1. **Sélectionnez la cellule dans la feuille de calcul concernée.**

2. **Tapez le texte de l'hyperlien dans cette cellule, puis cliquez sur le bouton Entrer dans la barre de formule.**

En revanche, si l'hyperlien doit être une image, commencez par insérer celle-ci dans la feuille de calcul :

1. **Actionnez la commande Insertion/Image/Images de la bibliothèque ou Insertion/Image/A partir du fichier, puis désignez l'illustration que vous désirez employer.**

   Excel insère l'image dans votre feuille de calcul. L'image est sélectionnée (comme en témoigne la présence des poignées sur son périmètre).

2. **A l'aide de ces poignées, donnez à l'image les dimensions qui vous conviennent. Faites-la ensuite glisser vers l'emplacement de votre choix.**

Indiquez alors la destination du lien :

1. **Cliquez dans la cellule contenant le texte ou cliquez sur l'image.**

2. **Actionnez la commande Insertion/Lien hypertexte ou cliquez sur le bouton Insérer un lien hypertexte de la barre d'outils Standard (ce bouton représente un globe associé à un maillon de chaîne).**

   Excel ouvre la fenêtre de dialogue Insérer un lien hypertexte (voir la Figure 10.1) où vous devez désigner le fichier, l'adresse Web (URL) ou l'emplacement de feuille de calcul vers lequel doit pointer le lien.

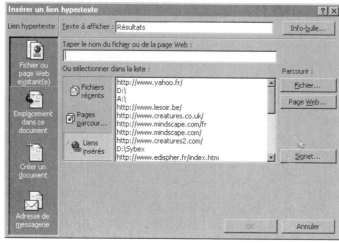

Figure 10.1
La fenêtre de dialogue
Insérer un lien hypertexte.

3a. **Pour que l'hyperlien ouvre un autre document ou bien une page Web sur l'intranet de votre entreprise ou sur Internet, cliquez, à gauche, sur le bouton Fichier ou page Web existant(e) s'il n'est pas déjà sélectionné, puis entrez le chemin d'accès du document ou l'URL de la page Web dans la case dans la case Tapez le nom du fichier ou de la page Web.**

Si le document vers lequel vous désirez pointer se trouve sur votre disque dur ou sur un disque accessible via votre réseau local, cliquez sur le bouton Fichier, sélectionnez ce document dans la fenêtre Lier au fichier (elle fonctionne comme la fenêtre d'ouverture) et confirmez par OK. Si vous avez récemment ouvert ce document, vous pouvez sélectionner son chemin dans la liste déroulante à laquelle vous accédez en cliquant sur Fichiers récents.

Si le document vers lequel vous voulez pointer se trouve sur un site Web dont vous connaissez l'adresse (du style *http://www.nuls.com/ excel2000.htm*), tapez directement cette adresse dans la case Tapez le nom du fichier ou de la page Web.

Si vous n'êtes pas certain de cette adresse (elle doit à tout prix être exacte), mais que vous avez récemment visité cette page ou établir vers elle un lien hypertexte, choisissez-la dans la liste après avoir cliqué sur Pages parcour. (si vous avez visité la page) ou Liens insérés (si vous avez établir un lien vers elle).

3b. **Pour établir le lien avec une autre cellule ou une autre plage du même classeur, cliquez, à gauche, sur Emplacement dans ce document. Tapez ensuite l'adresse de la cellule ou de la plage dans la case Tapez la référence de la cellule ou sélectionnez-la dans la liste (Figure 10.2).**

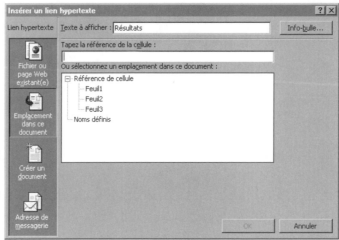

Figure 10.2
Créez un lien
vers une
cellule ou
une plage de
la même
feuille.

3c. Pour créer, dans votre programme de messagerie (dans la plupart des cas, il s'agira d'Outlook Express, livré avec Internet Explorer 5.0 qui, lui-même, fait partie d'Office), un nouveau courrier électronique à l'attention d'une personne particulière, cliquez, à gauche, sur Adresse de messagerie, puis entrez l'adresse e-mail du destinataire dans la case Adresse de messagerie (Figure 10.3).

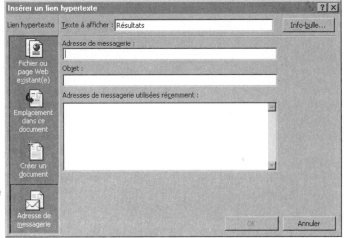

Figure 10.3
Établissez le
lien avec une
adresse e-
mail.

4. (Facultatif) Pour modifier le texte affublé du lien (par défaut souligné en bleu) ou ajouter du texte si la cellule est vide, agissez dans la zone d'édition Texte à afficher.

5. (Facultatif) Pour ajouter une info-bulle qui s'affichera lorsque vous positionnerez votre pointeur sur la source du lien, validez l'option Info-bulle, puis tapez le texte appelé à figurer dans ce phylactère ; confirmez par OK.

6. Cliquez sur OK pour fermer la boîte de dialogue Insérer un lien hypertexte.

Suivez ce lien !

Suivre un hyperlien signifie tout simplement cliquer dessus pour atteindre l'endroit vers lequel il pointe. Positionnez le pointeur de la souris sur le texte bleu souligné (s'il s'agit d'un lien de type texte) ou sur l'image (s'il s'agit d'un lien de type image). Lorsque votre pointeur se transforme en main avec l'index pointant vers le haut, cliquez. Excel 2000 établit instantanément le lien vers le document, la page Web, la cellule ou l'adresse e-mail que le lien désigne. Ce qui se passe concrètement lors de ce saut dépend de la destination du lien :

- **Hyperlien vers un document externe** : Excel ouvre le document dans une nouvelle fenêtre. Si le programme qui a créé le document (Word 2000 ou PowerPoint 2000, par exemple) n'est pas encore ouvert, Windows 95/98 le lance et y ouvre le document désigné.

- **Hyperlien vers une page Web** : Excel ouvre la page Web dans votre navigateur Web. Si vous n'êtes pas connecté au moment où vous cliquez sur le lien, Windows 95/98 ouvre la fenêtre de dialogue de connexion ; à vous de cliquer sur le bouton Connecter. Si Internet Explorer n'est pas ouvert au moment où vous activez le lien, Windows ouvre alors ce navigateur avant d'ouvrir la page Web désignée par l'hyperlien.

- **Hyperlien vers une autre cellule ou plage de cellules dans le même classeur** : Excel active la feuille de calcul et sélectionne la ou les cellules dont l'adresse est désignée par l'hyperlien.

- **Hyperlien de messagerie** : Excel lance votre programme de messagerie ; celui-ci crée un nouveau message adressé à la personne dont vous avez spécifié l'adresse lors de la création du lien.

Une fois que vous avez suivi un lien vers sa destination, la couleur du texte passe du bleu au mauve foncé (le soulignement demeure). Ce changement de couleur sert de repère, indiquant donc que ce lien a déjà été suivi. (Les hyperliens graphiques ne changent pas de couleur.) Sachez toutefois qu'Excel rétablit la couleur de base lorsque vous ouvrez de nouveau le classeur.

Pour suivre les liens établis dans une feuille de calcul, vous pouvez utiliser les boutons de la barre d'outils Web. Pour l'afficher, choisissez Affichage/Barres d'outils/Web (Figure 10.4).

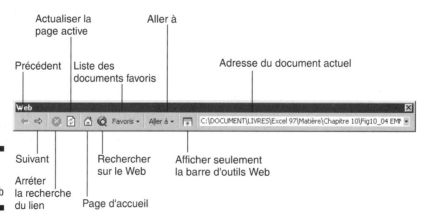

Figure 10.4
La barre
d'outils Web

Les boutons Précédent et Suivant vous permettent de passer de la cellule établissant un hyperlien interne vers sa cible et vice versa.

Les Figures 10.5 à 10.7 vous montrent comment vous pouvez exploiter les hyperliens pour atteindre différents endroits d'un même classeur. La Figure 10.5 présente un classeur qui contient un sommaire interactif vers différentes données et graphiques se trouvant sur d'autres feuilles de ce classeur. Ce sommaire interactif se compose, en fait, d'une liste de liens pointant vers les diverses feuilles et graphiques. Nous avons supprimé le quadrillage pour obtenir une meilleure lisibilité des hyperliens.

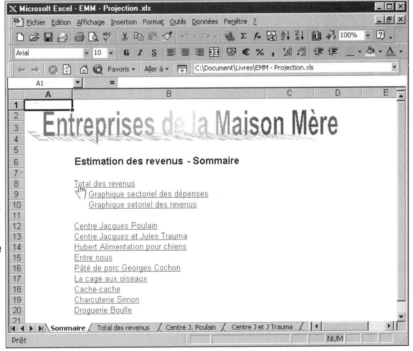

Figure 10.5 Un sommaire interactif, constitué d'une liste de liens vers d'autres emplacements dans le même classeur.

La Figure 10.6 montre ce qui arrive lorsque nous cliquons sur le lien Total des revenus. Excel nous propulse jusqu'à la cellule A1 de la feuille de calcul Total des revenus. Dans cette feuille, une image de maison (puisée dans la bibliothèque de clip art du CD-ROM Office) apparaît à droite du titre. Cette image comporte un hyperlien qui ramène vers la cellule A1 de la feuille de calcul Sommaire (revoir la Figure 10.5).

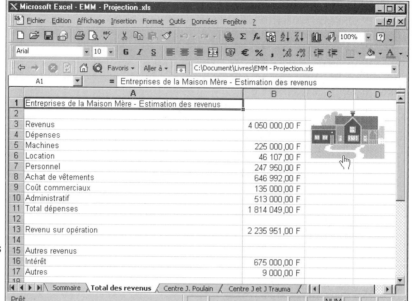

Figure 10.6
Après
sélection du
lien Total des
revenus
dans le
sommaire.

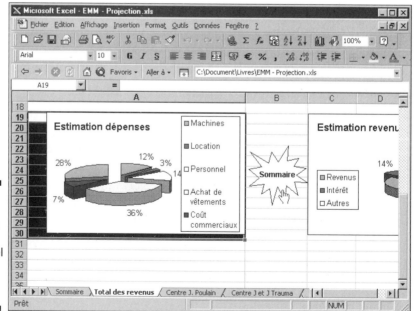

Figure 10.7
Après
sélection du
lien Graphi-
que sectoriel
des dépen-
ses dans le
sommaire.

La Figure 10.7 montre ce qui se produit lorsque nous cliquons sur le lien Graphique sectoriel des dépenses dans la feuille Sommaire, qui est configuré pour mener vers la plage de cellules A19:A30 dans la feuille Total des revenus. Un clic sur ce lien sélectionne en fait la totalité de ces cellules. Ce sont celles qui se trouvent sous le graphique représentant les dépenses prévues pour 1998. Nous avons utilisé cette astuce qui consiste à faire pointer l'hyperlien vers la plage de cellules se trouvant sous le graphique en question, car il n'existe pas de moyen de faire pointer un lien vers un graphique.

A la droite de ce graphique sectoriel, on aperçoit une forme en étoile (que nous avons créée via l'outil Formes automatiques de la barre d'outils Dessin). Ce graphique fait main contient un hyperlien qui, comme la maison de tout à l'heure (Figure 10.6), pointe vers la cellule A1 de la feuille de calcul Sommaire.

Modification et formatage d'hyperliens de type texte

Le contenu des cellules qui recèlent des liens de type texte est formaté selon deux styles prédéfinis d'Excel : *Lien hypertexte* et *Lien hypertexte visité*. Le premier est appliqué à tout lien créé dans une feuille de calcul. Le second est appliqué à tout lien que vous avez suivi. Si vous désirez modifier l'apparence des liens non encore utilisés ou déjà visités, il vous faut agir sur ces styles Lien hypertexte et Lien hypertexte visité. (Pour des informations sur la modification des styles, voyez le Chapitre 3.)

Si vous avez besoin de modifier le contenu d'une cellule contenant un lien hypertexte, vous ne pouvez le faire en cliquant dans la cellule avec le bouton gauche de la souris puisque cette action déclenche le saut vers la destination de ce lien. Pour contourner le problème, procédez ainsi :

1. **Cliquez dans une cellule adjacente à la cellule comportant le lien (au-dessus, en dessous, à gauche ou à droite), sous réserve, bien sûr, que cette cellule ne comporte pas elle-même un lien.**

2. **Appuyez sur la touche de déplacement du curseur appropriée (↑, ↓, ← ou →) pour gagner la cellule comportant le lien.**

3. **Appuyez sur F2 pour faire passer Excel en mode Édition.**

4. **Apportez les changements nécessaires au texte de l'hyperlien, puis entérinez votre correction en cliquant sur le bouton Entrer dans la barre de formule ou en appuyant sur Entrée.**

Si vous avez besoin de modifier la destination d'un lien hypertexte (et non plus le contenu de la cellule, c'est-à-dire le libellé du lien), cliquez sur le lien avec le bouton droit de la souris : vous affichez ainsi son menu contextuel tout en évitant de déclencher le saut vers la destination du lien. Actionnez ensuite la commande Lien hypertexte/Modifier le lien hypertexte. Ce faisant, vous déclenchez l'ouverture de la fenêtre de dialogue Modifier le lien hypertexte (qui ressemble comme deux gouttes d'eau à la boîte de dialogue Insérer un lien hypertexte ; voir la Figure 10.1). Vous pouvez ici modifier le type et/ou la destination du lien.

Pour copier un hyperlien d'une cellule vers une autre, cliquez dans la cellule concernée avec le bouton droit de la souris (ne cliquez pas avec le bouton gauche, car Excel déclencherait le saut vers la destination du lien), puis actionnez la commande Lien hypertexte/Copier le lien hypertexte dans le menu contextuel. Excel affiche une marquise de sélection autour de la cellule ; pour copier l'hyperlien dans une autre cellule, sélectionnez cette autre cellule, puis appuyez sur Entrée (exactement comme vous le feriez pour une copie classique). Notez que, si vous copiez un hyperlien vers une cellule vide, c'est le chemin d'accès au document, l'adresse de la page Web ou l'adresse de messagerie qui apparaît dans la cellule. Une fois que vous aurez entré du texte dans cette cellule, c'est ce texte qui apparaîtra et non plus l'adresse du lien.

Pour supprimer le texte et l'hyperlien contenus dans une cellule, actionnez la commande Édition/Effacer/Tout dans la barre de menus ou, plus simplement, enfoncez la touche Suppr. Pour n'effacer que le lien tout en conservant le contenu de la cellule, cliquez sur le lien avec le bouton droit de la souris, puis actionnez la commande Lien hypertexte/Supprimer le lien hypertexte.

Modification et formatage d'hyperliens de type image

Pour pouvoir éditer l'image source du lien, cliquez dessus tout en maintenant enfoncée la touche Ctrl. Cette action sélectionne l'image ; validez alors la commande Format/Image (ou enfoncez les touches Ctrl+1), ou opérez un clic droit sur l'image et choisissez Format de l'image dans le menu contextuel. Vous accédez ainsi à la boîte de dialogue Format de l'image, qui vous permet d'agir sur ses attributs : couleur de remplissage, couleur de bordure, dimension, rognage, luminosité, contraste… N'hésitez pas non plus à agir via la barre d'outils Image.

Si vous voulez redimensionner manuellement l'image ou la déplacer vers un autre endroit de la feuille de calcul, cliquez sur l'image avec la touche Ctrl enfoncée, puis manipulez l'image avec la souris. Pour la redimensionner, faites glisser la poignée appropriée. Pour la déplacer, faites-la glisser (lorsque le pointeur de la souris se transforme en flèche quadruple) vers sa nouvelle position dans la feuille de calcul.

Pour copier une image ainsi que son hyperlien, cliquez sur l'image avec la touche Ctrl enfoncée, puis (sans relâcher la touche Ctrl), faites glisser une copie de l'image vers l'emplacement prévu. Autre possibilité : vous pouvez cliquer sur l'image avec le bouton droit de la souris, puis placer une copie de l'image dans le Presse-papiers en actionnant la commande Copier du menu contextuel. Une fois l'image et son hyperlien copiés dans le Presse-papiers, collez la copie dans la feuille de calcul en actionnant la commande Édition/ Coller (Ctrl+V) ou cliquez sur le bouton Coller de la barre d'outils Standard.

Pour effacer à la fois une image et l'hyperlien qu'elle contient, cliquez sur l'image avec la touche Ctrl enfoncée, puis appuyez sur la touche Suppr. Pour supprimer l'hyperlien tout en conservant l'image, opérez un clic droit sur l'image et choisissez Lien hypertexte/Supprimer le lien hypertexte dans le menu contextuel.

Pour modifier la destination du lien, opérez également un clic droit sur l'image. Choisissez ensuite Lien hypertexte/Modifier le lien hypertexte, puis agissez dans la fenêtre Modifier le lien hypertexte.

Vos feuilles de calcul sur le Web

Quiconque a déjà essayé de coder un tableau HTML vous le dira : c'est un des travaux les plus désagréables qui soit. Même pour un tableau élémentaire, il faut employer des balises <TH> et </TH> pour définir les en-têtes de colonnes,<TR> et </TR> pour définir les lignes du tableau, <TD> et </TD> pour délimiter les cellules.

Excel 2000 vous permet de créer des pages Web qui affichent vos données sous forme statique ou interactive. Dans le premier cas, les autres utilisateurs ne peuvent qu'afficher les informations dans leur navigateur Web ; dans le second, il peuvent les modifier.

Enregistrer une feuille de calcul Excel en tant que page Web est l'enfance de l'art : choisissez Fichier/Enregistrer en tant que Page Web ; la fenêtre correspondante s'affiche (Figure 10.8).

Vous y retrouvez des options standard ; certaines, en revanche, sont originales :

- **Classeur entier** ou **Sélection : Feuille** : Lorsque vous validez la commande Enregistrer en tant que page Web, Excel 2000 vous offre deux possibilités : enregistrer les données contenues dans toutes les feuilles du classeur (option Classeur entier, validée par défaut) ou limiter l'action aux données sélectionnées dans la feuille courante (option Sélection). Lorsqu'aucune plage ni aucun graphe n'est sélectionné dans la feuille active, cette option s'intitule Sélection : Feuille et, lorsque vous l'activez,

Excel traite toutes les données de la feuille courante. En revanche, si vous sélectionnez un graphe avant d'appeler la commande, l'option s'intitule alors Sélection : Graphique. Et si vous marquez une plage de cellule, ce sont les références de cette plage qui apparaissent.

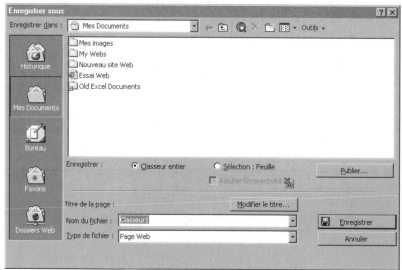

Figure 10.8
La boîte de dialogue Enregistrer sous, telle qu'elle se présente après validation de la commande Enregistrer en tant que Page Web du menu Fichier.

- **Publier** : Utilisez ce bouton pour accéder à la boîte de dialogue Publier en tant que page Web (Figure 10.9). Vous y spécifiez différentes options de publication : sélection des éléments à inclure dans la page Web, ajout éventuel d'interactivité, modification du nom de la page, possibilité d'ouvrir la page dans un navigateur.

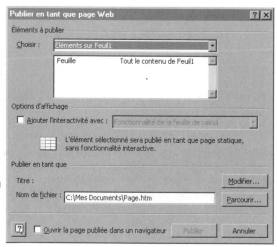

Figure 10.9
Vous accédez à cette fenêtre en cliquant sur le bouton Publier de la fenêtre précédente.

- **Ajouter l'interactivité** : Validez cette option lorsque vous désirez que vos collègues soient à même d'agir dans la page (édition, calcul, tri, filtre…). Notez que cette option n'est accessible que lorsque vous avez validé l'option Sélection : Feuille de la fenêtre précédente.

- **Titre** : Cliquez sur Modifier le titre pour accéder à la fenêtre Définir le titre de la page, dans laquelle vous pouvez spécifier le titre de votre future page Web. Celui-ci apparaîtra centré en haut de la page, juste au-dessus des données ou des graphes qu'elle contiendra. (Ne confondez pas ce titre avec l'en-tête de la page qui s'affiche dans la barre de titre de votre navigateur.) Le titre que vous introduisez ici s'affiche ensuite dans la fenêtre Enregistrer sous, en regard de la mention Titre de la page.

Page statique

Les pages statiques permettent aux autres utilisateurs d'afficher les données, mais non de les modifier. Pour créer une page statique :

1. **Ouvrez le classeur contenant les données à enregistrer en tant que page Web.**

2. **(Facultatif) Si vous souhaitez limiter l'enregistrement à quelques cellules, sélectionnez-les. Pour traiter un graphique, cliquez dessus.**

3. **Choisissez Fichier/Enregistrer en tant que page Web afin d'accéder à la fenêtre Enregistrer sous (Figure 10.8).**

4. **Signalez la partie du classeur à traiter.**

   Pour traiter tout le classeur, validez l'option Classeur entier ; pour ne traiter que votre sélection, validez l'option Sélection. (Son intitulé dépend, en fait, de ce que vous avez marqué dans la feuille en arrière-plan.)

   Pour enregistrer le contenu d'une feuille autre que la feuille active, cliquez sur Publier ; sélectionnez la feuille dans la liste Choisir.

   Pour enregistrer un graphique que vous n'aviez pas encore sélectionné à l'appel de la commande, cliquez sur Publier, puis sélectionnez le graphe dans la liste Choisir.

   Pour enregistrer une plage que vous n'aviez pas encore sélectionnée à l'appel de la commande, cliquez sur Publier, puis validez Plage de cellules dans la liste Choisir et spécifiez la plage dans la zone d'édition. Vous pouvez la taper manuellement ou cliquer-glisser dans la feuille sous-jacente. Au besoin, cliquez sur l'icône située à l'extrémité droite de la zone afin de réduire la fenêtre à sa plus simple expression ; recliquez sur cette icône pour rétablir l'affichage normal.

5. **Introduisez le nom de la page dans la case Nom du fichier.**

Notez qu'Excel lui ajoute l'extension .htm (pour HyperText Markup, c'est-à-dire le format HTML, typique des pages Web). Si vous envisagez de publier votre page sur un serveur UNIX, n'oubliez pas que celui-ci établit la distinction entre majuscules et minuscules. (Les systèmes d'exploitation Mac et PC ne reconnaissent pas cette distinction en matière de noms de fichiers.)

6. **Spécifiez l'endroit où la page doit être stockée.**

Lorsque vous procédez à la sauvegarde sur votre disque dur ou sur celui d'un réseau, vous devez indiquer le lecteur et le répertoire de destination dans la case Enregistrer dans (exactement comme vous le faites pour un classeur classique - voir le Chapitre 2). Pour désigner ce répertoire :

- Pour enregistrer la page directement sur le site Web Internet ou intranet, activez le bouton Dossiers Web, puis ouvrez le dossier souhaité.

- Pour enregistrer la page sur un site FTP (File Transfer Protocol), sélectionnez Adresses Internet (FTP) dans le menu déroulant Enregistrer dans, puis ouvrez le dossier FTP souhaité.

Remarquez que, dans les deux cas, le dossier de destination doit exister avant que vous ne puissiez y archiver votre page. Pour savoir comment créer des dossiers Web, voyez la section "Créer des dossiers Web pour vos pages Web", plus loin dans ce chapitre. En ce qui concerne les dossiers FTP, lisez "Créer des dossiers FTP pour vos pages Web".

7. **(Facultatif) Spécifiez un titre pour votre page Web.**

Si vous souhaitez qu'Excel ajoute un titre à la page (qui apparaîtra centré dans la partie supérieure), cliquez sur Modifier le titre ; entrez le titre souhaité dans la case Titre de la page, puis confirmez en cliquant sur OK. La fenêtre Publier en tant que page Web propose, elle aussi, un bouton Modifier, qui vous permet de réaliser la même action.

8. **Cliquez sur Enregistrer.**

Pour prévisualiser la page juste après la sauvegarde, cliquez sur le bouton Publier, validez l'option Ouvrir la page dans un navigateur, confirmez par OK avant de cliquer sur Enregistrer.

Excel crée automatiquement un nouveau dossier auquel il attribue le même nom que le fichier .htm et dans lequel il regroupe tous les fichiers annexes (images, graphiques…). Si vous déplacez la page vers un serveur Web, n'oubliez pas de déplacer également ce dossier afin que le navigateur puisse afficher correctement tous ses éléments.

Si vous désirez qu'Excel ne crée pas ce dossier, modifiez les options correspondantes dans la fenêtre Options Web à laquelle vous accédez en cliquant sur le bouton Options Web de l'onglet Général de la fenêtre Options (Outils/ Options). Désactivez ici l'option Regrouper les fichiers de prise en charge dans un dossier de l'onglet Fichiers.

Remarquez également que, lorsque vous enregistrez un classeur entier contenant des données et des graphes sur des feuilles séparées, Internet Explorer respecte l'organisation des feuilles dans la page Web que vous créez en ajoutant des onglets correspondant aux différentes feuilles dans la partie inférieure de la page.

Page interactive

Voilà une des nouvelles fonctionnalités d'Excel 2000 particulièrement intéressante. Dans les pages interactives, les utilisateurs sont autorisés non seulement à visualiser les données via Microsoft Internet Explorer (version 4.0 ou ultérieure), mais également à les éditer. La modification peut porter sur :

- **Tableaux de données d'une feuille de calcul** : Dans une page interactive, vous pouvez modifier les constantes ; les formules dans lesquelles elles interviennent sont alors recalculées automatiquement (ou manuellement). Vous pouvez aussi modifier la mise en forme des données. (Les Chapitres 3 et 4 vous expliquent comment formater les cellules et modifier données et formules.)

- **Listes de base de données** : Dans une page interactive, vous pouvez trier et filtrer les enregistrements, presque comme vous le feriez dans une base Excel classique (Chapitre 9). Vous pouvez aussi éditer les données et modifier la mise en forme.

- **Graphiques** : Dans un graphique interactif, vous pouvez modifier les données source ; le graphique est alors retracé automatiquement. Vous pouvez aussi agir sur le graphique proprement dit (type, mise en forme…).

Pour créer une page Web interactive, vous devez suivre la même procédure que dans le cas d'une page statique, à une exception près : vous devez, dans le cas qui nous occupe, valider l'option Ajouter l'interactivité avant de lancer la sauvegarde. Rappelez-vous : cette option n'est disponible que lorsque vous avez activé l'option Sélection de la fenêtre Enregistrer sous.

Tableaux croisés dynamiques interactifs

Excel pour Windows 95 a introduit la notion de tableaux croisés dynamiques, des éléments qui permettent de synthétiser et d'analyser vos données. Windows 2000 a élevé cette fonction au rang d'élément de page Web.

Certes, nous débordons ici du cadre de cet ouvrage ; si vous souhaitez créer ce genre d'élément, sollicitez l'Assistant Tableau et graphique croisés dynamiques (accessible via la commande Rapport de tableau croisé dynamique du menu Données).

Pour créer une page Web comportant un tableau croisé dynamique, il suffit de sélectionner ce tableau avant d'appeler la commande Fichier/Enregistrer en tant que page Web. N'oubliez pas de valider l'option Ajouter l'interactivité.

N'oubliez pas que, lorsque vous créez une page Web comportant un graphique interactif, vous devez limiter la sélection au graphe avant de choisir Fichier/Enregistrer en tant que page Web. C'est Excel qui se charge automatiquement d'ajouter les données sources à la page (à condition que vous n'omettiez pas de valider l'option Ajouter l'interactivité).

Manipuler des données interactives

La Figure 10.10 montre une page Web interactive, affichée dans Internet Explorer. Elle représente les ventes de trois régions pendant les trois premiers mois de l'année.

Figure 10.10
Une page
Web
interactive.

Je l'ai créée en sélectionnant la plage avant d'appeler la commande Fichier/ Enregistrer en tant que page Web, en validant l'option Feuille et l'option Ajouter l'interactivité.

Une barre d'outils s'affiche dans la partie supérieure des pages interactives ; utilisez ses boutons pour éditer les données ou la façon dont elles sont affichées.

Déplacez-vous si nécessaire grâce aux barres de défilement ; rectifiez éventuellement la taille de la fenêtre par cliquer-glisser sur la case de contrôle de taille (angle inférieur droit).

Modifier le contenu

Pour éditer une cellule du tableau, cliquez deux fois dessus. Si la cellule comporte un libellé ou une valeur, son texte est sélectionné ; tapez le contenu de remplacement. Si elle comporte une formule, celle-ci s'affiche ; éditez-la.

Pour empêcher les autres utilisateurs de modifier le contenu de certaines cellules du tableau, vous devez établir la protection avant d'enregistrer les données en tant que page Web. Vous pourriez ainsi leur permettre de modifier les chiffres de ventes mais leur interdire d'éditer les formules. Pour ce faire, sélectionnez les cellules auxquelles vous leur permettez d'accéder, puis branchez la protection. Le Chapitre 6 vous explique les détails de la procédure.

Modifier la présentation

C'est la Boîte des propriétés (Property Toolbox) qui vous permet d'intervenir sur l'aspect des données. Pour l'afficher, cliquez sur son icône (juste à gauche du point d'interrogation). (Si la barre d'outils n'est pas affichée, opérez un clic droit sur le tableau et choisissez Boîte des propriétés (Property Toolbox) dans le menu contextuel.)

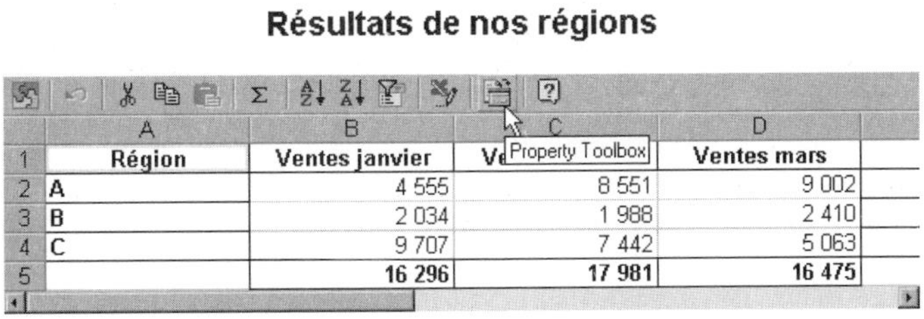

Résultats de nos régions

Figure 10.11
Accédez aux
propriétés.

	A	B	C	D	
1	Région	Ventes janvier	V[Property Toolbox]	Ventes mars	
2	A	4 555	8 551	9 002	
3	B	2 034	1 988	2 410	
4	C	9 707	7 442	5 063	
5		16 296	17 981	16 475	

Cette fenêtre vous permet de réaliser un grand nombre d'opérations de formatage : présentation en gras, en italique, en souligné, choix d'une police, d'une taille, d'un format de cellule, réglage de la largeur des colonnes et de la hauteur des lignes, paramétrage de l'alignement vertical et horizontal, présentation des nombres…

N'oubliez toutefois pas que les modifications que vous apportez ici sont temporaires ; de fait, vous ne pourrez les enregistrer. Tout au plus pourrez-vous imprimer la page (Fichier/Imprimer) pour en obtenir une copie papier. Autre possibilité : exportez la page Web en tant que classeur Excel en lecture seule en cliquant sur le bouton Export to Excel (voyez la section "Exporter une page Web interactive vers Excel", plus loin dans ce chapitre).

Manipuler une base de données interactive

Vous pouvez ici mener les actions que vous menez habituellement dans une base de données classique (Chapitre 9). Vous pouvez en outre trier les enregistrements de la liste et mettre en oeuvre un Filtre automatique légèrement revu et corrigé.

Pour trier une base :

• Sélectionnez la colonne (le champ) destiné à faire office de clé de tri et cliquez sur le bouton Tri croissant ou Tri décroissant de la barre d'outils.

• Opérez un clic droit dans la base, choisissez Tri croissant ou Tri décroissant dans le menu contextuel, puis sélectionnez le champ appelé à servir de critère.

Pour filtrer les enregistrements, cliquez sur l'icône Filtre automatique (AutoFilter) de manière à afficher les boutons correspondants, ou activez à cette fin la commande Filtre automatique (AutoFilter) du menu contextuel. Une fois que les boutons sont affichés, vous pouvez filtrer vos enregistrements en faisant un choix dans la liste qu'ils déroulent.

Pour rétablir la base dans l'état dans lequel elle se trouvait avant l'application du filtre, cliquez sur le bouton Filtre automatique (AutoFilter) dans le ou les champs impliqués et validez l'option Tout afficher (Show All). Cliquez sur OK pour confirmer.

Manipuler un graphique interactif

Les pages Web comportant un graphique interactif affichent, à la fois, le graphe et ses données source. Lorsque vous modifiez ces données, le graphique est instantanément mis à jour. Vous pouvez en outre agir directement sur le graphe pour en modifier l'aspect (par exemple, lui affecter un autre type ou changer son titre).

Ajouter des données à une page Web existante

Il est possible d'ajouter des données à une page Web que vous avez déjà constituée. Bon à savoir : dans ces conditions, Excel ajoute les données dans le bas de la page. Si vous souhaitez qu'elles apparaissent ailleurs, vous devez éditer la page comme décrit à la section "Éditer les tableaux de vos pages Web", plus loin dans ce chapitre.

Pour ajouter des données à une page Web existante, suivez la même procédure que lors de l'enregistrement de données en tant que page Web (sélectionnez les données à ajouter), mais, au lieu d'entrer le nom du nouveau fichier, sélectionnez celui du fichier existant.

Dès que vous aurez réalisé cette sélection, Excel vous enverra une boîte de dialogue vous demandant si vous souhaitez ajouter les données au fichier ou remplacer le fichier.

Figure 10.12
Confirmez ici
votre
intention.

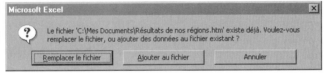

Optez pour l'ajout. De fait, quand vous remplacez, Excel remplace la page existante par une autre, qui ne contient, en fait, que les données à ajouter.

Éditer les tableaux de vos pages Web

Si vous ajoutez des données à un tableau existant, mais souhaitez les placer à un autre endroit que celui sélectionné par Excel, vous devez déplacer ces donnes vous-même.

Utilisez à cet effet un éditeur HTML. Si vous n'en possédez pas, tournez-vous vers Word 2000. Ne vous inquiétez pas : il se chargera de l'opération avec succès.

N'oubliez pas que, lorsque vous cliquez deux fois sur l'icône d'une page Web depuis l'Explorateur Windows ou la fenêtre Poste de travail, c'est votre navigateur Web qui démarre. Pour ouvrir une page à des fins d'édition, lancez d'abord le programme que vous destinez à cette mission (Word par exemple), puis utilisez sa commande Ouvrir pour accéder à la page.

Pour agir dans Word 2000 :

1. **Lancez le programme.**

   Agissez depuis la fenêtre du Gestionnaire Office ou depuis le sous-menu Programmes du menu Démarrer.

2. **Choisissez Fichier/Ouvrir ou cliquez sur le bouton Ouvrir de la barre d'outils Standard.**

3. **Sélectionnez, dans la liste Regarder dans, le dossier contenant la page Web à ouvrir, puis désignez cette page dans la liste inférieure.**

   Une fois la page Web sélectionnée, cliquez sur Ouvrir pour l'ouvrir dans Word 2000. Office se souvient du programme qui a servi à créer la page ; il affiche d'ailleurs son icône au-dessus et à gauche de l'icône classique des pages Web. Si votre page est associée à Excel, il vous faudra utiliser la commande Ouvrir dans Microsoft Word, plutôt que simplement Ouvrir, pour accéder au fichier (Figure 10.13).

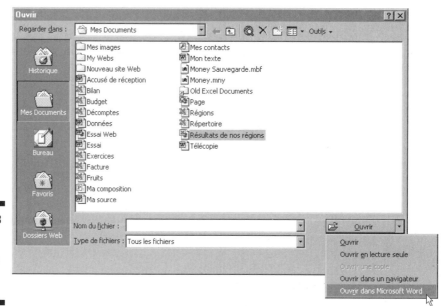

Figure 10.13 La commande Ouvrir dans Microsoft Word.

4. **Si vous ouvrez une page Web créée dans Excel et que cette page n'a jamais été éditée dans Word, choisissez Ouvrir dans Microsoft Word dans le menu déroulant Ouvrir. Sinon, cliquez sur Ouvrir ou enfoncez la touche Entrée.**

Agissez ensuite dans Word. Ainsi, pour déplacer des données ou un graphique placé en bas de page, sélectionnez l'élément, puis coupez-collez ou glissez-déplacez. Lors du déplacement d'un tableau Excel, gardez à l'esprit les considérations suivantes :

- Pour sélectionner un tableau et son contenu, placez le pointeur dans une cellule, puis choisissez Tableau/Sélectionner/Tableau.

- Pour déplacer un tableau, cliquez dans une de ses cellules, puis faites glisser la poignée située en haut à gauche, le petit carré qui affiche une quadruple flèche.

- Vous pouvez aussi sélectionner le tableau, puis le couper et ensuite le coller.

Dans le cas d'un graphique :

- Pour sélectionner le graphe dans Word, cliquez dans sa zone, exactement comme vous feriez dans Excel. Des poignées apparaissent sur son périmètre.

- Pour déplacer le graphe, sélectionnez-le. Placez ensuite votre pointeur sur son bord en prenant soin d'éviter les poignées et faites glisser.

- Vous pouvez aussi sélectionner le tableau, puis le couper et ensuite le coller.

Éditer un tableau dans Excel 2000

La technique d'édition la plus simple consiste sans doute à ouvrir la page Web dans Excel et à y apporter les modifications souhaitées. Pratiquez comme pour un classeur standard. (Les techniques d'ouverture sont décrites au Chapitre 4.)

Si la page à traiter dans Excel se trouve sur un serveur Web pour lequel existe un raccourci Dossier Web (voyez la section "Créer des dossiers Web pour vos pages Web", plus loin dans ce chapitre), activez l'icône Dossiers Web dans le volet gauche de la fenêtre d'ouverture, puis cliquez deux fois sur le nom du dossier contenant la page à éditer.

Si l'icône de la page n'affiche pas une mini-icône Excel en haut à gauche (ce qui est le cas si vous avez édité la page en question avec un autre programme, Word 2000 par exemple, puis avez enregistré vos changements), vous ne parviendrez pas à ouvrir la page avec le bouton Ouvrir. Vous serez contraint, en effet, de dérouler ce menu et d'y sélectionner la commande Ouvrir dans Microsoft Excel.

Une fois la page ouverte, opérez les modifications souhaitées, puis enregistrez-les (en format HTML) grâce à la commande Fichier/Enregistrer ou à l'icône Enregistrer de la barre d'outils Standard. Si la page traitée se trouve sur un serveur Web, Excel ouvre la connexion de manière à enregistrer directement les modifications sur le serveur.

Si vous envisagez de déplacer un tableau ou un graphe, de modifier l'arrière-plan de la page ou d'introduire des illustrations, agissez de préférence depuis un éditeur HTML ou, à défaut, depuis Word 2000. La structure tabulaire des fichiers Excel se prête moins bien, en effet, à ce genre de manipulations.

Exporter une page Web interactive vers Excel

Il est impossible de sauvegarder, dans un navigateur Web, les changements que vous apportez à une page Web. Pour ne pas perdre ces modifications, exportez donc la page vers Excel, puis enregistrez la mise à jour en tant que page Web ou en tant que classeur Excel standard.

Il suffit, pour exporter, de cliquer sur l'icône Exporter vers Excel (l'icône affichant le symbole d'Excel et un crayon). (Impossible, malheureusement, de sauvegarder les changements intervenus sur un graphique, exception faite de ses données source.)

Cette action déclenche Excel 2000 et ouvre la page éditée. (Dans le cas d'un graphique interactif, c'est la table de données qui apparaît et non le graphique proprement dit.) Dans la barre de titre d'Excel, la page Web exportée reçoit un nom provisoire, du style OWCSheet*x* [Lecture seule] (OWC signifiant Office Web Component).

Étant donné qu'Excel ouvre la page éditée en mode Lecture seule, vous ne pouvez enregistrer les modifications qu'en recourant à la commande Fichier/Enregistrer sous et en attribuant à la page un nom différent de l'original. (Si vous choisissez Fichier/Enregistrer, Excel vous avise que le fichier est en lecture seule et que cette commande n'est dès lors pas utilisable.)

Par défaut, le programme sauvegarde la page Web en format HTML (HyperText Markup Language). Pour l'enregistrer en tant que fichier Excel classique, faites le choix correspondant (Classeur Microsoft Excel) dans le menu déroulant Type de fichier.

Si Excel n'est pas installé sur le poste sur lequel vous avez édité la page Web dans la fenêtre de votre navigateur, essayez d'envoyer la page à un collègue qui, lui, a installé Excel. Les fichiers OWCSheet sont stockés dans le dossier Temp du dossier Windows de votre disque dur. Pour envoyer la page à votre collègue, il suffit de l'annexer à un message électronique.

Sous Windows 98, vous pouvez prévisualiser, dans l'Explorateur Windows, les fichiers OWCsheet du dossier Temp avant de les envoyer :

1. **Ouvrir le dossier Temp dans l'Explorateur.**

2. **Dans le menu Affichages, choisissez Comme une page Web.**

3. **Sélectionnez une icône.**

   Un aperçu du fichier sélectionné s'affiche dans le volet de gauche.

Glisser-déposer des tableaux

Excel 2000 vous permet de faire glisser des tableaux d'une page Web affichée dans votre navigateur vers les cellules d'une feuille de calcul ouverte. Cette action copie non seulement le contenu, mais aussi le format de la structure.

Ouvrez les deux fenêtres et disposez-les côte à côte ou une au-dessus de l'autre. Sélectionnez la plage à copier dans la fenêtre du navigateur, cliquez et maintenez enfoncé le bouton de la souris, faites glisser vers la feuille Excel ; relâchez le bouton de la souris quand vous avez défini la plage d'arrivée.

Excel copie non seulement les données, mais aussi leur mise en forme, voire les éventuels liens hypertextes vers des pages Web. Ainsi transférés dans la feuille de calcul, ces liens fonctionnent exactement comme dans la page Web dont ils sont issus.

Prévisualiser et publier vos pages Web

Formater correctement un fichier HTML n'est pas chose aisée. Souvent, l'alignement des éléments texte et image semble correct dans Excel ou dans Word (ou dans votre éditeur HTML), mais ne l'est plus du tout une fois les données présentées dans votre navigateur (en général, il s'agit de Microsoft Internet Explorer 5).

Pour éviter ce genre de désagrément, prenez donc l'habitude de prévisualiser vos pages dans votre navigateur au départ d'Excel avant même de les enregistrer. Après la sauvegarde, une fois les pages stockées sur votre disque dur, réaffichez-les de nouveau dans votre navigateur avant de les publier sur le serveur Web de votre entreprise.

Prévisualiser dans le navigateur

Pour savoir à quoi votre page Web ressemblera une fois livrée à elle-même, utilisez la commande Fichier/Aperçu de la page Web. Excel lance votre navigateur (Microsoft Internet Explorer 5, en général), lequel affiche la page sélectionnée. Si le classeur comprend plusieurs feuilles et que vous agissez dans Internet Explorer 5, utilisez les onglets placés dans la partie inférieure de la page pour consulter ces feuilles.

Revenez ensuite à Excel en fermant tout simplement la fenêtre du navigateur (cliquez dans sa case de fermeture ou choisissez Fichier/Fermer). De retour dans le tableur, procédez à la sauvegarde ou, si la page a besoin d'être modifiée, opérez les rectifications nécessaires.

Après avoir enregistré la page, vous pouvez encore l'afficher dans la fenêtre de votre navigateur pour une ultime vérification. Si vous l'avez stockée sur votre disque dur ou sur un autre disque du réseau local, accédez-y via la commande Fichier/Ouvrir du navigateur. Si vous l'avez déjà publiée sur un site Web, entrez son URL dans la case Adresse.

Pour faciliter l'ouverture de pages Web faisant partie d'un site, créez une feuille de calcul et introduisez-y des liens hypertextes vers ces pages. Vous pourrez ainsi les ouvrir directement depuis votre feuille Excel sans devoir taper ces épouvantables adresses ! (Voyez, au début de ce chapitre, la section intitulée "Ajout d'hyperliens à une feuille de calcul".)

Créer des dossiers Web pour vos pages Web

Créer une page Web est une chose ; la publier en est une autre. Office 2000 propose une série de raccourcis vers les sites Web de vos intranets : les dossiers Web. Ces dossiers facilitent considérablement la publication de pages Web vers ces sites. Le plus difficile, en fait, consiste à créer ces dossiers.

Pour ce faire, vous devez connaître l'URL du site Web, y compris le chemin du dossier auquel vous devez accéder. Dans la pratique :

1. **Ouvrez la fenêtre Poste de travail du bureau de Windows 95/98 ou lancez l'Explorateur Windows via le sous-menu Programmes du menu Démarrer.**

2. **Cliquez deux fois sur l'icône Dossiers Web de la fenêtre Poste de travail ou cliquez une fois sur l'icône Dossiers Web de la liste Dossiers de la fenêtre de l'Explorateur.**

3. **Cliquez deux fois sur Ajoute un dossier Web afin d'ouvrir la première fenêtre de l'Assistant Ajoute un dossier Web (Figure 10.14).**

Figure 10.14
Spécifiez
l'emplace-
ment du
dossier Web.

4. **Dans la case Tapez l'emplacement à ajouter, entrez l'URL du dossier du site Web vers lequel vous souhaitez créer un raccourci.**

Si vous avez accès à ce site, vous pouvez cliquer sur Parcourir pour lancer votre navigateur et gagner ainsi le site. Une fois ouverte la page Web cible, vous pouvez copier son URL depuis la case Adresse via la combinaison de touches Ctrl+C ; fermez ensuite la fenêtre du navigateur, puis collez l'adresse dans la zone d'édition de la fenêtre de l'Assistant.

5. **Cliquez sur Suivant.**

Si l'URL saisie à l'étape précédente requiert un nom d'utilisateur et un mot de passe lors de la création du dossier Web sur le serveur, la fenêtre suivante vous demande d'introduire ces données.

6. **(Facultatif) Si cette fenêtre s'affiche, entrez-y votre nom d'utilisateur et votre mot de passe. Cliquez sur Suivant.**

7. **Dans l'écran suivant, entrez le cas échéant un nom pour votre dossier Web.**

8. **Cliquez sur Terminer ou enfoncez la touche Entrée pour que Windows crée le raccourci vers l'URL sous la forme d'un nouveau dossier Web.**

Lorsque vous avez ainsi constitué un dossier Web sur votre ordinateur, vous pouvez l'utiliser pour y stocker des fichiers ou bien pour ouvrir des fichiers que vous y avez stockés. Pour ce faire, activez l'icône Dossiers Web des fenêtres Enregistrer sous ou Ouvrir et opérez ensuite une sélection dans le volet de droite.

Créer des dossiers FTP pour vos pages Web

Les dossiers Web ne sont pas le seul moyen qu'Office met à votre disposition pour publier des pages Web sur l'intranet de votre entreprise. Si vous souhaitez que vos pages puissent être téléchargées plutôt que simplement consultées et si le site Web de votre société possède un site FTP (File Transfer Protocol), définissez donc des adresses FTP vers lesquelles vous pourrez enregistrer ou copier vos pages (comme dans le cas des dossiers Web).

Si vous établissez une adresse FTP pour Excel ou Word 2000, vous pourrez ouvrir les pages Web que vous y aurez enregistrées depuis la fenêtre Ouvrir ou Enregistrer sous. Le seul impératif est de reproduire la procédure pour établir une adresse FTP pour tout programme Office que vous souhaitez utiliser de cette manière. En d'autres termes, si vous établissez une adresse FTP pour votre site FTP sous Excel 2000, vous ne pourrez exploiter cet emplacement depuis Word 2000. Pour pouvoir ouvrir et enregistrer, dans Word, les pages Web du site FTP de votre entreprise, vous devez répéter la procédure dans ce programme également.

La marche à suivre :

1. **Lancez le programme Office souhaité (Word ou Excel, par exemple).**

2. **Choisissez Fichier/Ouvrir afin d'accéder à la fenêtre du même nom.**

3. **Déroulez le menu local Regarder dans et sélectionnez Ajouter/Modifier des adresses FTP.**

   Le programme ouvre une zone de dialogue représentée à la Figure 10.15.

Figure 10.15
La boîte de dialogue Ajouter/ Modifier des adresses FTP.

4. **Introduisez l'adresse FTP dans la case Nom du site FTP.**

   Par défaut, le bouton Anonyme de la rubrique Ouvrir une session en tant que est actif étant donné que la plupart des utilisateurs se connectent à ces sites de manière anonyme, sans utiliser de mot de passe. Si vous savez que ce n'est pas le cas du site pour lequel vous êtes en train d'ajouter une adresse, passez à l'étape 5.

5. **(Facultatif) Si vous avez besoin d'un mot de passe, validez l'option Utilisateur, entrez votre nom dans la case d'édition voisine, puis saisissez votre mot de passe dans la case prévue à cet effet.**

6. **Cliquez sur Ajouter pour ajouter le site à la liste des sites FTP.**

7. **Cliquez sur OK.**

Lorsque vous regagnez la boîte de dialogue Ouvrir, l'URL du ou des sites FTP que vous avez ajoutés apparaît dans la liste centrale.

Pour ouvrir une page Web située à cet emplacement, cliquez sur l'URL, puis cliquez sur Ouvrir. Excel ouvre alors la boîte de dialogue de connexion FTP, dans laquelle vous pouvez vous connecter de manière anonyme ou en vous identifiant. Après avoir cliqué sur OK (et en partant du principe que vous avez accès au site FTP), Excel ouvre le site et vous affiche le contenu de son répertoire racine. Localisez la page Web à ouvrir, sélectionnez-la, puis choisissez Ouvrir, comme vous le feriez pour un fichier Word ou Excel classique.

Après avoir modifié une page Web dans Word ou dans Excel 2000, enregistrez vos modifications via la commande Fichier/Enregistrer. Ou, si vous souhaitez sauvegarder votre fichier sous un autre nom, choisissez Fichier/Enregistrer sous. Le programme Office enregistre les modifications de la page Web sur le site FTP (à condition, toujours, que vous ayez accès au serveur).

 Pour enregistrer une nouvelle page Web créée avec Excel directement sur un serveur FTP, ouvrez l'adresse FTP dans la liste Enregistrer dans et sélectionnez le dossier de destination du site dans la fenêtre Enregistrer sous.

Envoyer des feuilles de calcul par e-mail

 Excel 2000 vous permet - c'est la dernière nouveauté en matière de fonctionnalités Internet - d'envoyer, à une série de destinataires, un classeur en tant que corps de message ou en tant que pièce jointe. Cette possibilité facilite la transmission de prévisions, projections, listes et graphiques en tout genre.

Pour ne partager que les données, envoyez la feuille de calcul en tant que corps du message. Sachez toutefois que, dans ces conditions, vous ne pourrez ajouter du texte que dans la zone Objet de la fenêtre du message.

Pour permettre aux destinataires d'agir sur les données (notamment, pour mettre à jour certaines informations ou compléter des données manquantes), envoyez votre classeur comme pièce jointe. Ici, ces destinataires reçoivent le classeur complet ; par ailleurs, vous pouvez taper un message dans la zone normalement prévue à cet effet. Attention : pour ouvrir ce classeur, les destinataires doivent posséder Excel 2000 (ou Excel 98 sur Macintosh) ou un tableur quelconque, susceptible d'ouvrir des fichiers Excel 97/2000.

Pour envoyer une feuille en tant que corps d'un nouveau message :

1. **Ouvrez le classeur et sélectionnez la feuille à envoyer par e-mail.**

2. **Cliquez sur le bouton Message électronique de la barre d'outils Standard ou choisissez Fichier/Envoyer vers/Destinataire.**

   Excel ajoute, au-dessus de la feuille de calcul, des cases A, Cc et Objet, ainsi qu'une barre d'outils spécifique (Figure 10.16).

Figure 10.16 Envoyer une feuille de calcul en tant que corps du message.

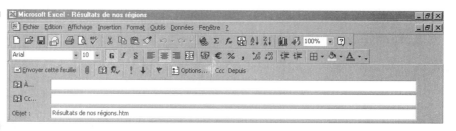

3. **Tapez l'adresse du destinataire dans la case A, ou cliquez sur le bouton A et sélectionnez une adresse dans le Carnet d'adresses d'Outlook ou d'Outlook Express (si vous en possédez un).**

4. **(Facultatif) Pour envoyer des copies à d'autres destinataires, entrez leurs adresses dans la case Cc en les séparant les uns des autres par des ; (points-virgules), ou utilisez le bouton Cc pour sélectionner ces adresses dans le Carnet d'adresses d'Outlook ou d'Outlook Express.**

5. **Par défaut, Excel introduit le titre du classeur courant dans la case Objet. Modifiez cette donnée si vous le jugez nécessaire.**

6. **Pour envoyer le message, cliquez sur Envoyer cette feuille.**

Lorsque vous cliquez sur ce bouton, Excel envoie le message e-mail (en vous connectant, si nécessaire, à votre prestataire de services) ; en même temps, il ferme la barre d'outils spécifique aux messages électroniques et fait disparaître les cases A, Cc et Objet. Le message est transféré vers la Boîte de réception de la messagerie électronique Outlook Express 2000.

Pour envoyer une feuille de calcul en tant que pièce jointe, choisissez Fichier/ Envoyer vers/Destinataire du message (en tant que pièce jointe). Cette commande ouvre la fenêtre Nouveau message (Figure 10.17) ; celle-ci propose les trois cases classiques (A, Cc et Objet) ainsi qu'une zone dans laquelle vous pouvez saisir un message. Excel attache automatiquement le classeur courant au message (toutes les feuilles du classeur participent à l'action).

Figure 10.17 Envoyer un classeur en tant que pièce jointe.

Remplissez les champs A, Cc et Objet et saisissez le texte du message. En- suite, procédez à l'envoi, puis fermez la fenêtre de messagerie en cliquant sur Envoyer ou en enfonçant les touches Alt+S, ou encore en choisissant Fichier/ Envoyer le message dans la barre des menus de la fenêtre.

Cinquième partie
Effectuer un travail personnalisé

"Je suppose que tout ça a quelque chose à voir avec les maths modernes."

Dans cette partie...

Les ordinateurs sont des outils perfectionnés qui n'obéissent pas encore au doigt et à l'oeil. Les logiciels essaient de se conformer aux habitudes de travail de chacun en proposant des préférences ou des options personnalisables.

Excel propose un très grand nombre d'éléments destinés à vous faciliter la vie. Vous le découvrirez dans cette cinquième partie qui comporte trois chapitres. Le Chapitre 11 détaille l'utilisation des macros et le Chapitre 12 explique comment créer une barre d'outils sur mesure.

Chapitre 11

Des macros comme votre mère pourrait en faire

- -

Dans ce chapitre :

Enregistrer des macros pour accomplir des tâches répétitives.

Exécuter vos macros.

Éditer des macros.

Ajouter des macros aux barres d'outils d'Excel.

- -

Macros ! Déjà vous transpirez, vos paupières sont lourdes, la léthargie vous gagne. Pourtant, ici, une *macro* n'est rien d'autre que l'enregistrement d'actions qu'Excel exécutera automatiquement pour vous.

Cela vous libère de tâches répétitives qu'Excel accomplira bien plus vite que vous. Vous pouvez aussi enchaîner plusieurs macros grâce à des raccourcis clavier pour réduire le temps passé à l'exécution de tâches qui exigent l'accomplissement de plusieurs étapes.

Enregistrer des macros

Accomplissez les étapes suivantes :

1. **Choisissez Outils/Macro/Nouvelle macro.**

   La boîte de dialogue Enregistrer une nouvelle macro s'affiche.

2. **Donnez un nom à votre macro (respectez ici les mêmes conventions pour que les noms de plage : commencez par une lettre et employez le soulignement bas en lieu et place des espacements) et assignez-lui un raccourci clavier (facultatif).**

3. **Exécutez, dans Excel, la séquence d'actions à enregistrer en tant que macro.**

   Vous pouvez choisir des commandes aussi bien dans les menus déroulants que contextuels, cliquer sur des outils des barres d'outils, ou encore utiliser des raccourcis clavier.

4. **Une fois votre séquence terminée, enregistrez définitivement la macro en cliquant sur le bouton Arrêt (un bouton orné d'un carré) dans la petite barre d'outils d'enregistrement qui apparaît dès le début de vos actions.**

   Vous pouvez aussi choisir Outils/Macro/Arrêter l'enregistrement.

5. **Chaque fois que vous souhaitez exécuter la macro, cliquez deux fois sur son nom dans la boîte de dialogue Macro que vous ouvrez à partir du menu Outils et de sa commande Macro. Vous pouvez aussi sélectionner le nom de la macro et cliquer sur le bouton Exécuter de la boîte de dialogue.**

   Si vous avez assigné un raccourci clavier à la macro, vous pouvez l'exécuter en employant la combinaison de touches que vous avez affectée.

Vous allez être heureux d'apprendre que, lors de l'enregistrement, Excel n'enregistre pas les erreurs. Par exemple, si vous tapez "Juanvier" au lieu de **Janvier**, lors de la correction de votre faute de frappe, Excel n'enregistrera pas votre pression sur la touche d'effacement arrière pour supprimer le "u" indésirable.

Pour enregistrer vos actions, Excel 2000 utilise un langage appelé *Visual Basic*. Les commandes Visual Basic sont stockées dans une feuille de module séparée (une feuille de module est une feuille de calcul particulière sans cellules qui ressemble à une feuille de traitement de texte).

Exécution universelle d'une macro

Normalement, Excel sauvegarde la macro enregistrée comme partie du classeur dans lequel elle a été créée. Cela signifie qu'elle ne peut être exécutée que dans ce classeur.

Si vous souhaitez pouvoir utiliser une macro n'importe quand et dans n'importe quel classeur, vous devez l'enregistrer dans le classeur de macros personnelles. Ce dernier est automatiquement ouvert dès que vous lancez Excel.

Pour enregistrer une macro dans le classeur de macros personnelles :

1. **Choisissez Outils/Macro/Nouvelle macro afin d'ouvrir la boîte de dialogue Enregistrer une nouvelle macro.**

2. **Dans la zone Stocker la macro dans, activez le bouton radio Classeur de macros personnelles.**

3. **Donnez un nom à votre macro, affectez-lui éventuellement une touche de raccourci, puis cliquez sur OK pour commencer l'enregistrement de la nouvelle macro.**

Lorsque vous aurez créé votre première macro dans le classeur de macros personnelles, celle-ci sera enregistrée dans le fichier nommé PERSO.XLS.

Une macro pour la vie

Le meilleur moyen de se sentir de plus en plus à l'aise dans la création de macros consiste à en créer régulièrement. Vous pourriez, par exemple, créer une macro qui formatera automatiquement le nom d'une société dès que vous le taperez.

La première chose à faire est de déterminer où vont s'accomplir vos actions. Dans cet exemple, ouvrez une nouvelle feuille de calcul :

1. **Positionnez le pointeur de cellule sur la cellule où vous voulez entrer le nom de la société.**

   Admettons qu'il s'agisse de la cellule A1 d'une feuille de calcul vierge. Si nécessaire, choisissez une feuille de calcul vierge en cliquant sur un des onglets de feuille.

2. **Choisissez Outils/Macro/Nouvelle macro.**

   La boîte de dialogue Enregistrer une macro s'affiche (Figure 11.1).

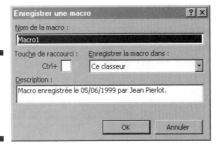

Figure 11.1
La boîte de dialogue
Enregistrer une macro.

3. **Changez le nom de macro donné par défaut (Macro 1).**

   Quand vous nommez une macro, respectez les règles vues au Chapitre 6, c'est-à-dire commencez le nom par une lettre (pas par un chiffre) et n'utilisez ni espaces ni ponctuation dans le nom.

   Par exemple, ici, tapez Nom_de_Société.

4. **(Facultatif) Pour assigner un raccourci clavier à votre macro, cliquez dans la case Touche de raccourci (en face de Ctrl), puis tapez une lettre entre A et Z (minuscule ou majuscule) ou un chiffre entre 0 et 9.**

   Le chiffre ou la lettre en combinaison avec Ctrl correspond à la touche utilisée pour lancer la macro. Évitez d'utiliser des lettres déjà assignées aux raccourcis prédéfinis d'Excel. Voir les tableaux du Chapitre 20 pour trouver une liste complète des raccourcis en question.

5. **(Facultatif) Pour stocker la macro dans le classeur de macros personnelles, sélectionnez l'option Classeur de macros personnelles dans la liste déroulante Enregistrer la macro dans.**

   Pour limiter la macro au classeur en cours, activez Ce classeur. Pour la limiter à chaque nouveau classeur, activez plutôt l'option Nouveau classeur.

6. **(facultatif) Vous pouvez préciser, dans la boîte de texte Description, la fonction de la macro.**

7. **Cliquez sur OK ou pressez la touche Entrée pour commencer l'enregistrement.**

   La boîte de dialogue se referme et la barre d'état indique Enregistrement. La barre d'outils Enregistrement s'affiche. Elle comporte deux boutons, Arrêter l'enregistrement et Référence relative.

8. **Exécutez les tâches que vous voulez enregistrer.**

   Ici, tapez le nom de la société dans la cellule A1. Sélectionnez ensuite la police Arial et la taille 18, puis le gras.

9. **Lorsque toutes vos actions ont été accomplies, cliquez sur le bouton Arrêter l'enregistrement de la barre d'outils Enregistrement (voir la Figure 11.2) ou actionnez la commande Outils/Macro/Arrêter l'enregistrement.**

   Dès l'interruption de l'enregistrement, le message Enregistrer disparaît de la barre d'état et la barre d'outils Enregistrement disparaît.

Figure 11.2
Stoppez
l'enregistre-
ment de la
macro en
cliquant sur
le bouton
Arrêter
l'enregistre-
ment.

Il est temps d'exécuter votre macro !

Votre macro enregistrée, il faut la tester. Si votre macro est destinée à entrer du texte ou à en effacer, soyez prudent lors du test afin de ne pas procéder à des remplacements aléatoires qui viendraient perturber la logique de votre feuille de calcul. Vous êtes prêt ? Alors voici ce que vous pouvez faire :

- L'exécution la plus simple d'une macro consiste à en taper le raccourci clavier (par exemple, Ctrl+n).

- Vous pouvez ouvrir la boîte de dialogue Macro (Outils/Macro/Macros) et cliquer deux fois sur le nom de la macro à exécuter ou sur le bouton portant ce même nom.

Si, lors de l'exécution de la macro, une certaine folie s'empare de votre feuille de calcul, pressez la touche Echap. Excel affichera un message d'erreur de macro indiquant le point d'exécution auquel elle a été interrompue. Cliquez sur le bouton Terminer pour "sortir" de cette macro sans dommage.

Excel sauvegarde votre macro là où vous l'avez créée pour la première fois :

- Si vous avez créé la macro en tant que partie intégrante du classeur actif, Excel la sauvegarde dans une feuille de module masquée (appelée Module 1) qui vient s'ajouter en fin de classeur. Pour voir le contenu de la macro dans cette feuille masquée, appuyez sur Alt+F8 ou actionnez la commande Outils/Macro/Macros, sélectionnez la macro dans la liste Nom de la macro, puis cliquez sur le bouton Modifier.

- Si vous avez créé la macro en tant que partie intégrante du classeur de macros personnelles, Excel la sauvegarde dans le classeur masqué nommé PERSO.XLS. Pour voir le contenu de la macro dans ce classeur masqué, actionnez la commande Fenêtre/Afficher, sélectionnez PERSO.XLS dans la liste Afficher le classeur, puis cliquez sur OK ou appuyez sur Entrée. Une fois le classeur PERSO.XLS ouvert, appuyez sur Alt+F8 ou actionnez la commande Outils/Macro/Macros, sélectionnez la macro dans la liste Nom de la macro, puis cliquez sur le bouton Modifier.

• Si vous avez sauvegardé la macro en tant que partie intégrante d'un nouveau classeur, Excel la place dans une feuille de module masquée (Module 1). Pour voir le contenu de la macro dans cette feuille masquée, appuyez sur Alt+F8 ou actionnez la commande Outils/Macro/Macros, sélectionnez la macro dans la liste Nom de la macro, puis cliquez sur le bouton Modifier.

Les feuilles de module masquées sont sauvegardées avec les fichiers classeurs, sauf dans le cas du classeur de macros personnelles, qui fait l'objet d'une sauvegarde qui lui est propre.

12 mois pour une macro

Dans ce second exemple, nous allons placer les 12 mois de l'année sur une seule ligne, écrits en italique gras, puis nous élargirons les colonnes afin de lire entièrement ce que contient chaque cellule.

Placez-vous à un endroit de la feuille de calcul où vous pouvez sans encombre entrer et formater les noms. Pour notre exemple, sélectionnez une feuille de calcul vierge.

La Figure 11.3 montre la boîte de dialogue Enregistrer une macro. Donnez un nom approprié tel que Mois_année et un raccourci clavier Ctrl+M.

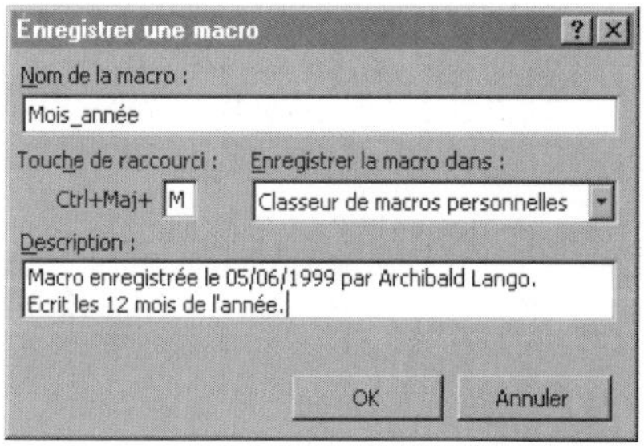

Figure 11.3
La fenêtre de dialogue Enregistrer une macro.

Pour créer cette macro, effectuez les étapes suivantes :

1. **Positionnez le pointeur de cellule dans la cellule A1 et choisissez Outils/Macro/Nouvelle macro.**

2. **Tapez Mois_année dans la boîte Nom de la macro ; vous pouvez en donner une description dans la boîte Description.**

3. **(Facultatif) Cliquez dans la case Touche de raccourci et tapez M.**

4. **Indiquez l'emplacement de stockage dans la liste Enregistrer la macro dans.**

   Si vous désirez pouvoir exploiter la macro à partir de n'importe quel autre classeur, choisissez Classeur de macros personnelles pour y stocker la macro.

5. **(Facultatif) Entrez une brève description de la macro dans la case Description.**

6. **Pour démarrer l'enregistrement de la macro, cliquez sur OK ou appuyez sur Entrée.**

7. **Entrez Janvier dans la cellule A1, puis utilisez la poignée de recopie (pour mettre en oeuvre la fonction de remplissage automatique) pour aller jusqu'à la cellule L1.**

8. **Cliquez sur les boutons Gras et Italique de la barre d'outils Mise en forme.**

9. **La rangée de colonnes contenant les mois (colonnes A à L) étant encore sélectionnée, actionnez la commande Format/Colonne/Ajustement automatique.**

10. **Sélectionnez la première cellule, A1, pour désélectionner la plage de cellules des noms de mois.**

11. **Cliquez sur le bouton Arrêter l'enregistrement ou actionnez la commande Outils/Macro/Arrêter l'enregistrement.**

Une fois votre macro enregistrée, vous êtes prêt à la tester. Pour plus de sécurité, cliquez sur l'onglet de la feuille 2 et placez le pointeur de cellule sur la cellule N1. Pressez ensuite la combinaison de touches Ctrl+M.

Si vous faites ce que j'ai dit, un message d'erreur apparaît :

```
Erreur d'exécution '1004':
```

```
La méthode Recopie Incrémentée de la classe Plage a échoué.
```

Dans cette boîte, vous avez le choix entre Terminer pour finir l'exécution de la macro, et Déboguer. Tout cela vient du fait que la macro a été exécutée depuis une cellule qui n'est pas celle de son enregistrement (en l'occurrence A1).

Enregistrement relatif des macros

Pourquoi ce message d'erreur indiqué ci-dessus ? Au Chapitre 4, nous vous avons expliqué la différence entre la copie d'une formule aux *références relatives* et à celle d'une formule aux *références absolues*.

Avec l'enregistrement des macros, Excel considère les références de cellules comme absolues et non relatives. C'est la raison pour laquelle la macro Mois_année ne fonctionne pas en dehors de la cellule A1.

Réenregistrement d'une macro

Pour que la macro fonctionne correctement depuis n'importe quelle cellule, vous devez en refaire l'enregistrement en utilisant cette fois des références relatives de cellule :

1. **Ouvrez une nouvelle feuille de calcul où s'effectueront les actions à enregistrer.**

2. **Choisissez Outils/Macro/Nouvelle macro.**

3. **Paramétrez la boîte de dialogue Enregistrer une macro comme vous l'avez fait dans l'exemple précédent.**

4. **Cliquez sur Oui lorsque Excel vous demande si vous souhaitez remplacer la macro existante.**

5. **Avant de commencer à exécuter les actions pour votre macro, cliquez sur le bouton Référence relative dans la barre d'outils d'enregistrement..**

6. **Exécutez toutes les actions devant être enregistrées.**

7. **Cliquez sur le bouton Arrêter l'enregistrement ou choisissez la commande Outils/Macro/Arrêter l'enregistrement.**

    Cette fois, l'enregistrement s'est fait en prenant en compte les références relatives des colonnes.

Vous pouvez tester votre macro à partir de n'importe quelle cellule pour constater qu'elle s'exécute parfaitement.

Chapitre 12
Habillons ces barres d'outils

. . . .

Dans ce chapitre :

Personnaliser les barres d'outils prédéfinies d'Excel.

Créer vos propres barres d'outils.

Assigner des macros à des boutons vides d'une barre d'outils.

Assigner une macro à une commande de menu.

Assigner des liens hypertextes à des boutons de barre d'outils.

Assigner vos propres images en tant qu'icônes de barre d'outils.

. . . .

Dans les chapitres précédents, nous avons vu comment utiliser les barres d'outils prédéfinies d'Excel. Il est temps d'apprendre à les personnaliser selon vos besoins, voire de créer une barre d'outils issue de votre fertile imagination.

Barres d'outils - l'habit ne fait pas le moine

Comme vous l'avez découvert tout au long des Chapitres 1 - 11, les outils des barres Standard et Mise en forme répondent aux besoins les plus courants dérivant de l'utilisation d'Excel au quotidien. Ces barres sont d'ailleurs affichées par défaut au premier lancement du programme. Au départ, elles sont présentées sur la même ligne, ce qui ne permet pas d'avoir un accès direct à tous leurs boutons. C'est la raison pour laquelle chacune de ces deux barres est équipée d'un bouton Autres boutons, qui vous permet d'atteindre les commandes masquées au départ.

Vous n'êtes pas obligé de vous conformer à la disposition de base de ces barres. De fait, vous pouvez fort bien exclure certaines icônes que vous n'utilisez que très rarement au profit d'autres que vous sollicitez régulièrement.

Pour afficher une barre d'outils (ou en masquer une qui est affichée), actionnez la commande Affichage/Barres d'outils, puis choisissez dans le sous-menu
le nom de la barre d'outils à afficher ou à masquer : Dessin, Graphique, etc.
Autre procédure, moins longue : cliquez avec le bouton droit de la souris sur
une des barres affichées, puis, dans le menu contextuel qui se déroule alors,
cliquez sur le nom de la barre d'outils à afficher ou à masquer.

Vous avez également la possibilité d'afficher (ou masquer) une barre d'outils
en passant par l'onglet Barre d'outils de la fenêtre de dialogue Personnaliser
(voir la Figure 12.1). Pour ouvrir cette fenêtre, actionnez la commande Outils/
Personnaliser dans la barre des menus ou encore la commande Personnaliser
dans le menu contextuel de n'importe quelle barre d'outils. Cochez les cases
des barres d'outils à afficher, supprimez la coche des barres à masquer, puis
cliquez sur le bouton Fermer.

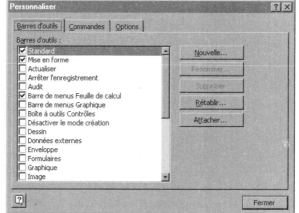

Figure 12.1
L'onglet
Barre
d'outils de la
boîte de
dialogue
Personnali-
ser.

Si vous cliquez sur l'onglet Options, vous accédez à différentes options, parmi
lesquelles :

- **Afficher les barres d'outils Standard et Mise en forme sur la même
  ligne** : Par défaut, Excel présente ces deux barres côte à côte, juste sous
  la barre des menus. Pour les présenter l'une en dessous de l'autre,
  désactivez cette option. Vous disposerez de moins d'espace pour votre
  feuille de calcul, mais vous accéderez à tous les boutons de ces deux
  barres.

- **Grandes icônes :** Par défaut, la taille des icônes employées pour créer
  les boutons est petite. Si votre moniteur est lui aussi de petite taille,
  cocher cette case vous permettra d'augmenter la taille des boutons des
  outils.

- **Afficher les Info-bulles :** Quand vous placez le pointeur de la souris sur un des boutons d'une barre d'outils, Excel en affiche sa fonction dans une petite bulle. Si vous désélectionnez cette option, les info-bulles n'apparaissent plus sous le pointeur.

Si vous aimez l'action, sélectionnez une des options du menu déroulant Animations de menus. Vous avez le choix entre Aléatoire, Déroulement et Diapositive. Si vous optez pour Aléatoire, Excel 2000 choisit entre Déroulement et Diapositive de manière aléatoire. Si vous sélectionnez Déroulement, les menus et sous-menus se déroulent depuis la barre correspondante. Enfin, si vous optez pour Diapositive, ils se dévoilent à la manière d'un diaporama.

Sachez encore que, si vous désactivez l'option Afficher en haut des menus les dernières commandes utilisées, vous empêchez Excel de réorganiser ses menus selon vos actions et l'obligez en outre à en dévoiler l'intégralité à chaque activation plutôt que de limiter l'affichage aux dernières commandes sollicitées. (C'est logique puisque, lorsque vous désactivez Afficher en haut des menus les dernières commandes utilisées, vous inhibez, dans la foulée, l'option Afficher les menus entiers après un court délai. Ces menus complets s'affichent donc directement.)

Personnaliser les barres d'outils prédéfinies

Pour modifier le contenu d'une barre d'outils à partir de la fenêtre de dialogue Personnaliser, il est nécessaire que la barre d'outils soit affichée au préalable. Si ce n'est pas le cas, sélectionnez-la dans l'onglet Barre d'outils de cette même fenêtre de dialogue. Une fois la barre d'outils affichée, cliquez sur l'onglet Commandes (voir la Figure 12.2).

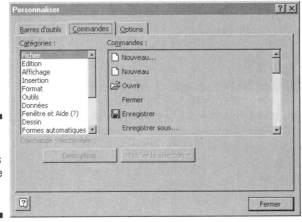

Figure 12.2
L'onglet
Commandes
de la fenêtre
Personnali-
ser.

Chaque fois que vous ouvrez la boîte de dialogue Personnaliser, Excel, automatiquement, affiche tous les boutons des barres d'outils Standard et Mise en forme en les présentant sur des lignes séparées, l'une au dessus de l'autre. Lorsque vous refermez cette fenêtre, le programme réaffiche les deux barres l'une à côté de l'autre (si telle était la présentation active à l'appel de la commande).

Ajout de boutons via l'onglet Commandes

L'onglet Commandes de la fenêtre de dialogue Personnaliser comporte une liste nommée Catégories. Elle regroupe tous les boutons disponibles, de Fichier à Nouveau menu. A côté d'elle, une zone affiche les icônes des outils disponibles pour la catégorie sélectionnée.

Pour ajouter un bouton à l'une des barres d'outils présentes sur l'écran d'Excel, utilisez la technique du glisser-déposer. Lorsque vous commencez à faire glisser la souris, le pointeur se transforme en pointeur-bouton assorti d'une petite case, qui est cochée. Cette case reste cochée tant que vous vous trouvez à un endroit de l'écran où vous n'avez pas le droit de déposer votre bouton. Lorsque vous parvenez au-dessus d'une barre d'outils où vous pouvez déposer le bouton, la coche disparaît. Elle est remplacée par un signe + qui vous indique que vous pouvez relâcher le bouton de la souris si l'emplacement vous convient.

Pour que vous sachiez où exactement va être inséré le bouton dans la barre d'outils, Excel affiche un curseur en forme de grand I majuscule dans la barre d'outils. Ce dernier indique l'emplacement exact d'insertion du nouveau bouton dans la barre d'outils.

Notez que pour connaître la fonction d'un des boutons il vous suffit de cliquer dessus dans la liste Commandes, puis de cliquer sur le bouton Description. Excel 2000 affiche alors des informations succinctes sur l'utilisation de l'outil convoité.

Enlever des outils d'une barre d'outils

Vous pouvez profiter de l'ouverture de la fenêtre de dialogue Personnaliser pour enlever, par la technique du glisser-déposer, des boutons que vous prenez directement sur une des barres d'outils d'Excel.

Jouer aux chaises musicales avec les boutons

Lors de la personnalisation d'une barre d'outils, vous pouvez simplement modifier l'agencement des boutons.

- Pour positionner un bouton sur la même barre d'outils, faites-le glisser, avec la souris, jusqu'à sa nouvelle position devant le bouton qu'il doit précéder sur la barre. Relâchez le bouton de la souris et le tour est joué !

- Pour déplacer un bouton vers une autre barre d'outils, faites-le glisser, avec la souris, jusqu'à sa nouvelle position.

- Pour copier un bouton, vous devez maintenir enfoncée la touche Ctrl pendant l'opération de glisser-déposer (un signe + vient se placer à côté du pointeur).

Créer des espaces plus importants entre les boutons

Vous avez dû remarquer la façon dont les groupes de boutons sont délimités dans les barres d'outils, à l'aide de fines barres grises verticales. Vous aussi pouvez grouper les outils en fonction de leur nature quand vous personnalisez une barre d'outils.

Pour insérer un séparateur vertical à gauche ou à droite d'un bouton, faites glisser le bouton à l'opposé de l'emplacement désiré pour le séparateur (à droite pour créer un espace à gauche et inversement), puis relâchez le bouton de la souris.

Pour supprimer un séparateur, faites glisser le bouton dans la direction appropriée jusqu'à ce qu'il touche ou chevauche le bouton voisin. Ensuite relâchez le bouton de la souris.

Dans tous les cas de figure, Excel redessine l'aspect de la barre d'outils concernée.

Où est passée ma barre d'outils par défaut ?

Après avoir modifié une barre d'outils, vous pouvez très bien décider d'annuler ces modifications pour retrouver une barre dans son aspect original. Pour cela, ouvrez la boîte de dialogue Personnaliser via la commande Affichage/ Barre d'outils/Personnaliser. Dans l'onglet Barre d'outils de cette boîte de dialogue, cliquez sur le bouton Rétablir.

Concevoir sa propre barre d'outils

Les barres d'outils prédéfinies d'Excel ne sauraient être une limite en soi. C'est pour cela qu'il vous est possible de créer votre propre barre d'outils.

Les étapes suivantes vous conduisent sur le chemin d'une telle création :

1. **Choisissez Affichage/Barre d'outils/Personnaliser ou sélectionnez cette commande à partir du menu contextuel d'une de ces barres. S'ouvre alors la boîte de dialogue Personnaliser.**

2. **Assurez-vous que l'onglet Barre d'outils est affiché, puis cliquez sur le bouton Nouvelle.**

3. **Dans la boîte de texte Nom de la barre d'outils, tapez le nom que vous voulez donner à votre barre d'outils. Cliquez ensuite sur le bouton OK ou appuyez sur Entrée.**

Excel ferme la fenêtre de dialogue Nouvelle barre d'outils et ajoute le nom de la nouvelle barre d'outils au bas de la liste Barre d'outils dans la fenêtre Personnaliser. Le programme ouvre en outre une toute petite barre d'outils qui comporte de la place pour un seul bouton (voir la Figure 12.3). Si vous ne la voyez pas, c'est qu'elle se trouve derrière la fenêtre de dialogue Personnaliser (qu'il faut donc déplacer un peu). C'est dans cette petite barre vierge que vous allez ajouter vos nouveaux boutons.

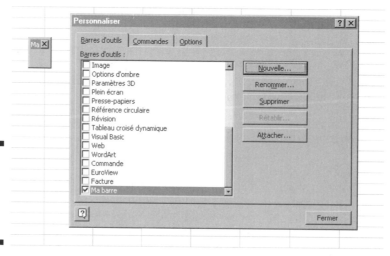

Figure 12.3
La nouvelle
barre
d'outils,
avant ajout
de boutons.

4. **Cliquez sur l'onglet Commandes.**

5. **Dans la liste Catégories, sélectionnez la catégorie contenant le premier bouton que vous désirez ajouter à la nouvelle barre.**

6. **Faites glisser le bouton en question (à l'aide de la souris) jusqu'à la petite barre d'outils, puis relâchez le bouton de la souris.**

7. **Répétez les étapes 5 et 6 jusqu'à ce que vous ayez totalement conçu votre barre d'outils.**

   Une fois les boutons placés, vous pourrez les réorganiser et les espacer.

8. **Cliquez sur Fermer ou pressez la touche Entrée pour quitter la boîte de dialogue Personnaliser.**

A l'ajout d'un nouveau bouton, Excel agrandit automatiquement votre barre d'outils personnalisée. Lorsque cette barre est suffisamment grande, vous pouvez lire sur sa barre de titre le nom que vous lui avez attribué (Figure 12.4).

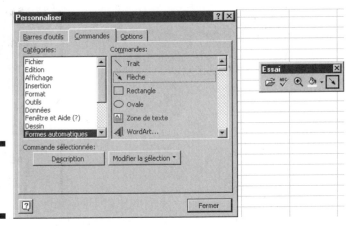

Figure 12.4
Une barre
personnali-
sée.

Après avoir créé une nouvelle barre d'outils, vous pouvez l'afficher, la masquer, la déplacer, la redimensionner et l'ancrer le long d'un des bords de l'écran. Pour supprimer une barre d'outils, il suffit d'en sélectionner le nom dans l'onglet Barre d'outils de la fenêtre de dialogue Personnaliser et de cliquer sur le bouton Supprimer. Excel affiche un message d'alerte vous demandant de confirmer votre intention. Cliquez sur OK ou pressez Entrée.

Ajouter des boutons qui exécutent des macros

Excel vous permet d'assigner des macros (Chapitre 11) à des boutons de barres d'outils. Vous pouvez ainsi les exécuter d'un seul clic de souris.

Pour assigner une macro à un bouton personnalisé, suivez les étapes ci-dessous :

1. **Si la macro est rattachée à un classeur particulier, assurez-vous que celui-ci est ouvert. S'il ne l'est pas, ouvrez-le.**

2. **Actionnez la commande Affichage/Barre d'outils/Personnaliser pour ouvrir la fenêtre de dialogue Personnaliser.**

3. **Si ce n'est déjà fait, affichez la barre d'outils à laquelle vous voulez ajouter la macro, en cochant sa case dans la liste Barre d'outils de l'onglet Barre d'outils.**

4. **Affichez l'onglet Commandes de la fenêtre de dialogue Personnaliser, puis sélectionnez Macros dans la liste Catégories (Figure 12.5).**

Figure 12.5
L'onglet
Commandes
de la boîte
de dialogue
Personnali-
ser, après
sélection de
l'option
Macros dans
la liste
Catégories.

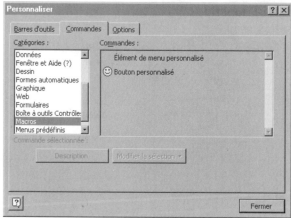

5. **Glissez-déposez sur votre barre d'outils l'icône de smiley (le petit visage souriant) se trouvant dans la liste Commandes.**

6. **(Facultatif) Pour attribuer un nom personnalisé au bouton (c'est-à-dire celui qui apparaît dans l'info-bulle lorsque vous laissez le pointeur de la souris sur un bouton dans une barre d'outils), cliquez sur ce dernier avec le bouton droit de la souris, sélectionnez le contenu de la case Nom dans le menu contextuel obtenu, puis tapez le nouveau nom du bouton. Enfin, appuyez sur Entrée.**

7. **(Facultatif) Pour modifier l'icône, pour ne pas avoir 36 smileys dans votre barre d'outils, cliquez avec le bouton droit de la souris sur le bouton à modifier, puis actionnez la commande Modifier l'image du bouton dans le menu contextuel obtenu. Choisissez ensuite une nouvelle icône dans la palette affichée.**

8. **Pour assigner la macro à votre nouveau bouton, cliquez sur le bouton avec le bouton droit de la souris, puis actionnez la commande Affecter une macro dans le menu contextuel obtenu.**

   Excel ouvre la boîte de dialogue Affecter une macro (voir Figure 12.6).

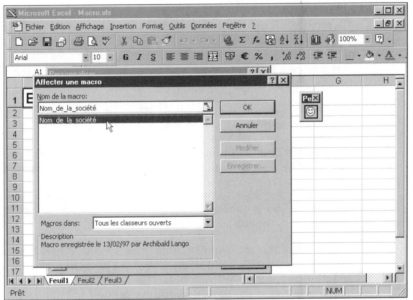

Figure 12.6
La boîte de
dialogue
Affecter une
macro.

9. **Sélectionnez ou enregistrez la macro destinée à l'outil en question.**

   Pour assigner une macro existante, cliquez deux fois sur le nom de la macro dans la boîte à liste, ou sélectionnez le nom de la macro et cliquez sur OK ou pressez Entrée.

10. **Répétez les étapes 5 à 9 pour chaque nouvelle macro assignée à un bouton.**

11. **Cliquez sur le bouton Fermer ou pressez Entrée pour fermer la boîte de dialogue Personnaliser.**

Affecter une macro à une commande de menu

En plus d'affecter une macro à un bouton personnalisé de barre d'outils, vous avez la possibilité d'en affecter une à une commande se trouvant dans un menu déroulant. Pour ajouter une nouvelle commande de menu adaptée à vos besoins, suivez cette procédure :

1. **Si la macro que vous désirez affecter à une commande de menu est attachée à un classeur en particulier plutôt qu'au Classeur de macros personnelles, ouvrez ce classeur (employez par exemple la commande Fichier/Ouvrir).**

    Il est préférable d'assigner uniquement des macros qui se trouvent dans votre classeur de macros personnelles, car les nouvelles commandes de menus seront ainsi accessibles à partir de n'importe quel classeur Excel. Si vous affectez à une commande de menu une macro provenant d'un autre classeur, vous ne pourrez utiliser cette commande qui lorsque ce classeur sera ouvert.

2. **Actionnez la commande Affichage/Barre d'outils/Personnaliser pour ouvrir la fenêtre de dialogue Personnaliser.**

3. **Cliquez sur l'onglet Commandes, sur Macros dans la liste Catégories, puis sur Élément de menu personnalisé dans la liste Commandes.**

4. **Faites glisser l'Élément de menu personnalisé jusqu'au menu déroulant dans lequel vous voulez placer la nouvelle commande, puis relâchez le bouton de la souris.**

5. **(Facultatif) Pour attribuer un nom personnalisé à la commande de menu (c'est-à-dire celui qui apparaît dans le menu), cliquez sur l'élément de menu avec le bouton droit de la souris, sélectionnez le contenu de la case Nom dans le menu contextuel obtenu, puis tapez le nouveau nom du bouton. Enfin, appuyez sur Entrée.**

6. **Pour assigner la macro à votre nouvelle commande, cliquez sur la commande avec le bouton droit de la souris, puis actionnez la commande Affecter une macro dans le menu contextuel obtenu.**

    Excel ouvre la boîte de dialogue Affecter une macro (voir la Figure 12.6).

7. **Sélectionnez ou enregistrez la macro en question.**

    Pour assigner une macro existante, cliquez deux fois sur le nom de la macro dans la liste ou sélectionnez son nom et cliquez sur OK, ou pressez Entrée.

Après avoir créé votre nouvelle commande de menu et lui avoir affecté une macro, vous exécutez la macro tout simplement en actionnant la commande de menu, comme s'il s'agissait de n'importe quelle autre commande de menu.

Pour supprimer une commande de menu personnalisée, ouvrez la fenêtre de dialogue Personnaliser (en actionnant la commande Affichage/Barre d'outils/ Personnaliser), déroulez le menu contenant la commande à effacer, faites glisser la commande en dehors du menu, puis relâchez le bouton de la souris.

Affecter un hyperlien à un bouton de barre d'outils

Dans l'esprit résolument Web qui anime tous les logiciels modernes, Excel 2000 vous permet d'affecter un hyperlien à un bouton que vous avez ajouté à une barre dans le but d'ouvrir une page Web (qu'elle se trouve sur Internet ou sur l'intranet de votre entreprise), d'ouvrir un fichier ou d'adresser un nouveau message électronique à tel destinataire. Ainsi, pour être tenu au courant des dernières infos relatives à Office 2000, créez donc un bouton et affectezlui un lien hypertexte vers la page d'accueil du site Web de Microsoft.

La procédure est identique à celle qui vous permet d'affecter une macro à un bouton :

1. **Choisissez Affichage/Barres d'outils/Personnaliser.**

2. **Si la barre d'outils à laquelle vous voulez ajouter le bouton n'est pas affichée, sélectionnez-la dans la liste de l'onglet Barres d'outils.**

3. **Activez l'onglet Commandes, puis sélectionnez Macros dans la liste Catégories et Bouton personnalisé dans la liste Commandes (Figure 12.5).**

4. **Faites glisser ce bouton de la liste Commandes vers l'endroit de la barre où vous souhaitez voir figurer l'hyperlien. Relâchez ensuite le bouton de la souris.**

5. **(Facultatif) Pour modifier l'icône, opérez un clic droit sur le bouton ; choisissez ensuite Modifier l'image du bouton dans le menu contextuel et sélectionnez une autre icône.**

6. **Pour affecter un hyperlien à ce bouton macro, opérez de nouveau un clic droit sur le bouton, puis choisissez Affecter un lien hypertexte/ Ouvrir dans le menu contextuel.**

   Excel ouvre alors la fenêtre Affecter un lien hypertexte : Ouvrir (Figure 12.7).

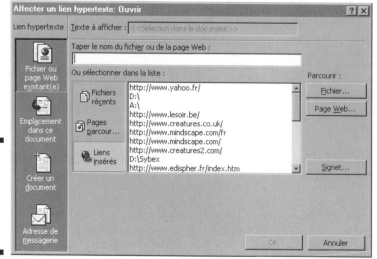

Figure 12.7
La boîte de
dialogue
Affecter un
lien
hypertexte :
Ouvrir.

7. **Dans la case Tapez le nom du fichier ou de la page Web, entrez l'URL, le chemin ou l'adresse e-mail ; ou bien sélectionnez cet élément dans la liste Ou sélectionner dans la liste.**

Pour sélectionner un fichier, une page Web ou une adresse électronique dans cette liste, cliquez sur le bouton approprié dans le volet gauche (Fichier ou page Web existant(e) ou Adresse de messagerie, selon le cas), puis sélectionnez le chemin, l'URL ou l'adresse dans la liste. Si vous validez Fichier ou page Web existant(e), vous pouvez en outre choisir parmi trois options :

- **Fichiers récents** : liste des fichiers récemment ouverts.

- **Pages parcour...** : liste des pages Web récemment visitées.

- **Liens insérés** : liste des fichiers et des pages Web de votre dossier Favoris.

Pour créer un lien hypertexte vers un document Office ou Web que vous n'avez pas encore créé, cliquez, à gauche, sur Créer un document, puis tapez son nom dans la case Nom du nouveau document.

8. **Cliquez sur OK pour fermer la fenêtre Affecter un lien hypertexte : Ouvrir ; cliquez sur Fermer ou enfoncez la touche Entrée pour fermer la fenêtre Personnaliser.**

A moins que vous ne disposiez, via réseau, d'une connexion Web permanente, un clic sur un bouton représentant un lien hypertexte vers une page Web sur Internet provoquera l'apparition d'un message d'erreur à moins que votre modem ne soit prêt à établir la connexion par ligne téléphonique. Le Chapitre 10 décrit plus en détail les liens hypertextes et autres fonctionnalités Web de Microsoft Excel 2000.

Mignon comme un bouton

Vous pouvez aussi personnaliser l'image des boutons d'outils soit en copiant l'image d'un autre bouton, soit en dessinant vous-même l'icône.

Pour coller une image d'un bouton à un autre :

1. **Dans le menu contextuel d'une barre d'outils, choisissez la commande Personnaliser afin d'ouvrir la boîte de dialogue Personnaliser.**

2. **Si la barre d'outils comportant le bouton que vous voulez copier n'est pas affichée, cliquez sur son nom dans la liste Barre d'outils de l'onglet du même nom.**

3. **Cliquez avec le bouton droit de la souris sur le bouton que vous désirez copier, puis actionnez la commande Copier l'image du bouton. Vous copiez ainsi l'image du bouton dans le Presse-papiers.**

4. **Cliquez avec le bouton droit de la souris sur le bouton devant recevoir l'image contenue dans le Presse-papiers, puis actionnez la commande Coller l'image du bouton.**

Vous pouvez, comme le montre la Figure 12.8, dessiner vous-même l'image du bouton de l'outil personnalisé. Cliquez avec le bouton droit de la souris sur le bouton dans votre barre d'outils, puis, dans son menu contextuel, choisissez la commande Éditeur de boutons. Vous obtenez la fenêtre de l'Éditeur de boutons.

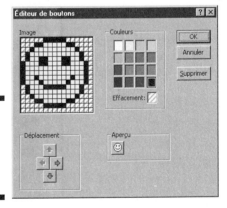

Figure 12.8 Personnalisez l'icône dans l'Éditeur de boutons.

Dans cet éditeur, cliquez sur la couleur que vous souhaitez utiliser, puis sur les carrés (pixels) dans la zone Image. En cliquant une seconde fois sur le pixel que vous venez de colorier, vous le remettez dans son état d'origine. La "couleur" Effacement vous permet de corriger vos erreurs. Si vous ne désirez pas vous servir de l'icône du bouton que vous voulez modifier, cliquez sur le bouton Supprimer. Ensuite, vous pouvez laisser s'exprimer votre génie créatif.

Sixième partie
Les dix commandements

SI BOB DYLAN AVAIT POURSUIVI UNE CARRIERE EN INFORMATIQUE

"Il est très fort pour les tablatures, il en dessine beaucoup... ou alors un chapeau, toujours le même..."

Dans cette partie...

Vous voici arrivé dans la partie amusante de *Excel 2000 pour les Nuls*. Le Chapitre 13 vous propose en effet une série d'astuces qui vous permettra d'être à la fois plus à l'aise et plus productif. Le Chapitre 14 dresse la liste des musts qui vous faciliteront la vie. Enfin, le Chapitre 15 énonce les… dix commandements !

Chapitre 13

Les dix meilleures nouvelles fonctionnalités d'Excel 2000

Voici, résumées, les principales nouveautés de la toute dernière mouture du tableur de Microsoft :

10. **Commandes récemment utilisées en tête des menus** : Excel 2000 prend l'initiative de masquer les commandes que vous ne sollicitez pas réguliè-rement et d'afficher celles que vous exploitez souvent.

9. **Barres d'outils ancrées** : Excel 2000 vous permet d'ancrer plusieurs barres d'outils côte à côte le long d'un des bords de l'écran. D'ailleurs, c'est ainsi que sont présentées, au départ, les barres Standard et Mise en forme. Si la totalité de la barre ne peut être affichée, le programme ajoute un bouton baptisé Autres boutons qui vous donne accès aux icônes qui n'apparaissent pas d'emblée.

8. **Sélection de cellule non opaque** : Désormais, quand vous sélectionnez des cellules, Excel 2000 leur affecte un fond bleu clair plutôt que de les faire passer en surbrillance. Le contenu des cellules sélectionnées reste donc visible, ainsi que leurs attributs de mise en forme.

7. **Extension dans les listes** : Excel 2000 étend automatiquement le forma-tage et les formules dans les listes.

6. **An 2000** : Dans les feuilles de calcul Excel 2000, vous pouvez exprimer en deux chiffres les années comprises entre 2000 et 2029. Pour les dates du siècle postérieures à 2030, vous devez vous exprimer en quatre chiffres.

5. **Menu Police** : Normalement, le menu déroulant Police de la barre d'outils Mise en forme présente les polices dans leur aspect réel. Vous

voyez donc ainsi directement à quoi ressemblera votre texte lorsque vous l'aurez formaté.

4. **Possibilité de glisser-déposer des tableaux pages Web depuis le naviga-teur vers Excel** : Cette nouvelles fonctionnalité ravira les aficionados du glisser-déposer. Sélectionnez les données dans la fenêtre de votre navigateur, puis faites-les tout simplement glisser vers la feuille de calcul.

3. **Aperçu de la page Web** : Avant même d'enregistrer un classeur en tant que page Web, vous pouvez voir à quoi ressembleront vos données lorsqu'elles apparaîtront dans la fenêtre de votre navigateur, après avoir été enregistrées en format HTML.

2. **Enregistrer et ouvrir des pages Web dans Excel** : La commande Enregis-trer en tant que page Web vous permet de convertir tout ou partie d'un classeur en fichier HTML, le format typique du Web.

1. **Enregistrer des feuilles de calcul Excel en tant que pages Web interac-tives** : C'est sans doute là la nouvelle fonctionnalité Web la plus intéres-sante d'Excel 2000. L'option "Ajouter l'interactivité" permet, en effet, à d'autres utilisateurs de modifier un tableau ou un graphique Excel enregistré en tant que page Web (à condition que ces personnes exploi-tent la version 4.0 ou ultérieure d'Internet Explorer et que les données n'aient pas fait, dans Excel, l'objet d'une protection).

Chapitre 14
Les dix meilleures astuces pour débutant

Si vous parvenez à maîtriser ces fonctionnalités, vous exploiterez très correctement Excel :

10. **Pour lancer Excel 2000 depuis la barre des tâches de Windows 95/98** : cliquez sur Démarrer, choisissez Programmes, puis, dans le menu adjacent, sélectionnez Microsoft Excel.

9. **Pour ouvrir Excel 2000 en même temps qu'un classeur** : localisez l'icône du classeur à ouvrir dans l'Explorateur Windows ou dans la fenêtre Poste de travail, puis cliquez deux fois dessus.

8. **Pour accéder à une zone de la feuille de calcul non visible à l'écran** : utilisez les barres de défilement horizontale et verticale. Une bulle d'information vous indiquera toujours quelle colonne ou ligne se trouve dans le coin supérieur gauche de la feuille de calcul.

7. **Pour démarrer un nouveau classeur (comprenant 3 feuilles de calcul vierges)** : cliquez sur l'outil Nouveau classeur de la barre d'outils Standard. Une autre méthode consiste à utiliser la commande Nouveau du menu Fichier ou à presser Ctrl+N. Pour insérer une nouvelle feuille de calcul dans un classeur, optez pour la commande Feuille de calcul du menu Insertion ou pressez Ctrl+F11.

6. **Pour rendre actif un classeur ouvert parmi d'autres classeurs** : sélectionnez son nom ou son numéro dans le menu Fenêtre. Pour accéder au contenu d'une feuille de calcul dans un classeur, cliquez sur l'onglet de la feuille en question. Pour afficher plus d'onglets que vous n'en voyez, utilisez les boutons de défilement d'onglets situés en bas à gauche de la fenêtre du classeur.

5. **Pour entrer des données dans une feuille de calcul** : sélectionnez une cellule, puis tapez l'information. Pour terminer la saisie, soit vous cliquez sur le bouton Entrer de la barre de formule, soit vous pressez la touche Tab ou Entrée ou une des touches de direction.

4. **Pour éditer une donnée** : cliquez deux fois sur la cellule qui la contient, ou placez le pointeur de cellule dessus et pressez F2. Le point d'insertion apparaît alors à la fin de la donnée. Une fois vos modifications terminées, cliquez sur le bouton Entrer de la barre de formule, activez la touche Tab ou Entrée ou encore une des touches de direction.

3. **Pour sélectionner une commande d'un menu** : cliquez sur le nom de ce dernier (dans la barre de menus), et dans la liste qui se déroule choisissez la commande en question. Dans un menu contextuel, sélectionnez la commande comme expliqué ci-dessus.

2. **Pour sauvegarder une copie de votre classeur** : choisissez la commande Enregistrer ou Enregistrer sous (lors d'une première sauvegarde ou pour changer le nom du classeur) du menu Fichier. Vous pouvez aussi cliquer sur l'outil Enregistrer de la barre d'outils standard ou presser Ctrl+S. Ensuite désignez le disque et le dossier dans lesquels se fera l'enregistrement. Le nom du fichier peut comprendre jusqu'à 256 caractères.

1. **Pour sortir d'Excel** : choisissez la commande Quitter du menu Fichier, ou cliquez sur le bouton de fermeture du programme, ou encore pressez la combinaison Alt+F4. Si votre classeur a été modifié, Excel vous demande si vous souhaitez enregistrer vos dernières modifications. Une fois votre choix effectué, vous revenez dans le bureau de Windows. Avant d'éteindre votre ordinateur, utilisez la commande Arrêter du menu Démarrer.

Chapitre 15
Les dix commandements d'Excel 2000

10. **Régulièrement tes modifications sauveras !** Activez régulièrement la commande Fichier/Enregistrer ou Ctrl+S. Si vous êtes tête en l'air, je vous conseille d'utiliser la commande Enregistrement automatique. Pour l'activer, ouvrez le menu Outils dans lequel vous choisissez Macro complémentaire. Dans la boîte de dialogue, cochez la case Enregistrement automatique, puis cliquez sur OK. Cette nouvelle commande apparaît dans le menu Outils. Dès que vous l'activez, une boîte de dialogue s'ouvre dans laquelle vous déterminez l'intervalle de temps entre deux enregistrements.

9. **256 caractères pour nommer tes fichiers ne dépasseras !** Cela comprend les signes, espaces et symboles.

8. **De la mémoire de ton ordinateur te soucieras !** Ainsi, évitez de laisser des cellules vides et organisez vos données de façon à avoir un minimum de colonnes et de lignes vierges.

7. **Le signe = en début de formule n'omettras !** Par contre, si vous êtes un familier de Lotus 1-2-3, vous pouvez utiliser le signe "+" pour les formules et le signe @ pour les fonctions.

6. **Les cellules avant d'exécuter une commande sélectionneras !**

5. **La commande Annuler à utiliser ne tarderas !** (Édition/Annuler ou Ctrl+Z).

4. **Aucune ligne ou colonne ans avoir vérifié les zones non visibles à l'écran n'effaceras !**

3. **Seulement après un Aperçu avant impression la feuille de calcul imprimeras !**

2. **Si la feuille est importante, en calcul manuel passeras !** Le but est d'éviter que le calcul automatique ne ralentisse le travail. En mode manuel, le calcul sera lancé en pressant la touche F9 (Outils/Options/ onglet Calcul/Sur ordre).

1. **Ton classeur contre les malveillants protégeras !** A utiliser : la commande Outils/Protection/Protéger la feuille ou Protéger le classeur. N'oubliez pas votre mot de passe, car l'oublier c'est perdre tout accès à votre feuille de calcul ou classeur.

Index

C

D

E